日本人が知らない！
世界史の原理

異色の予備校講師が、タブーなしに語り合う

茂木誠　宇山卓栄
Mogi Makoto　Uyama Takuei

ビジネス社

はじめに――画期的な世界史通史の対談本！

終わらない戦争、政治と権力、マネーと儲けの構造、民族と国家、自虐史観。

これらの隠された世界史の真相を、タブー視するばかりで、どの出版社もメディアも扱わず、まして、学校や教科書などでも、触れられることがありません。

現在、世界を見渡すと中東紛争、ウクライナ紛争、台湾危機、アメリカやヨーロッパの移民問題、迫りくる全体主義の脅威など、危機が連鎖的かつ同時多発的に起こっています。その危機の根源とは何か。いったい、世界はどのような原理で動いているのか。

本書では、その真相に迫ります。

日々のニュースを短期的に追うだけでは、決して真相は見えません。我々には、歴史という巨視的な文脈が必要であり、その文脈の中で、「現在」の真相もまた浮かび上がってきます。歴史は繰り返す。現在起こっていることは過去に起こったことの再現なのです。

本書は古代から現代までの通史を、対談形式で解き明かしていきます。通史の形なので、時代の流れを追いながら、初心者の方にも、世界史を一気通貫、俯瞰することができます。

茂木先生も私も長年、予備校講師として世界史を教えてきました。我々の対談の中で、日本人が知っておくべき、世界史のエッセンスを抽出し、煮詰めていきます。そして、何よりも対談だからこそ可能な多角的な視点と論点を確保しながら、その切磋琢磨により、教科書が教えない「現在」や「過去」の真相に迫ります。

また、本書では、古代から現代までの各時代ごとに、日本はどうだったのかということも掘り下げて対談するコーナーも設けており、世界史と同時に、日本史をも通史で学べるようになっています。

茂木先生とともに、「現在、起こっているニュース」に関連する「過去に起こった歴史」を重点的に取り上げ、それを徹底的に話し合い、その全体像を浮き彫りにしました。

「このニュースには、どんな歴史的背景があるのだろう」と多くの人が思っていても、報道では歴史的背景まで、伝えることはほとんどありません。そのニーズに応えるべく、独自の視点・論点を二人で考察し、一般の人にとって馴染みやすい事例に即して、対談をしました。

対談は各回ごとに楽しく、熱を帯びていきました。我々二人の熱がきっと読者の皆様にも大いに伝わり、読者の皆様ご自身が会話に参加しているかのような臨場感と高揚感で、読み進めてもらえるものと確信しております。


「世界史をもっと勉強しておけばよかった」

世界史は何歳からでも勉強できます。定年退職した人も、現役の人も。

本書は、中学程度の歴史の知識があれば、楽しく読むことができます。歴史の細かい知識を身に付ける本ではなく、歴史や現在に対する、広範な考え方や捉え方を、通史という大きな枠組みの中で、読者の皆様とともに、学ぶことを目的にしています。

従って、些末な歴史の知識や専門用語を、バッサリと削り、基礎的で普遍的な歴史事象のみを扱い、現在のニュースを考察しています。

歴史を俯瞰し、現在を知る。世界の構造は、我々が想像する以上に、驚きと発見に満ちています。

宇山卓栄

日本人が知らない！　世界史の原理　目次

第2章 中世――モンゴル帝国が与えたインパクト

第3章 近世——世界的な「大戦国時代」

第4章 近代――大英帝国と国民国家

第5章 現代――アメリカの世紀と共産党の野望

第1章

《古代》東西の二大帝国と日本

1 ユダヤ人の正体、中東危機の淵源

宇山卓栄

■「約束の地カナン」

宇山　パレスチナのイスラム組織ハマスが２０２３年10月7日、ロケット弾や戦闘員の侵入によってイスラエルへの大規模な攻撃を仕掛けました。イスラエルは報復を行い、双方に多くの犠牲者を出す軍事衝突に発展しています。

昔から、パレスチナ地域では、ユダヤ人とアラブ人が骨肉の争いをしていました。バビロン捕囚などの陰惨な出来事など、３０００年の紛争の歴史があります。しかし、両者は民族的に兄弟、同じセム系民族です。

茂木　『旧約聖書』によると、ユダヤ人とアラブ人の共通の祖先がアブラハムです。子供に恵まれなかったアブラハムは、奴隷の妾にイシュマエルを生ませます。ところがのちに正妻がイサクを産んだので争いが起こり、イシュマエルを砂漠に追放してしまいます。このイシュマエルの子孫がアラブ人、正妻が生んだイサクの子孫がユダヤ人となったという設定ですね。

宇山　ユダヤ人はアブラハムの正妻の嫡出子の系統であることを誇り、アラブ人を奴隷の妾の子であると見下しました。ユダヤ人とアラブ人はほぼ同族であるにもかかわらず、歴史上一貫して、対立しており、それは今日にまで引き継がれています。

アブラハムは現在のイラク南部とされるカルデヤから部族を引き連れて「カナンの地」（パレスチナ付近）に移住します。『旧約聖書』の創世記には以下のような記述があります。

「主はアブラム（アブラハムのこと）に仰せになった、『あなたの地、あなたの親族、あなたの父の家を離れ、わたしがあなたに示す土地に行け』。主はアブラムに現れて仰せになった、『わたしはこの地をあなたの子孫に与える』。アブラムは自分に現れた主のために、そこに祭壇を築いた」

「わたしがあなたに示す土地」、これが「約束の地カナン」です。しかし、紀元前17世紀頃に、飢饉のためカナンの地を離れ、古代エジプトに集団移住し、その後、預言通り、古代エジプトの地で奴隷とされます。

茂木　紀元前17世紀というのは、地中海のサントリーニ火山島が大噴火を起こした時代ですね。この噴火による島の消滅は、「消えた大陸」アトランティス伝説のモデルになったという説があります。大量の火山灰が太陽光を妨げた結果、北半球が寒冷化しました。ギリシアではクレタ文明が急速に衰退しますし、中国では夏王朝が滅んで殷王朝に交代しています。アブラハムがエジプトへ移動せざるを得なくなった「飢饉」も、これと関係するのかもしれません。

宇山　エジプト第19王朝の時代に、再び大きな気候変動が起こり、エジプトのヘブライ人指導者モーセが中心となり、約60万人の人々がエジプトからシナイ半島に脱出（出エジプト）し、彼らは神から与えられた「約束の地」と信じられたカナンの地にたどり着きます。こうしたことが『旧約聖書』に書かれています。

ユダヤ人はパレスチナにおいて、ヘブライ王国を建国し、紀元前10世紀、ダヴィデ王、ソロモン王の時代に全盛を誇りました。そして、イェルサレムにヤハウェの神殿が建設され、民間信仰が集められ、ユダヤ教の原型が形成されます。

この時、ユダヤ人はパレスチナに住んでいた原住民であるカナン人やペリシテ人を追い出しています。彼らはセム系アラブ人です。「パレスチナ」という名称はペリシテ人に由来します。

ミケランジェロの「ダヴィデ像」、アカデミア美術館蔵（フィレンツェ）

茂木　現代のパレスチナ人は、7世紀以降に拡大したアラブ人のうちの「パレスチナ地方の住民」のことです。古代のペリシテ人と現代のパレスチナ人との間には、民族的な繋がりは必ずしもありませんね。

宇山　その通りです。ユダヤ人はカナン人やパレスチナ人を侵略して征服した上で、ヘブライ王国を建国しました。

もともと、ユダヤ人にカナンを占拠す

る権利などありません。権利がないからこそ、『旧約聖書』の「約束の地カナン」がデッチあげられたと言えます。これは、ユダヤ人が何らかの正統性を得ようとした結果、生まれたストーリーであり、歴史的に見れば、パレスチナは先住のカナン人やパレスチナ人のものです。

茂木　羊飼いの少年ダヴィデが石を投げて、ペリシテ人の巨人ゴリアテを倒した逸話は有名ですね。ミケランジェロの有名な彫刻、ダヴィデ像のモチーフにもなっています。

■バビロン捕囚とユダヤ選民思想

宇山　当初、繁栄したヘブライ王国は内部分裂で、勢力を弱めていき、周囲の民族に支配されます。ヘブライ王国分裂後の後継国家がユダ王国です。

茂木　ヘブライ王国の住民はもともと12支族からなっていました。王国が南北に分裂した時、10支族が北のイスラエル王国を建て、ユダ族とベニヤミン族が南のユダ王国を建てたんです。北イスラエル王国はアッシリアに滅ぼされて、その住民は離散してしまいます（失われた10支族）。南のユダ王国が生き残ったので、「ユダヤ人」と呼ばれるわけです。

宇山　紀元前6世紀、アラブ人と同じセム系民族の新バビロニア王国がユダ王国を滅ぼし、多くのユダヤ人が奴隷としてバビロン（バグダードの南90キロの古代都市）に囚われました。これが有名なバビロン捕囚です。彼らはユダ王国の遺民という意味で、「ユダヤ人」と呼ばれるようになったのです。

レンブラント『イェルサレム滅亡を嘆く預言者エレミヤ』（アムステルダム国立美術館蔵）

この時の新バビロニア王国のユダ王国に対する破壊とユダヤ人への弾圧があまりにも苛烈であったため、ユダヤ人同士の独特の連帯意識を生み、さらには、試練を経験したユダヤ人のみが救済されるという選民思想も形成されます。

宇山　預言者エレミヤはバビロン（新バビロニア王国）によって、イェルサレムが焼かれることが主の御心であると言いましたが、ユダヤ人は耳を貸しませんでした。しかし、エレミヤの預言通り、紀元前586年、イェルサレム神殿が破壊されます。ユダヤ人は絶望へと追い込まれました。『旧約聖書』のエレミヤ書37章8節～10節には以下のような記述があります。

「カルデヤ人（バビロン人のこと）が引き返して来て、この町を攻め取り、これを火で焼く。主はこう仰せられる。『あなたがたは、カルデヤ人は必ず私たちから去る、と言って、みずから欺くな。彼らは去ることはないからだ。たとい、あなたがたが、あなたがたを攻めるカルデヤの全軍勢を打ち、その中に重傷を負った兵士たちだけが残ったとしても、彼らがそれぞれ、その天幕で立ち上がり、この町を火で焼くようになる』」

その後、アケメネス朝ペルシアが新バビロニア王国を滅ぼします。紀元前538年、ペルシア王キュロス2世は、ユダヤ人がイェルサレムに帰還して神殿を再建することを許しました。アケメネス朝ペルシアは全オリエントを統一し、ユダヤ人もその支配下に入ります。この時代に、『旧約聖書』の編纂《へんさん》が本格化し、ユダヤ教は組織化されていきます。

茂木　この「バビロン捕囚」の記憶を後世に伝えることが、『旧約聖書』をまとめた最大の動機だと思います。この民族的なトラウマを癒すために、「神によって選ばれたからこそ試練を受けるユダヤ人」というストーリーを彼らは作り上げた。むしろ苦難を喜ぶような、マゾヒスティックな感情です。

宇山　紀元2世紀、ローマ帝国に対する抵抗が鎮圧されると、ユダヤ人は帝国によって迫害され、各地に離散しました。これを「ディアスポラ（離散）」と言います。ヨーロッパに渡ったユダヤ人は、ローマ教会によって不動産の所有が禁じられたため、当時のヨーロッパで卑しい職業とされていた金貸し業を営むようになり、これがユダヤの金融資本の出発点になります。

■キリストはなぜ、白人のビジュアルになってしまったのか

宇山　ディアスポラの時代に、ユダヤ人はヨーロッパ各地で白人と混血したと考えられています。ユダヤ人が同族婚の結婚を慣習化させるのは中世の時代であり、ディアスポラの時代の

紀元前1世紀には、異教徒のヨーロッパ白人と混血していたのです。

このことを示す研究結果が2013年に提示されています。イギリスの生物学者マーティン・リチャーズはアシュケナジム系ユダヤ人の母系遺伝子であるミトコンドリアの染色体に関する遺伝情報を解析し、彼らの母系祖先を調査したところ、2000年前の紀元前1世紀において、その多くがヨーロッパ人と特定できたのです。つまり、リチャーズの調査結果は、紀元前1世紀、ヨーロッパにやって来たアシュケナジム系ユダヤ人は、ヨーロッパ白人女性をユダヤ教に改宗させ、結婚・混血し、子孫を残していったということを示しています。

ユダヤ人の遺伝子に、白人に高頻度に観察されるR系統が含まれるようになったのは、この時代における、白人との混血によるものと考えられます。

茂木　なるほど、ヨーロッパのユダヤ人コミュニティはその初期において、閉ざされたものではなく、我々が考える以上に現地ヨーロッパ人と融和し、混血もしていたのですね。

宇山　もともと、ユダヤ人の容貌はアラブ人（J系統）と北アフリカ人（E系統）に近かったと考えられます。今日のエジプト人やリビア人のようなイメージです。そこに、白人（R系統）の血が加わり、現代のユダヤ人の容貌へと変化していくのです。

イエス・キリストはパレスチナのベツレヘムで生まれたユダヤ人です。しかし、イエスは絵画などで、白人のヨーロッパ人男性として描かれてきたために、イエスが白人であるかのようなイメージが定着しています。

茂木　また聖母マリアもほとんどの絵画で、白人女性として描かれていますね。おもしろいのはザビエルがキリスト教を日本に伝えたあと、日本人キリシタンはマリア観音というものを拝んでいたのです。そこではマリア様が完全に東洋人の顔になっています。

宇山　ディアスポラ以前、ユダヤ人は白人との混血を未だ進めていませんでした。ローマ帝国がシリア・パレスチナ地方を版図に組み入れますが、白人の入植者は決して多くはありませんでした。もし、イエスの本当の容貌を復元できるとするならば、我々はそれを見て、瞬時に「アラブ人だ」と思うでしょう。イエスの髪の毛の色は金髪や赤茶ではなく黒で、眼の色も青ではなく黒であった可能性が高いでしょう。

茂木　レオナルド・ダ・ヴィンチの『最後の晩餐』では、イエスの髪の毛は赤茶で描かれています。これも「ヨーロッパ人がイメージしたイエス像」ですね。

ユダヤ人はそもそも、アラブ人と同じセム語族に分類されます。ユダヤ人の言語であるヘブライ語もセム語族の一つです。インド・ヨーロッパ語族とは明らかに異なる民族です。

宇山　それにもかかわらず、イエスを白人のように描写するのは、イエスを同族としたいヨーロッパ人の思惑があったのだと批判されています。特に、反人種差別団体はイエスが白人として描かれている壁画や絵画は白人至上主義の擁護に使われているとして、公共の場から撤去すべきだと極端な主張をしています。

神であるイエスは白人であるべきとする暗黙の了解がヨーロッパ白人の中にあったのは間違いないでしょう。イエスが中東人のような容貌では、白人にとって、都合が悪かったのは言うまでもありません。

ところで、ユダヤ人とは、いったいどのように定義される民族なのでしょうか。現在、イスラエルの法律では、「ユダヤ人はユダヤ人の母親から生まれた人、またはユダヤ教に改宗を認められた人」（「イスラエル帰還法」より）と規定されています。

茂木　ユダヤ法では、ユダヤ人の母を持つとユダヤ教に改宗した者をユダヤ人とする、という規定があり、それがイスラエルの国法にも反映されています。

宇山　父親がユダヤ人でも、母親が非ユダヤ人の場合、子供はユダヤ人ではないと見なされることもあります。子供の父親が誰かはわからなくても、母親から生まれた子は確実に母親の子であるため、母親がユダヤ人ならば、ユダヤ人の血は受け継がれていると考えられています。

茂木　離散したユダヤ人は、異教徒から何度も襲撃されています。心ならずも異教徒の子を宿した女性も多かった。つまり「ユダヤの血」は母から子へと受け継がれた。だからこのような規定になっているようですね。

宇山　しかし、これらは厳格な定義であって、実際には、ユダヤ社会で、母親が非ユダヤ人で父親がユダヤ人という場合でも、その子はユダヤ人と見なされます。

■「ユダヤ人ハザール人説」、陰謀論か真実か

宇山　最近、50年前に流行った「ユダヤ人ハザール人説」がネットなどで、よく流布されて

います。この説は、ヨーロッパのユダヤ人は古代ユダヤ人としてのセム系の民族起源を持たず、実はハザール人の末裔であるとするものです。

「ユダヤ人ハザール人説」によると、ヨーロッパで迫害を受けたアシュケナジムなどのユダヤ人たちは、かつてパレスチナにいた古代ユダヤ人との連続性や繋がりを持たず、古代ユダヤ人とは別の民族になったとされます。彼らは直接には、ハザール王国のハザール人の末裔とされるのです。

茂木　ハザール王国は7世紀から10世紀に、黒海北部からコーカサス地域を支配した遊牧民族のテュルク（トルコ）系国家とされます。ユダヤ教を事実上の国教としたハザール王国のユダヤ教への改宗者がヨーロッパのユダヤ人となったとする説が「ユダヤ人ハザール人説」ですね。

宇山　この説に依拠すると、ハザール人たる「偽ユダヤ人」がシオニズム運動を推進する正統性はなく、イスラエル国家建設への歴史的権利もないということになります。そのため、「ユダヤ人ハザール人説」は反シオニズムや反イスラエル主義者によって利用されました。

しかし、この説は今日の遺伝子解析からも、否定されています。ハザール王国の支配者層はテュルク（トルコ）系民族と推測されています。支配者層が9世紀頃に、キリスト教でもイスラム教でもない第3の道として、ユダヤ教に改宗しました。

ハザール王国のテュルク系民族はもともと、突厥民族であったとされます。彼らはアルメニア方面からやって来たとの史書の記述もあり、中央アジアを通って、カスピ海の南岸から北上してきた可能性があります。965年、キエフ・ルーシ（今日のウクライナ）に滅ぼされます。

茂木　ハザール王国滅亡後に、王国にいたユダヤ教徒たちがキエフ・ルーシに飲み込まれ、のちにモンゴルに追われ、東ヨーロッパへと移動し、アシュケナジム系ユダヤ人になったと「ユダヤ人ハザール人説」では、唱えられます。

宇山　もし、このハザール王国の改宗ユダヤ人の末裔がヨーロッパのユダヤ人になったというのであれば、遺伝子上の繋がりがあるはずです。

テュルク系とされるハザール人支配者層はテュルク系民族に特徴的な遺伝子Y染色体ハプログループC2系統、O系統、N系統などを持っていたと考えられます。テュルク系の血を今日、最も強く継承している民族はウイグル人や中央アジア人です。彼らには、約7割もの高頻度で、これらの遺伝子が観察されます。

しかし、現代のユダヤ人の遺伝子には、このようなテュルク系民族に特徴的な遺伝子はほとんど観察されません。ちなみに、一般的なユダヤ人のY染色体ハプログループの構成はアラブ人に高頻度に観察されるJ系統が約30％、北アフリカ人に高頻度に観察されるE系統が約20～30％、白人に高頻度に観察されるR系統が約20～30％となっています。

以上のような遺伝子解析からも「ユダヤ人ハザール人説」は否定されます。遺伝子解析では、ユダヤ人はヨーロッパ白人化されたものの、古のセム系民族の遺伝子を今日に受け継いでいることになり、結果的に、アシュケナジム系ユダヤ人がシオニズムを主張することには一定の理が認められます。

「ユダヤ人ハザール人説」はウクライナ生まれのユダヤ人歴史学者アブラハム・ポラックによって、展開されました。ポラックの著書『ハザリア：ヨーロッパにおけるユダヤ人王国の歴史(Khazaria: History of a Jewish Kingdom in Europe)』は1943年に初版が出版されました。

茂木　当時から、ポラックの説はユダヤ人歴史家たちにより、「我々がユダヤ人の祖先よりも、テュルク系の血統に繫がるなどと主張することに、どんな楽しみや尊厳を見出しているのか理解できない」などと批判されていました。

宇山　ポラックがなぜ、ユダヤ人でありながら、このような「ユダヤ人ハザール人説」を唱えたのか、その動機については詳しくわかっていませんが、ウクライナ生まれのポラックにとって、何らかの学問的好奇心によって駆り立てられるものがあったのかもしれません。

茂木　「ユダヤ人ハザール人説」を爆発的に広めたのが、アーサー・ケストラーの『ユダヤ人とは誰か―第十三支族・カザール王国の謎』(三交社)ですね。ハンガリー系ユダヤ人の作家ケストラーは、アブラハムの子孫である12支族とは何の関係もないハザール人が「第13支族として現代イスラエルを建国した」と結論して大論争を引き起こし、イスラエルで同書は出版禁止になりました。宇野正美さんがこの本を日本語訳し、私もはじめてこれを読んだ時には、衝撃を受けました。

しかしご指摘通り、その後の遺伝子解析で「ユダヤ人ハザール人説」は否定されました。また言語学的にも、アシュケナジムが使うイディッシュ語はドイツ語の方言であり、トルコ語の痕跡は見当たりません。「ユダヤ人ハザール人説」は都市伝説の類だったのです。

宇山　いずれにしても、「ユダヤ人ハザール人説」は反シオニズムに利用されます。昨今では、イスラエルのガザ占領などの強硬姿勢を受けて、ユダヤ人に対する反発を抱く人から、この説がリバイバルされることがあるようです。

■ユダヤ人を迫害したのはナチスだけではない

宇山　ヨーロッパなどで、社会的な名声を獲得していったユダヤ人に羨望の目が向けられ、同時に反発も大きくなります。特に、不景気の時代に、世の中が閉塞感に覆われると、民族主義者らはユダヤ人を槍玉に挙げることで鬱憤を晴らし、政治もそれに便乗して、人気取りをするということが繰り返されてきました。その典型例がナチスのユダヤ人迫害です。

第一次世界大戦後から1929年の世界恐慌にかけて、ドイツ企業の多くがユダヤ系金融の支援を受け、ユダヤ資本の傘下にありました。ドイツ企業はナチスのような民族主義政党と癒着し、反ユダヤ人キャンペーンを巻き起こし、ユダヤ人を駆逐することで、巨額のユダヤ資本への債務を消し去ろうとしました。

茂木　ユダヤ人を迫害したのはナチス・ドイツだけではありません。ヨーロッパ諸国でユダヤ人迫害をしなかった国を見つけるのは困難でしょう。帝政ロシアは国内の社会的な不満をそらすために、ユダヤ人迫害を頻繁に行いました。「ポグロム」（虐殺・破壊）というロシア語が使われ、ドイツよりも多くのユダヤ人が殺された可能性があります。ナチスによる虐殺を意味する「ホロコースト」の語源は「焼き尽くす捧げ物」で、70年代に同名のＴＶドラマがヒットしてから一般化しました。

宇山　フランスでも、中世にユダヤ人が井戸に毒を入れているという噂が流れ、ユダヤ人が虐殺されるなどの事件が多くありました。フランスの啓蒙思想家ヴォルテールやルソーは反ユダヤ主義を唱えたことでよく知られています。またナチスのフランス占領時代、フランス人の保守派の中には、ナチスのユダヤ人虐殺に共感し、進んでナチスに協力した者も少なくありませんでした。

古来、キリスト教徒はユダヤ人の排他性を激しく批判し、敵愾心を抱いていました。たとえば、ドイツの宗教改革家マルティン・ルターは「ユダヤ人と彼らの嘘について」（１５４３年）という論文を著し、キリスト教徒のユダヤ人に対する嫌悪を代弁し、ユダヤ人迫害には必然的な理由があることを説いています。

ユダヤ人は中世の時代から、東ヨーロッパのポーランド王国などのスラヴ系民族の地域に移住していました。特にモンゴル軍の侵攻で人口が激減したポーランド王国は、ユダヤ人移民を積極的に受け入れたのです。

しかし、１６４８年、ポーランド王国の領土の一部であったウクライナで、コサックの反乱が起きると、反乱軍はユダヤ人を襲撃しました。ポーランド王国で枢要な地位にいたユダヤ人に対する反発があったとされます。さらに、コサックの反乱を支援するロシア軍がポーランドに介入すると、ロシア軍によっても、ユダヤ人の襲撃は行われ、約10万人のユダヤ人が虐殺されたとされます。

茂木　ポーランド王国は、ウクライナでの徴税をユダヤ人金融業者に請け負わせたわけです。だから民衆の怨嗟《えんさ》の的となった。後にウクライナがロシアに併合されると、ロシア帝国がユダヤ人を徴税人として使ったため、同じように恨まれた。

19世紀のポグロムが一番荒れ狂ったのは実はウクライナです。このときウクライナを脱出したユダヤ難民はアメリカへ移住し、市民権を得ました。その子孫がオバマ、バイデン民主党政権の中枢に入り、ウクライナへの干渉を繰り返す。ブリンケン国務長官も、ヌーランド国務次官もそうです。彼らにとってウクライナは外国ではなく、「父祖の土地」なのです。

宇山　ヨーロッパの人々は、「ユダヤ人は非道徳的な秘密の儀式に明け暮れている」、火事が起きれば「ユダヤ人が火を付けた」、疫病が流行れば「ユダヤ人が毒を井戸に投げ入れた」と噂をしていました。そのため、どこの国や地域でも、乱が起きると、元凶はユダヤ人にあるとされて、怒った群衆がユダヤ人を襲撃するということが繰り返されてきたのです。

ローマの歴史家タキトゥスは「ユダヤ人の習慣は卑しく忌まわしく、ユダヤ人がその習慣に固執するのは、彼らが腐敗堕落しているからである。ユダヤ人はユダヤ人同士では極端に忠実であり、いつでも同情を示す用意ができているが、異民族に対しては、憎悪と敵意しか感じないのである」と言っています。

こうした歴史的に繰り返されたユダヤ人迫害への贖罪意識がヨーロッパには強くあります。ドイツのショルツ首相は２０２３年10月７日のハマスのイスラエル攻撃が起こった直後の10月

12日、連邦議会で「我々の歴史、ホロコースト（ユダヤ人大虐殺）に対する責任から、イスラエルの存続と安全のために立ち上がることは永続的な使命だ」と演説しています。

茂木　ドイツは大罪を犯したわけですから当然でしょう。ただし敗戦後のドイツにおいてホロコーストは「疑う余地のない真理」とされ、犠牲者の数や殺害方法について、自由な議論もタブーになってしまいました。歴史研究は事実だけに基づくべきで、「真理」を押し付けるべきものではありません。この点は、日本近代史における「慰安婦」や「南京」にも同じことが言えますね。

2 ローマ帝国、移民によって栄え、移民によって滅ぶ

宇山卓栄

■ローマ帝国が教える移民政策の光と影

宇山　私は2022年から2023年にかけて、アメリカの主要都市シカゴ、ボストン、ニューヨーク、フィラデルフィア、ワシントン、ロサンゼルスなどを回りましたが、どこも、移民の浮浪者で溢れていました。これが、大国アメリカかというくらい、悲惨な現状です。

フィラデルフィアには、ケンジントン通りという場所があり、そこは薬物依存症の人々が集う場所で、「ゾンビタウン」と呼ばれています。移民のドラッグセラーがそこら中で安価に薬物を販売していました。私は世界中のヤバい場所を見に行っていますが、こんなヤバい場所は見たことがありません。

大統領のお膝元ワシントンD.C.も例外ではありません。ホワイトハウスのすぐ近く（歩いて7～8分の場所）にも移民のたまり場があり、多数の移民のテント村が存在していました。南部の共和党知事が、移民受け入れを推進しているバイデンのお膝元に、移民を大量に送っており、彼らがテント村を作っているのです。

かつてローマ帝国も移民受け入れにより、社会が荒廃し、遂には滅亡しました。ローマは初期の頃、移民受け入れで成長しましたが、しかし、結局、移民政策が帝国の圧迫要因となっていきます。

茂木　移民政策は労働力受け入れによる経済成長等、効果的な側面がある一方で、運用の仕方を間違えると、移民が主導権を握るようなことにもなり、社会に混乱を生じさせるということをローマ帝国の歴史が教えてくれます。

宇山　紀元前8世紀頃、ローマに最初のコミュニティができ上がります。経済力に乏しく、技術力も高くなかった辺境のローマは、オリエントやギリシア出身の商人や職人など、他国からの移住者を積極的に受け入れ、彼らから多くを学びます。

ローマは周辺領域を支配下に入れる際、たとえ、それが敵対した勢力であったとしても、寛大に扱い、他民族を取り込むことによって、成長をしていきます。

ローマは戦争に従軍した兵士に対し、身分の区別なく、参政権や財産権を付与します。功績のあった兵士に、政治的発言権を与えることで、軍の士気を高めようとしました。

■なぜ、ローマは覇権を握ることができたのか

宇山　ローマは帝国になる以前から、交易を重視しました。ローマに納税しさえすれば、民族を問わず、交易活動に自由参入でき、商人たちはその身分や財産を保障されました。東方のアレクサンドロス大王やその後継者たちのギリシア人勢力はそのような寛容さを持たず、軍事力によってのみ、征服活動を続けたため、彼らの王国は長くは続かなかったのです。

ローマ人は法による支配を人類史上、最初に制度化した民族でした。紀元前5世紀半ば、十二表法が制定され、司法の手続きなどが定められ、平民の権利が守られます。一方、中国の西方の秦で、法家《ほうか》の商鞅《しょうおう》が登用され、法治主義体制が整備されるのは、戦国時代の紀元前4世紀半ばです。同じ紀元前4世紀、ローマではリキニウス＝セクスティウス法、紀元前3世紀、ホルテンシウス法などが制定され、平民への市民権拡大が進みます。

茂木　同じ「法の支配」とはいえ、中国では「専制君主が人民を管理するための法」であり、立法権は君主が独占していました。都合が悪ければいつでも法律を変えられるのです。しかし共和政ローマでは専制君主が存在せず、元老院（貴族会議）、平民会といった立法機関が

存在し、むしろ「国家権力を制限するための法」だったことは重要ですね。

宇山　これらの法が最終的に、ローマ法として結実し、帝国内のあらゆる民族に適用される万民法となります。帝国にとって、法は広大な領土を統治するための根拠となるものでもあり、また、それを正当化するものでもありました。19世紀のドイツの法学者ルドルフ・フォン・イェーリングは著書『ローマ法の精神』で、「ローマは三度、世界を征服した。一度は武力で、一度は法で、一度はキリスト教で」という有名な言葉を述べています。

ローマ人はプラグマティック（実践的）な人々であり、実利的な実学を追求し、地理学、博物学、天文学、医学などの実践学を興隆させました。

■ゲルマン人という移民勢力

宇山　ローマ人はその優れた合理性と実践性によって、ヨーロッパで最初の覇権を握りました。しかし、拡大しすぎた帝国運営に伴う財政難に圧迫されて、徐々に衰退していきます。また、ローマ帝国は他民族に寛容な政策、諸々の移民政策をとりましたが、この政策が裏目に出ます。富が周辺の他民族にも波及したことで、彼らが強大化し、帝国に歯向かうようになったのです。

茂木　異民族を傭兵に採用して、見返りにローマ市民権を与えるシステムを作ったのはガリア遠征中のカエサルですね。国境のルビコン川を渡り、軍事クーデターで独裁権を握ったカエサル。ローマ市民は、彼の軍団に長髪のガリア兵たちが大勢いるのを見て驚きました。帝政時代になると、常備軍30万の約半数が外国人部隊でした。ギリシア人やエジプト人、アフリカ人がローマ兵として従軍し、退役後は市民権を得たのです。

ローマ駅の近くのカラカラ浴場で知られるカラカラ帝は、祖先が北アフリカのカルタゴ人であり、独特の風貌をしています。軍司令官から皇帝に上り詰めたカラカラは２１２年に勅令を発し、「帝国の全自由民にローマ市民権を与える」と宣言します。それまでイタリアが他の属州を支配していたのが、イタリアも他の属州もまったく対等にしてしまったのです。

たとえて言えば、大日本帝国が朝鮮にも台湾にも完全な参政権を与えたようなものです。その結果、朝鮮人の自称天皇や台湾人の自称天皇が現れ、大混乱に陥っていく……。

カラカラ帝

宇山　その結果3世紀には、周辺各地で独立勢力が形成され、遂には、「蛮族」とされたゲルマン系のゴート人の有力者マクシミヌス・トラクスがローマ皇帝になりました。これ以降、軍人皇帝時代と呼ばれる動乱の時代に入り、ローマ人の覇権は崩れます。

皇帝になる有力者も属州民出身者（つまり移民）が相次ぎ、自らは帝位の正統性を確保するため、ローマ人（イタリア人）氏族の血脈を引いていると喧伝するものの、実際には、「蛮族」の血脈というケースがほとんどでした。3世紀末〜4世紀初頭に、帝国を再建したディオクレティアヌス帝も実はイタリア人ではなく、「蛮族」と見られています。ディオクレティアヌス帝はバルカン半島西部のダルマティア属州の奴隷身分の出身です。

この時代、バルカン半島やイベリア半島などの属州民の出身者で、ローマ皇帝になっている者が多くいますが、彼ら「蛮族」とされた集団のほとんどがゴート人などゲルマン系かアナトリア半島出身の非インド・ヨーロッパ系の西アジア人です。中には、スラヴ人も含まれていたでしょう。スラヴ人はゲルマン人よりもっと前の時代の紀元前8世紀頃、ウクライナからバルカン半島に南下して、これらの地域に移住しています。

ゲルマン人の大移動は375年以降にはじまりますが、既に、先行してゲルマン人はローマ帝国領内各地で勢力を形成しており、3世紀の時点で帝国の実権はイタリア人からゲルマン人に移っていたと言えます。

茂木　まるでいまのアメリカを見ているようです。バイデン民主党政権がメキシコ国境から無制限に移民を受け入れ、不法移民にまで選挙権を与えた結果、アメリカ人としての誇りも伝統も失われ、いずれ大統領も国会議員の多くも、非白人が選ばれるようになるでしょう。ローマ帝国もゆっくりと内側から崩壊していったのであり、民族大移動は最後の一撃に過ぎません。

■移民が国を乗っ取る

宇山　コンスタンティヌス帝が３３０年、首都ローマを捨て、ギリシアのビザンティウムへ遷都した時、名実ともに、ローマ人の覇権は失われました。ビザンティウムは皇帝の名に因み、コンスタンティノープル（現在のイスタンブール）へと改称されました。この時、コンスタンティヌス帝はローマを中心とするイタリアなどの西ヨーロッパ世界への支配を放棄したと言っても過言ではありません。

コンスタンティノープルは地中海と黒海を結ぶボスフォラス海峡に面し、オリエント・アジアへの接合地点であったため、東方との交易に有利でした。

また、商業上の理由だけでなく、民族の勢力分布に基づく地政学上の理由からも、コンスタンティノープルの立地は有利でした。既にローマ人の力は失われ、ローマ人が「蛮族」とした勢力が特に、ドナウ川流域やバルカン半島で台頭しており、力の軸が西から東へと移っていたのです。コンスタンティヌス帝が政治的な推進力を、この新しい力の軸の上に求めたのは合理的な戦略でした。

茂木　その通りです。重傷を負った手足を切り離すことで命だけは助かった、ということです。切り捨てられた西ローマはゲルマン人により略奪蹂躙《じゅうりん》され、４７６年、滅亡しました。一方、東ローマ帝国は繁栄を取り戻し、１４５３年まで１０００年も続きました。しかし帝国

図表2-1 ローマ帝国の東西分裂

とは名ばかりで、実際には支配するだけの地方政権に転落していき、歴代皇帝もギリシアやバルカン半島の出身者ばかり。ラテン語も忘れ、ギリシア語が公用語になります。歴史家はこのギリシア化した東ローマ帝国を「ビザンツ帝国」と呼んでいます。

宇山　コンスタンティヌス帝もバルカン半島中部のモエシア属州の出身で、父の出自はかつてのローマ皇帝であったと喧伝されましたが、これは帝が捏造したものとされ、実際のところは詳しくわかっていません。母はアナトリア北西部の卑賤な身分の者で、非インド・ヨーロッパ系の西アジア人であった可能性が高いでしょう。このように、3世紀以降、イタリア人は移民であるところの「蛮族」に覇権を奪われていきます。イタリア人は優れた知性によって、高度な文化文明を形成し、その基盤の上に大帝国を形成しました。そのイタリア人が、あっさりと、彼らが侮蔑する非文明的な「蛮族」に覇権を奪われてしまったのです。

■食糧調達のロジスティクス

宇山　３９５年、東西ローマ分裂後、東ローマ帝国つまりビザンツ帝国は、東方貿易の利権を握り、成長しました。ビザンツ帝国は6世紀、ユスティニアヌス帝の時代に、全盛期を迎え、かつてのローマ帝国の領土をほとんど回復し、地中海世界の再統一を果たしました。

茂木　東ローマ最後の栄光ですね。しかしこの時代には既に、度重なる遠征のために帝国財政が悪化し、広大な領域の経営を維持することは困難でした。東方ではササン朝ペルシアという大国がローマの覇権に挑み、ユスティニアヌスの東ローマ軍を破っています。

宇山　ビザンツ帝国には、無理をしてでも、広大な領域を維持しなければならない理由がありました。それは食糧の確保です。

ヨーロッパ地域は慢性的な食糧難に苦しんでいました。ローマ帝国時代からヨーロッパは食糧をエジプト、チュニジアなどの北アフリカから輸入していましたが、ローマ帝国の弱体化とともに、地中海諸地域が分断され、食糧を充分に確保することができなくなっていました。そこでユスティニアヌス帝は、食糧調達のロジスティクス（調達ルート）を再構築するために、無理な対外拡大政策を取らざるを得なかったのです。

ところが、ユスティニアヌス帝の時代の末期、５５０年頃から、ヨーロッパの温暖化がはじまります。この温暖化はイギリスでもブドウが収穫され、ワインが製造できたというほどの急激なものでした。

作物の増産が見込まれたヨーロッパでは、内陸部の森林地帯を伐採し、大規模な開墾が行われていきます。この開墾事業を主導したのがゲルマン人でした。

6～7世紀、ヨーロッパの農業生産力が増強されると、ヨーロッパはビザンツ帝国の食糧調達のロジスティクスに依存する必要がなくなります。ビザンツ帝国は、高いコストをかけて広大な領土を維持するインセンティブを失い、領土を縮小していきます。

大開墾事業によって、新たにヨーロッパの食糧調達のロジスティクスを握ったのはゲルマン人でした。食糧増産とともにゲルマン人の人口が急拡大し、ゲルマン諸部族はヨーロッパ各地で小王国を建国していきます。

茂木　ゲルマン諸部族の中で有力であったフランク族は、進んでローマ文化を受け入れ、他の部族に対して優位に立とうとします。フランク族の王クローヴィスは496年、カトリックに改宗し、教皇に接近しました。これを見たローマ人はフランク王の支配を受け入れるようになり、最終的にフランク王国のカール大帝が西欧を統一します。

宇山　8世紀、イスラム勢力がアフリカ北岸からスペインに侵入し、ヨーロッパを脅かしていました。フランク王国は732年、トゥール・ポワティエ間の戦いでイスラム勢力を撃破し、西ヨーロッパを防衛することに成功し、フランク国王は西ヨーロッパの盟主となります。

茂木　東アジアでも、パラレルな現象が起こっていますね。漢帝国が崩壊して三国時代の混乱に突入すると、北方民族の鮮卑《せんぴ》族が北中国（華北）を征服し、その部族長が北魏という国を建て、中華皇帝を名乗ります。鮮卑は漢民族と混血して騎馬戦法を伝え、またテーブルと椅子の生活が一般化します。この混血国家・北魏を継承したのが隋・唐帝国です。

一方、漢民族は南中国（江南）に領土を縮小し、開墾事業で人口を支えました（南朝）。しかし次第に衰退し、隋によって滅ぼされました。

侵入者が古い帝国を破壊し、混血して新たな帝国を作る。フランク王国と隋・唐帝国とはよく似ていると思います。

そして、隋唐帝国に飲み込まれまいと頑張ったのが日本。フランク王国＝西ローマ帝国に飲み込まれず、独自路線を歩んだのがイギリスです。この二つの島国も、世界史の中の相似形なのです。

3

中華帝国の権力構造を言語から読み解く

茂木 誠

■皇帝とは、帝国とは？

茂木　中国は、約２０００年前に「帝国」になりました。「帝国」は、「皇帝が治める国」というのがもともとの意味ですが、「皇帝」と「王」の違いは何でしょう？
七つの王国がバトルを繰り返した戦国時代を統一した秦王は、王たちの上に立つ者として「皇帝」という称号を作り出しました。「皇」は「光り輝く」、「帝」は「宇宙の最高神」というとんでもない称号です。原理的に「皇帝」とは一国の君主ではなく、世界の統一者、という意味になります。正確に言えば、「東アジア世界の統一者」ですが。

宇山　中国神話では、世界創造神の「三皇」に加え、その世界を受け継いだ人間の帝王とされる「五帝」がいます。黄帝《こうてい》から堯《ぎょう》・舜《しゅん》までの5人で、そのあと黄河の治水に成功した禹王が、最初の王朝である夏王朝を開きます。三皇と五帝を合わせて「三皇五帝」。秦の始皇帝は、この「三皇五帝」を継承するという意味で「皇帝」の称号をつくったとも言われますね。

茂木　「皇帝」のいない帝国もありました。ローマは伝統的に王を定めず、有力貴族の合議機関である元老院が統治していました。これを共和政ローマといいます。この共和政ローマが、カルタゴ、マケドニアなど周辺諸国との戦いに勝利を重ね、地中海世界を統一するに至りました。これがローマ帝国です。将軍カエサル（シーザー）の称号「インペラトゥール（凱旋将軍）」、その後継者、オクタウィアヌスの称号「アウグストゥス（尊厳者）」が「皇帝」と訳され、「帝政ローマ」とも呼ばれるから誤解されますが、むしろアメリカ大統領に近いですね。

宇山　英語の「エンペラー」はローマ軍の最高司令官を意味する「インペラトゥール（ラテン語：imperator）」を語源にしています。「インペラトゥール」は「インペリウム（命令権）」を持つ者」という意味ですから、「エンペラー」はその語源に照らせば、「最高指導者」や「君臨者」という意味になります。

茂木　「カエサル」という個人名も歴代ローマ皇帝に受け継がれ、称号と化していきます。ドイツ語のカイザー（皇帝）、ロシア語のツァーリ（皇帝）の語源ですね。ところが帝政ローマでも元老院の権威は2世紀にわたって続き、形式的にはローマは共和政であり続けたのです。ということは、皇帝がいるかどうかに関わらず、超大国の異民族支配を「帝国」と呼ぶのです。

類似の例として、19世紀の「大英帝国」があります。英国の君主は王／女王ですので正式には「王国」ですが、広大な植民地を有したため慣例的に「大英帝国」と呼ばれるのです。英国王／女王が正式に「皇帝」だったのは、インドを併合していた期間だけです。

■中国から独立できる地政学的環境を持っていた日本

茂木　話を戻すと、始皇帝以来、中国は帝国です。王の上に立つのが皇帝ですから、中華皇帝は周辺民族の王たちを臣下とみなし、定期的に朝貢《ちょうこう》を要求しました。「貢物を持ってきて、世界皇帝様の前で頭を下げよ！」というわけです。これを拒絶すると討伐されますので、戦っても勝ち目がないと悟った周辺諸国は競って朝貢しました。圧倒的な軍事力を持つ北方遊牧民は、これを拒否して逆に中国を侵略しました。

日本（ヤマト）の君主も、「倭王」と呼ばれて朝貢を強いられました。朝貢には返礼が伴い、さまざまな贈り物が中華皇帝から与えられます。北九州の小国・奴国《なこく》の王が後漢に朝貢して黄金の印鑑「金印」を与えられ、どこにあったか定説のない邪馬台国の女王・卑弥呼が三国時代の魏に朝貢して銅鏡100枚を与えられ、大阪平野に巨大古墳を築いた「倭の五王」が中国南朝に朝貢して「安東大将軍倭王」という称号を与えられました。

ところが6世紀の遣隋使から倭王は朝貢を拒否し、「天皇」を名乗りました。もはや王ではないから頭は下げぬ、という意思表示です。海を隔てた日本を討伐する海軍力をもたなかった隋・唐の皇帝たちは、不快に思いつつもこれを黙認しました。

宇山　そうですね。608年、聖徳太子が中国の隋の皇帝・煬帝に送った国書で「東天皇敬白西皇帝（東の天皇が敬いて西の皇帝に白す）」と記されていました。『日本書紀』に、この国書についての記述があり、これが主要な史書の中で、「天皇」の称号使用が確認される最初の例とされます。

遣隋使の小野妹子が遥々、海を渡り、隋の都・大興城（現在の西安）へ赴きました。その時、携えていた有名な国書があります。「日出處天子致書日沒處天子無恙云云（日出づる処の天子、日没する処の天子に書をいたす、恙無しや、云々）」の国書です。この国書に対し、煬帝から返書があり、さらに、その煬帝の返書に対する返書として、日本から送られたのが、上記の「東天皇敬白西皇帝」の国書です。

日本が自らの君主を中国側が認めた「王」とせず、「天子」や「天皇」と明記して、国書を差し出したことには大きな意味があります。７世紀、日本は中央集権体制を整備し、国力を急速に増大させていく状況で、中国に対する臣従を意味する「王」の称号を避け、「天皇」という新しい君主号をつくり出しました。皇国として、当時の中国に互角に対抗しようという大いなる気概が日本にはあったのです。

茂木　そういうことをやると「無礼者」として中華皇帝様に攻め込まれるのが大陸国家の常ですが、海の向こうの日本列島に攻め込むだけの海軍力を、中華帝国は持ちません。だから実質的にも独立を維持しうる地政学的環境を日本は持っていたのです。

その反面、「天皇」＝「皇帝」を君主としていただく日本の領土は日本列島に限られ、中国やローマのような超大国の異民族支配としての「帝国」となるのは、日清戦争以後のことでした。それ以前は実質的に「皇帝をいただく王国」だったわけです。

■中国の不幸は巨大すぎること

茂木　そもそも国家の大きさには、適正レベルというものがあります。日本や東南アジア諸国、欧州諸国は、一部の例外を除いて人口が数千万人から1億人レベルです。王朝交代、民族交代が少ないため、君主と貴族、人民の間に同じ民族としての共通認識が育まれ、君主は人民の意を汲んで政治を行い、逆に君主が強制しなくても人民は自発的に協力するという「君臣一体」の共同体意識が形成されます。日本の「万世一系」は稀有な例ですが、西欧諸国でも比較的長く王朝が続き、「公」Publicという観念が育ちました。

日本と西欧諸国で民族交代・王朝交代がほとんど起こらなかったのは、森と海が遊牧民の侵攻を妨げたからであり、これらの地域でのみ民主主義が定着した、と論じたのが京都大学の人類学者・梅棹《うめさお》忠夫先生の名著、『文明の生態史観』（中央公論社）です。

これ以上の規模になると、必然的に異民族を抱え込んだ「帝国」と化し、国家としての統一を維持するために中央政府は独裁化します。

現在、3億人以上の人口を擁し、民主主義体制を維持できている国は米国とインドくらいでしょう。ともに地方政府（州政府）に大幅な権限を与え、連邦制をとることでかろうじて統一国家の体裁を保っているのです。交通通信手段が未発達だった時代に、「帝国」で民主主義を維持するのは技術的に不可能でした。

中国の不幸は、巨大すぎることです。これは地形によるもので、古代には「中原《ちゅうげん》」と呼ばれた華北平原の面積は約31万平方キロ。日本全体（約38万平方キロ）に匹敵する巨大さです。ここに、騎馬戦法に秀でた諸民族が攻め込んできて前の王朝を転覆し、新たな王朝を建てる。中国の王朝交代の原因には内紛もありますが、多くは支配民族の交代だったのです。

宇山　中国王朝は黄河流域を支配し、大規模な灌漑《かんがい》農業を推進するために、水の供給を組織的に行いました。そして、組織を運営する精緻な官僚制が必要とされ、中央集権体制が整備されます。

中国王朝は古典的な軍事膨張主義により、領土を拡げ、土地税や人頭税を徴収し、国家財政を支えました。つまり、領土が拡大すればするほど、財政収入は増幅するという仕組みの中で、膨張的な循環を続け、その領域を専制的に支配しました。

領土膨張の過程で、周辺蛮族との抗争が避けられず、蛮族と戦うという大義名分のもと、これらの国家は専制支配を強め、軍事主義的な性質を強めていきました。しかし、広大な領域を結局、まとめ切れず、地方豪族や蛮族の反乱にあい、衰亡するということを繰り返しました。

茂木　多民族を統合するためにまず必要なのは共通言語です。共通言語がなければ、中央の指令を地方の末端まで行き渡らせることができません。ローマ帝国の場合はラテン語、中華帝国の場合は漢語が共通言語になりました。

しかしもともと領土が広すぎるため、地方の人間は自分たちの母国語に寄せて共通言語を発音します。これが方言となり、ラテン語の方言は帝国の瓦解とともにイタリア語、スペイン語、フランス語……となりました。
ラテン文字は、アルファベットで発音を表す表音文字ですので、方言が生まれれば、その発音のままに表記します。こうして、ローマ帝国崩壊後に「適正レベル」の民族国家が言語を単位に自然に形成されたわけです。
「こんにちは」
ボン・ジョルノ Buon Giorno（イタリア語）
ブエナス・タルデス Buenas Tardes（スペイン語）
ボンジュール Bonjour（フランス語）
一方、中華帝国の場合は、２０００年間一貫して漢語が使われ続け、帝国も維持されています。これはいったいなぜでしょう？
漢字は、意味を表す表意文字です。意味が伝われば、発音はどうでもよいのです。中華帝国に飲み込まれた諸民族は、一生懸命、漢字の意味を覚えさせられ、彼らの母国語なまりで勝手に発音しました。
「こんにちは」
你好　ニーハオ（普通語）
你好　ノンホー（上海語）
你好　ネイホウ（広東語）
普通語《プートンファ》というのは人工的に作られた共通語で、中国政府は学校教育やテレビを通じて普及させようとしています。しかし今でも上海人や広東人は独自の言語を話しており、他地域の人は耳で聞いたのではこれを理解できません。漢字を見て、「ああそうか」と理解できるのです。だから北京の中央テレビのニュースでは、字幕スーパーが出るのです。

宇山　漢字というツールは中国王朝の文化覇権を確立させるために利用されてきましたね。漢字は甲骨文字から高度に発展し、他地域の文字を排斥してきました。その支配の力は武力よりも遥かに強く、効果的であることを漢民族はよく理解していました。

■法家統治の秦と儒家統治の漢

茂木　現在、中国国民の90％を占めている「漢族」ですが、実は「共通の漢字を使っている」だけで結びついており、その中にイタリア人・スペイン人・フランス人ほどの違いがあるのです。まして独自の文字体系を持つチベット人、ウイグル人、モンゴル人など55の少数民族を一つに束ねるのが容易でないことは、想像できるでしょう。

この難題に取り組んだのが、秦王朝と漢王朝です。日本ではちょうど弥生時代に当たります。七つの王国（戦国七雄）を武力統一した秦の始皇帝が直面したのは、この外国人たちをいかに命令に従わせるか、というテーマでした。敵対する王たちは倒した、しかしその下にもっとやっかいなものが存在したのです。それが「宗族《そうぞく》」です。

人々は助け合わねば生きていけません。そして一番頼りになるのは血縁です。古代中国では、共通祖先をもつ血縁集団を宗族といいます。「宗」とは祖先のことです。彼らは集団で一つの町を形成して城壁を築き、武装してよそ者を警戒していました。宗族は男系で受け継がれ、同族内ではどれほど血縁が離れていても結婚できません（同姓不婚）。嫁は他の宗族からもらい、同族の女子は他の宗族に嫁に行くのです。

宇山　いまでも中国人は血縁関係をものすごく大事にします。一族の結束は、核家族化が進んだ日本人には想像できないほど濃密です。海外に移住した者も必ず家族を呼び寄せ、たちまちチャイナ・タウンを形成します。

茂木　戦乱の時代、貨幣経済の浸透とともにこの宗族の秩序が緩み、下剋上と呼ばれる実力社会が到来しました。カネや武力を手にした者たちが、わがもの顔で振る舞うようになったのです。これを憂いた思想家が孔子でした。

孔子は、崩れかかった宗族の再建が、秩序の再建に繫がると説きました。彼を師と仰ぐ学派が儒家でした。儒家の国家モデルは宗族の緩やかな連合体であり、法や刑罰ではなく仁や徳、すなわち家族道徳による統治を目指しました。

弟子の孟子《もうし》は、これに「天命」という概念を持ち込みました。「天」とは宇宙全体を主宰する超越神のことです。

「人民は善なり（性善説）。よって人民の声は、すなわち天の声である」

「天は、人民を抑圧する君主を見放し、別の有徳者に君主となるよう天命を下す」

天命が革《あらた》まる（革命）と王朝が交代する（易姓《えきせい》）。これが孟子の易姓革命説です。

これに対して、「宗族を解体してバラバラの個人とし、君主のみが法と刑罰により統治せよ」と説く学派が登場します。これを法家といい、この思想を大成したのが韓非《かんぴ》でした。法と刑罰の執行者は官僚ですから、専制官僚国家による秩序を理想としたのです。彼の著作は『韓非子』として伝わり、中国政治を分析するには必読書です。

宇山　秦は西方中央アジアへの玄関口に位置し、交易を通して西方の文明に早くから触れていたため、儒教の性善説や仁愛主義に偏らず、法家の合理性を正当に評価することができたのでしょう。

茂木　すでに官僚機構を確立していた中東の大帝国、アケメネス朝ペルシアの情報も、始皇帝の耳に入っていたと思われます。法家の形成と中東との研究は今後の課題ですね。始皇帝は実は『韓非子』の愛読者でした。だから始皇帝政権を支えたのは法家の官僚集団であり、人民を土木事業に大量動員して、共同体の破壊を図りました。

儒家らがこれを批判すると、処刑と焚書で応じ（焚書坑儒《ふんしょこうじゅ》）、恐怖政治はピークに達しました。ところが始皇帝の急死と息子・二世皇帝の無能によって、各地で反乱が同時発生し、あっという間に帝国は瓦解したのです。

その後、群雄を制して天下を取った劉邦が、次の漢王朝を開きました。漢は始皇帝を反面教師としてやり方を改め、地方は地方に任せることにしました。ただ、それだけでは遠心力が働いて帝国を維持できません。地方政権の離反（呉楚七国の乱）という事態も起こりました。

7代武帝はこの矛盾を解消するため、始皇帝が嫌っていた儒家を官僚として抜擢《ばってき》しました。

政策アドバイザーとなったのが儒家の董仲舒《とうちゅうじょ》で、儒学の経典（五経）を整備し、官僚たちに学ばせました（儒学の官学化）。さらに地方から儒学の徳目、孝公や清廉にふさわしい人物を推挙させ、官僚として登用しました（郷挙里選）。

民衆が文盲だった時代、実際に官僚として選ばれるのは地方豪族や大商人の子弟でしたが、まがりなりにも地方の声が中央に届くという「疑似民主主義」ともいうべき体制ができあがりました。

宇山　呉楚七国の乱が鎮圧され、匈奴の討伐も成功し、ようやく前漢の武帝の時代に安定期に入り、儒教の徳治主義による社会秩序の安定が重視されたということでしょう。皇帝による中央集権体制において、君臣、長幼、親子などの秩序を重視する儒教の道徳観が政治的に利用されましたね。

茂木　このようにして漢王朝は、法家的な専制官僚政治を維持しつつ、その官僚を地方から抜擢することで儒家的な徳治主義をも併せ持ち、前漢・後漢あわせて400年に及ぶ長期政権を維持できたのです。歴代王朝はこれに倣い、形式的には儒家を採用し、実態は法家的専制国家を維持してきました。

■古文から白話、そして簡体字へ

茂木　その後、隋・唐の時代（日本では飛鳥〜平安中期）になると、官僚採用試験（科挙）を実施し、儒学はその試験科目になります。これは儒学の徳目を学ばせるのみならず、共通語としての漢語を、地方出身の官僚に学ばせるのが大きな目的でした。

言語は生き物です。時代とともにどんどん変化し、方言が生まれていきます。これは統一専制国家の維持には危険なことです。だからスタンダード言語を固定し、学習者に反復練習させる必要があるのです。

宇山　科挙において、高度な詩作の能力も問われました。知識人支配階級は政治、哲学、儒教の素養に加え、詩文などの芸術的才能も要求され、唐で詩文が発展する大きな一因となります。これもご指摘のように漢語を共通言語として徹底させる策の一つですね。

茂木　このスタンダードな漢語として採用されたのが、漢代に整備された儒学の経典で使われている言語で、これを「古文」といいます。隋・唐の時代からみて数百年前の言語でした。当時すでに民衆は使っていない「死語」でしたが、これを行政文書の言語として使い続けたのです。

宇山　日本で、中高生が学ぶ「漢文」の教科書に載っているのがこの「古文」ですね。

茂木　あれは中国の古典を学ぶためには必要ですが、中国旅行ではまったく使えません。単語の意味さえも、現代中国語では変化しているからです。現代日本人が、『古事記』や『源氏物語』を原文で読んだり聞いたりしてもほとんど理解できないのと同じです。

これとよく似たことは、ヨーロッパでも起こっていました。民族大移動で西ローマ帝国が崩壊し、ラテン語は死語となっていました。それぞれの方言を話すドイツ、フランス、イギリス

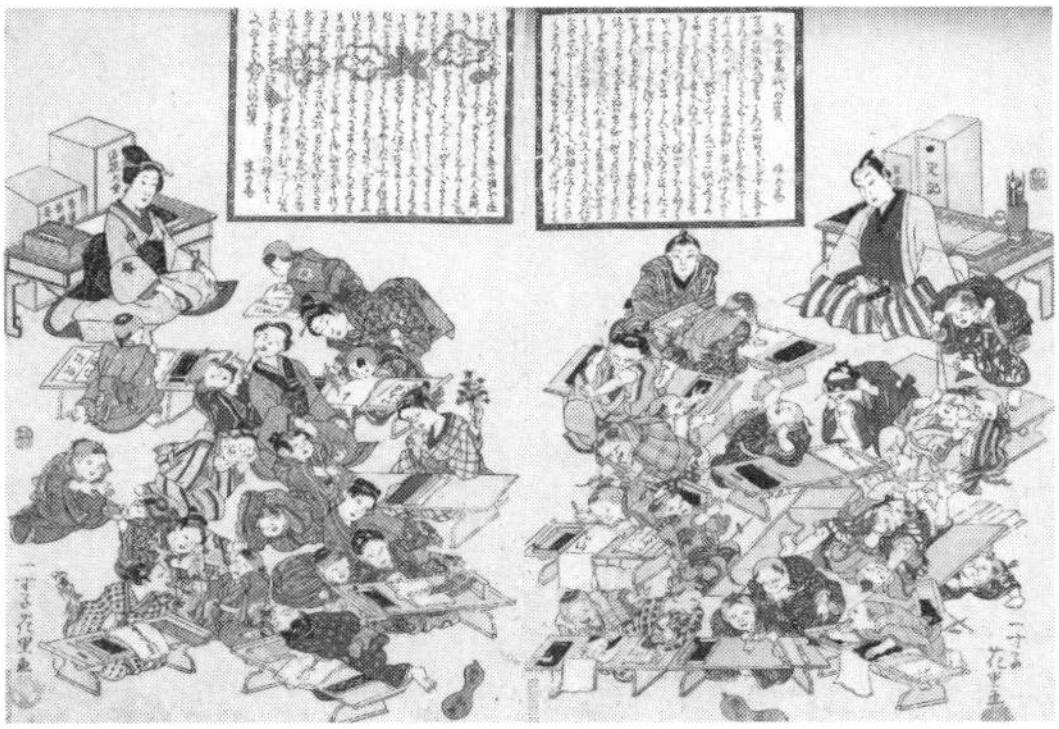

寺子屋の風景

などの原型が生まれましたが、官僚たちは栄光のローマ帝国を理想としたのです。

　ラテン語を維持していたのは、ラテン語聖書を勉強しているカトリックの聖職者たちでした。彼らが聖書を教科書として教会付属学校（スコラ）を運営し、やがて大学が生まれますが、そこでの講義はすべてラテン語でした。僧侶や官僚はラテン語、民衆は各国の話し言葉（イタリア語、スペイン語、フランス語……）という二重構造が生まれていました。

　中国でも、官僚だけが使う古文に対し、民衆の話し言葉、白話《はくわ》が生まれていました。『西遊記』や『水滸伝《すいこでん》』は宋の時代の白話で書かれました。

宇山　『三国志演義』などの講談の原型ですね。『水滸伝』、『西遊記』も含め、これらの講談の完成、刊行はいずれも明時代となります。

茂木　モンゴル人の元、満洲人の清、いずれも北方民族による征服王朝ですが、中国人の官僚を使って統治したため、行政文書は古文で書かれました。

　明代、清代にも白話は形を変えていき、現在の上海語、福建語、広東語に繋がっていきました。古文との格差はますます広がり、古文で書かれた文書を民衆は読めず、文盲が大多数という状態が続いていたのです。

宇山　昔の中国では、民衆は教育を与えられず、無知蒙昧な状態に閉じ込められていました。ここが日本人とは決定的に異なる点です。

茂木　アヘン戦争、日清戦争で連敗し、半植民地に転落していった清朝は、辛亥《しんがい》革命で崩壊しました。この頃、日本の仙台医学校（東北大学）に留学していた周樹人という医学生がいました。ちょうど日露戦争で日本が勝利したというニュースが飛び込んできました。ニュース映画で彼を愕然とさせたのは、中国の領土で日露両軍が戦っているのに、それをへらへらと眺めているだけの中国民衆の姿でした。

　同時に彼は、日本人が子供でも読み書きができることに驚きます。日本語には書き言葉と話し言葉との違いがほとんどなく、表音文字のカナもあり、文字の習得がそれほど困難ではないからです。日本は江戸時代から武士には藩校、庶民には「読み書きそろばん」の寺子屋が普及し、幕末の識字率は50％を超え、当時の世界の最高水準でした。

　医学をいくら学んでも、奴隷のような民衆を増やしては意味がない。祖国再建には民衆の教育、文盲の撲滅が急務、と考えた彼は帰国して文学に転向し、民衆にもわかる

簡体字で書かれた文化大革命のスローガン

白話で小説を書き始めました。彼のペンネームを魯迅《ろじん》といいます。

宇山　魯迅は日本で医学を勉強していましたが、文学に傾倒し、列強の中国支配、遅れた中国、その人々の姿や苦悩をテーマに作品を創りますね。『新青年』に発表した『狂人日記』は口語のスタイルで書かれ、白話文学のはじまりとなりました。その後、代表作『阿Q正伝』で辛亥革命期の農民を風刺的に描き、中国民衆の植民地的奴隷根性を批判しました。

茂木　その後も中国の混乱は続き、国民党との内戦に共産党の毛沢東が勝利しました。毛沢東は儒学を徹底的に嫌い、始皇帝を理想としました。恐怖政治に基づく一君万民の法家的世界を実現しようとしたのです。そのため伝統的な農村を破壊し、人民公社に改組しました。伝統文化を「封建制の遺物」と呼んで破壊する文化大革命を発動し、人民は共同体からも歴史からも切り離され、「偉大な毛主席のご指導」に従うだけの存在となりました。

極め付きは文字の改変でした。文盲撲滅の名のもとに漢字を簡略化して「簡体字」を作り出した結果、現代中国人は歴史書を原文で読むことさえ困難になりました。共産党による歴史の偽造が容易になったのです。また、「普通語」＝標準語教育が徹底され、方言撲滅を図りましたが、これはまだ成功していません。

鄧小平は思想統一より自由競争による経済発展を優先した結果、沿海部の大発展と内陸部の貧困化、党官僚の腐敗を招きました。これに対する民衆の不満は、天安門事件を引き起こしました。毛沢東の再来と自らを演出する習近平は、孔子学院と称する工作機関を世界に広めつつ、専制体制を再強化しています。利用された孔子は、草葉の陰で泣いています。

巨大すぎる中国の歴史は、統一帝国とその瓦解、分裂時代、再統一の繰り返しです。今後もその巨体を維持しようと、もがき続けるでしょう。

4 古代インド、アーリア人がもたらした宗教

宇山卓栄

■今も残るカーストの身分制社会

宇山　２０２３年の9月にインドに滞在しました。インドで、バスや電車に乗りましたが、混雑する時間の押し合いへし合いは凄まじい。渋滞にハマると歩いた方が早いです。人口密集地域のムンバイ、大混雑大混乱が日常。ドアなし電車に飛び乗り、毎日、死者が出ていると。交通事故も日常茶飯事。「ああ、死んだ」で終わり。ここでは、人の命は軽い。特にカーストの下層の人々。人間はこんな過酷な環境でも生きていけるのだなと思いました。

インドでは、ヒンドゥー教の信仰とともに、極端な身分制を強いるカースト制が残っています。「アウト・カースト」と呼ばれる階層が今日でも存在します。「カースト」というのはポルトガル語の「カスタ」、「家柄」という意味で、15世紀、インドにやってきたポルトガル人が命

名しました。

茂木　インドのヒンドゥー教徒の中で、上層階級のバラモン（僧侶、司祭）、クシャトリヤ（貴族）は約10％しかいません。これに、ヴァイシャ（商人や金融業者）が続きます。そして、多数派がシュードラ（それ以外の一般庶民）で約60％を占めています。

宇山　シュードラよりも下位に位置し、カーストの枠外に放り出されている階層が「アウト・カースト」で、彼ら自身は自分たちを「ダリッド（抑圧された者）」と呼びます。約25％もの人々が、この階層に属します。ゴミの中で暮らす「アウト・カースト」の子たちを見ると、胸が痛みます。

このような封建的な身分制が、現在でも維持されていることに驚きますが、インド独立の父ガンディーさえも、カースト制を「出自に基づいた良識ある分業」として、尊重していました。ただし、ガンディーは「不可触民」に対しては同情的でした。ちなみに、ガンディーは第3身分のヴァイシャの出身です。ガンディーの一族は商人として成功し、裕福でした。

茂木　彼の祖父と父は、地方王族の宰相まで務めた名門でした。ヒンドゥー社会がこのような極端な身分制を生み出したのには、歴史的な背景がありますね。

宇山　はい、紀元前13世紀、外来のアーリア人がインドを征服した時、先住民ドラヴィダ人を支配するため、「自分たちは神に選ばれた種族」であると吹聴しました。それを証明するため、バラモン教という宗教をつくり上げます。バラモン教は「ブラフマン（Brahman）」と呼ばれる宇宙の根源者を崇めます。「バラモン」とは「Brahman」の漢字当て字「波羅門」の漢語読みです。そして、シヴァ神・ヴィシュヌ神と並ぶブラフマー神は、ブラフマンを神格化した創造神です。

バラモン教はその思想を紀元前５００年頃に、『リグ・ベーダ』と呼ばれる聖典にまとめ上げました。我々が、仏教用語として知る梵我一如《ぼんがいちにょ》・業《ごう》・輪廻《りんね》・解脱《げだつ》などの言葉はもともと、バラモン教の中で説かれた理念で、後に、仏教がこうしたバラモン教の宇宙観を取り入れたのです。

そして、神々に最も近いアーリア人を選民化するため、バラモン教教義にヴァルナ（種姓）という身分制を組み入れ、アーリア人を支配者とする社会秩序を形成したのです。これがカースト制のはじまりです。

茂木　「輪廻転生」——生まれ変わりの思想こそ、インドの宗教の根本だと私は思います。北インドに広がる深い森、そこでは動物が死ぬと、遺体は虫たちや微生物にすぐに分解され、植物の栄養となって新たな生命を育む。魂は朽ち果てた肉体を捨て、新たな生命に宿る。だから人生は現世の一度きりではなく、生まれる前には前世があり、死んだ後には来世がある。前世での行い（業）が、現世の今の自分を作ったのだ。被差別身分に生まれたのは、前世での悪行の報い。だから与えられた身分を受け入れ、徳を積み、来世でもっと上の身分に生まれるのを願う。

このような考え方は、良く言えば現実の肯定、悪く言えば社会改革への無気力となり、カーストを長く温存させることになりました。

■ヒンドゥー教とは「インド教」

宇山　バラモン教の聖典『ヴェーダ』は難解で、哲学的でした。そこで、『ヴェーダ』をわかりやすくしたテキストである『マヌ法典』が編纂されます。『マヌ法典』は民衆の守るべき生活規範を定めた聖典で、これにより、バラモン教は一般民衆に普及しました。

人類の始祖とされるマヌが受けた神の啓示を綴《つづ》った『マヌ法典』は、その製作年がはっきりせず、前200年〜後200年頃のものとされます。この時代、インドでは、仏教が隆盛を極めており、バラモン教は信徒を仏教に奪われていました。これに対抗するため、民衆に向け、わかりやすい『マヌ法典』を編纂し、勢力拡大を狙ったのです。

この狙いは成功しました。『マヌ法典』が普及し、4世紀頃には、バラモン教は従来の儀式主義を排し、民衆生活と密着した大衆宗教に変貌を遂げました。この時代、バラモン教はバラモン教とは呼ばれず、ヒンドゥー教と呼ばれるようになります。ヒンドゥー教はバラモン教の発展バージョンで、同じ宗教です。

茂木　「ヒンドゥー」とはインドの古典語であるサンスクリット語の「シンドゥ sindhu（「水、大河」の意味）のことで、インダス川を指しています。これがペルシア語で「ヒンドゥ Hindu」、ギリシア語の「インドIndos」となり、外国人があの亜大陸を「インド」と呼ぶようになりました。インド人は自国のことを「バーラタ」と呼びます。古代インドの有名な戦争叙事詩『マハーバーラタ』は、「グレート・インド」という意味になります。

宇山　ヒンドゥー教では、雷神、水神、火神など、人間の身の回りの自然神について説かれます。農耕を主とするインド社会において、人々は自然と常に向き合っていました。ヒンドゥー教は人々に身近な神の存在を示したのです。『マヌ法典』で、宇宙の根源者「ブラフマン(Brahman)」についてもわかりやすく説かれています。「ブラフマン」の神格たるブラフマー神は宇宙を維持するヴィシュヌ神、破壊の神シヴァとともに、雷神インドラ、水神ヴァルナ、火神アグニなどよりも上位にある神と位置付けられています。

現在、約13億人のインドの人口のうち、ヒンドゥー教徒が約80％、イスラム教徒が約13％、仏教徒が約1％で、ヒンドゥー教徒が圧倒的多数を占めています。

茂木　インド神話は本当におもしろいです。マヌは『旧約聖書』でいえばアダムです。そのマヌが川へ水浴びにいくと、手の中に小さな魚が飛び

図表4-1　インド宗教の変遷

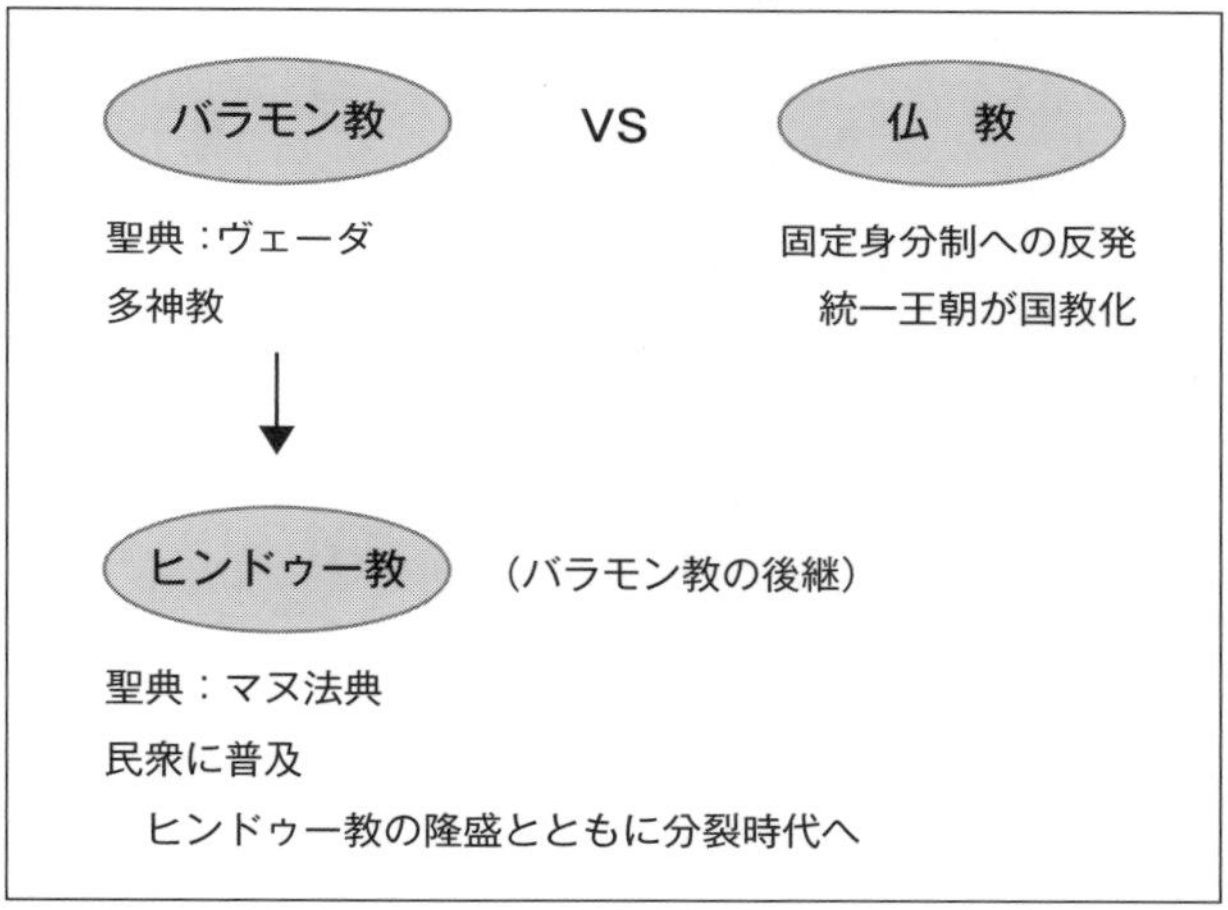

込んでくる。可哀想だから水たまりに放してあげる。翌日、行ってみると魚がデカくなってい
る。可哀想だから川に放してあげる。翌日行くとまたデカくなっている。可哀想だから海に放
してあげる。するとその魚が変身して光り輝く太陽神ヴィシュヌとなり、マヌを褒めて法典を
授けた、という話です。
『ラーマーヤナ』は、古代インドの英雄ラーマ王子の冒険物語。新婚のお妃と森を歩いている
と黄金の鹿が現れます。妃は鹿を追いかけていきますが、この鹿は魔王の化身で妃は攫《さら》われて
しまいます。ラーマはこの魔王を倒して妃を奪還しますが、彼女の貞操を疑います。妃は悲し
み、身の潔白を証明するため大地の女神に祈ります。
「わが身が純潔なら、大地に飲み込んでください！」
地割れが起き、彼女の体は飲み込まれ、純潔が証明されました。死をもって純潔を証明した
妃を讃えるこの神話が、のちにとんでもない風習を生み出すことになります。

■女性を生きたまま焼き殺す儀式

宇山　インドでは19世紀まで、女性を生きたまま焼き殺すサティーというヒンドゥー教の儀
式がありました。死んだ夫の亡骸を焼く炎で、生きている妻も焼きました。サティーは「寡婦
焚死」あるいは「寡婦殉死」と訳されます。
17世紀半ば、インドを旅したフランス人旅行者で医師のフランソワ・ベルニエはサティーの

様子について、『ムガル帝国誌』の中で詳しく書き記しています。ベルニエはインドで、夫を亡くした12歳頃の少女がサティーで無惨にも焼かれるのを見ました。燃え盛る炎を前に、少女は震え、泣き、逃げようとしましたが、周囲の人間が無理矢理、彼女の手足を縛り、炎の中に押しやったと述べています。

インドでは、１９７８年に幼児婚抑制法が改正されるまで、10歳頃の少女が結婚するのは普通でした。年老いた金持ちと結婚した場合、10代の少女がサティーで焼かれることはよくありました。

また、ベルニエは上記の少女とは別の若い女性が焼かれるのも見ました。彼女は炎の前で泣き喚き、後ずさりしていましたが、周囲の人たちが棒で彼女を小突き回し、炎から逃げられないようにしたと記しています。

ヒンドゥー教の聖典『マヌ法典』では、女性は「独立に値しない」と記され、男性の所有物と見なされていました。そのため、夫が死ねば所有物も一緒に焼かれるべきで、妻の貞淑を守るためにも、そうするべきだと考えられたのです。ただし、『マヌ法典』に、サティーを認める記述はありません。

サティーで焼かれるのを拒否した女性もまた、悲惨でした。彼女らは裏切り者として、ヒンドゥー社会から排除され、被差別階級であった「アウト・カースト」、つまりカーストの階層には入れない「不可触民（触れてはいけない人）」の男らにあてがわれ、慰みものとなりました。

茂木　英領インド時代のヒンドゥー学者でイギリス留学経験のあるラーム・モーハン・ロー

イは、青年時代に兄嫁のサティーを目撃してショックを受け、これが本当に宗教的に意味のある風習なのか研究しました。その結果、古代バラモン教の文献にはまったく登場せず、中世のある段階で始まった無意味な風習であることを確認しました。彼はイギリス人のインド総督に直訴し、法令でこの風習を禁じるよう求めました。インド総督がこれに応じ、サティー禁止法を制定した結果、サティーはほとんど行われなくなったのです。

イギリスのインド統治は長く残酷でしたが、その反面、鉄道建設などのインフラ整備や、サティー禁止などの弱者救済を行っているのも事実。そこは公平にみるべきだと思います。保守思想とは、何でもかんでも伝統に戻れ、というものではありません。

日本でも江戸時代まで、穢多《えた》・非人と呼ばれるアウト・カーストが存在しました。こういう誤った習慣はなくす一方で、良い習慣は残していく。こうしてゆっくり、ゆっくりと社会を変えていくのが保守思想なのです。

宇山　ヒンドゥー教社会は極端な男尊女卑で、女性が社会的に保護されていません。そのため、今でもインドではレイプが頻発しており、社会問題化しています。理不尽なことに、レイプをされた女性が罰せられることが多く、男性を取り締まっていません。

バラモン教が形成したカースト制は支配者が秩序を得るために有効なツールでした。しかし、一方で、支配される側の反発も当然、生じてきます。バラモン教の身分制や儀式主義に反対し、バラモン教を否定する宗教が現れます。仏教とジャイナ教です。この二つの宗教は紀元前5世紀に誕生しています。バラモン教は仏教やジャイナ教と対立し、「ナースティカ（＝異端派）」としました。

古代インドで、次々と新しい宗教が生まれたのは、バラモン教に対する反発が大きな理由ですが、その他にも、中東のアケメネス朝ペルシアと交易を行い、経済成長に伴う富の余剰が宗教文化の発展を支えたことが挙げられます。

■インド人とヨーロッパ人は同源なのか

宇山　さてここで、アーリア人のインド征服の話に戻ります。インダス文明の諸都市が放棄された後、紀元前１５００年頃から、イラン高原からアーリア人のインド侵入がはじまります。紀元前１０００年頃には、ガンジス川流域にも定住をはじめます。

アーリア人はインド・ヨーロッパ系で、紀元前４０００年〜紀元前３０００年頃、黒海やカスピ海の北方地域を原住地としていたと考えられ、紀元前２０００年頃から寒冷化を避け大移動します。西を目指した多数派は中東からヨーロッパへ、南を目指した少数派はインドへ侵入します。

茂木　英領インド帝国で調査を行った言語学者ウィリアム・ジョーンズが、英語やギリシア語とインドのサンスクリット語の共通性に気づき、共通祖先があるに違いない、と発表しました。のちに研究が進んで、「インド・ヨーロッパ語族」という概念が認知されるようになりました。原郷はウクライナあたりで、西へ向かったグループがヨーロッパ人、南東へ向かったグ

図表4-2　アーリア人の移動

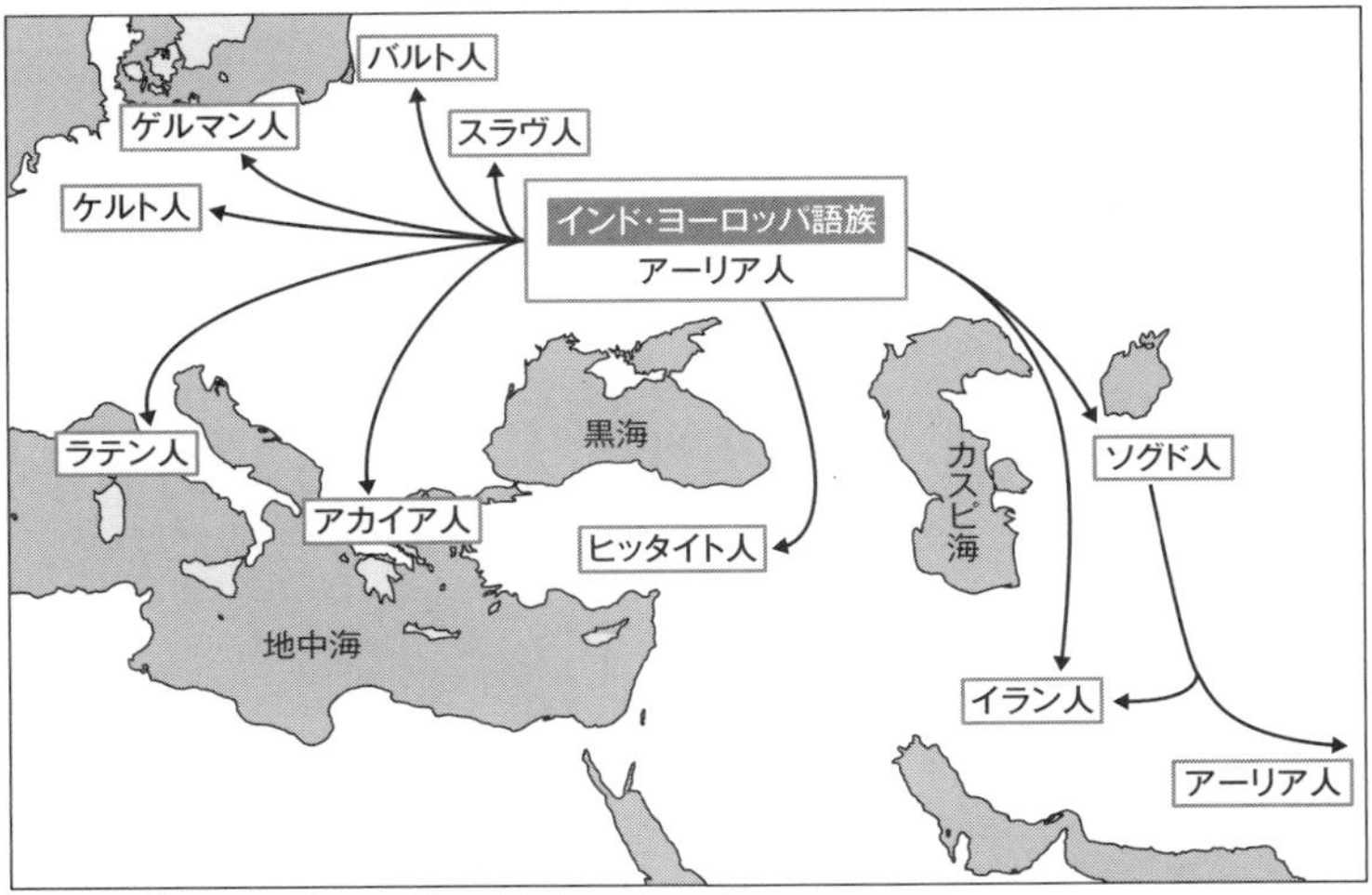

ループがイラン人やアーリア人となります。

宇山　イランの語源は「アーリアン／高貴な」で「アーリア人」と同じですね。イラン人は白人に近い肌を持ちますが、インドのアーリア人の肌が黒化していくのは、暑い地域で環境適応したためです。低緯度地帯の日照の強い地域では、紫外線から細胞を守るため、メラニン色素が皮膚の表面に放出され、肌に入ってきた紫外線を吸収します。メラニン色素の放出により、皮膚だけでなく、目の虹彩、毛髪も黒化していきます。

茂木　インド先住民のドラヴィダ人との混血を繰り返した結果もあるでしょう。ドラヴィダ人は南インドに広く分布し、タミル語という独自の言語を持っています。大野晋さんという言語学者がタミル語を研究して、日本語の起源の一つではないか、という仮説を唱えています。

宇山　アーリア人、つまりインド・ヨーロッパ系が同源であったことを、19世紀、イギリス人がインドを植民地支配する際に利用しました。インドは16世紀に、イスラムのムガル帝国の支配を被ります。ムガル帝国の支配者層はモンゴル系アジア人でした。イギリスはこのムガル帝国の支配からインド人を解放し、再び、アーリア人によるインド支配の政治的正統性を取り戻したのだと喧伝していました。

イギリス人は、インド人に対して、同じ祖先を持つ自分たちとともに「アーリア人の栄光を復活させるべき」などと訴えたのです。ただし、この理屈に共鳴するインド人は誰もいなかったようです。

近年、インド・ヨーロッパ系が同源であったとすることに、異論も唱えられています。一部の学者はインド言語（サンスクリット）とヨーロッパ言語の類似性についても、それは表層的な類似に過ぎず、同系の言語とするには、証拠が不充分であるとも指摘しています。インド言語とイラン言語までの類似を認めることはできても、それをヨーロッパ言語まで拡大することはできないというのです。

しかし、遺伝子の分布として見れば、インド人とヨーロッパ人（東ヨーロッパ人）はY染色体ハプログループR１aで共通しています。この遺伝子的な近似はインド・ヨーロッパ系が同源であったとする科学的根拠になり得るとも反論されています。

このように、今日、インド・ヨーロッパ系の同源を疑う異論はあるものの、学説としてはやはり、同源とするに足るという見方が有力です。

茂木　19世紀に流行ったとんでも学説に、「アーリア人が文明を作った説」というのがあります。ここでいう「アーリア人」とはインド・ヨーロッパ語族のことなのですが、これを人種概念にすり替え、北欧に誕生した金髪碧眼の「アーリア人」が、ギリシア・ローマからインドまでのさまざまな文明を作り上げたのだ、というファンタジーです。

だいたいギリシア人・ローマ人は黒髪・黒目でしたし、金髪碧眼だったのはローマ人から「蛮族」と蔑まれていたゲルマン人やスラヴ人です。

この「ファンタジーアーリア人説」は、ご指摘のようにイギリスによるインド統治の正当化に利用されたほか、アメリカにおける先住民迫害や黒人差別、ドイツにおけるユダヤ人迫害にもっともらしい根拠を与えました。ヒトラーが『我が闘争』でこの「ファンタジーアーリア人説」をさんざん吹聴した結果、ホロコーストを引き起こしたのです。ナチス親衛隊の隊員には、「アーリア人の風貌」である金髪碧眼高身長の若者だけが採用されましたが、ヒトラー本人が黒髪の小男だったことは、ひそかにジョークのネタになっていました。

宇山　アラブ人が多数の中東において、インド・ヨーロッパ系（アーリア系）のイラン人は民族的には孤立しています。イランは８５００万の人口を誇り、中東の中で最も強大な軍事力を誇る強国ですが、「非アラブ」であるために、アラブの盟主にはなれません。ちなみに、テュルク系であるトルコも「非アラブ」であるために、やはり、アラブの盟主にはなれないのです。現在において、アラブの盟主はサウジアラビアです。

このような民族的相違が、イランとアラブ諸国との外交関係のズレや対立を生じさせています。

イランは、２０２３年の10月以降のハマス・イスラエル紛争をアメリカに接近するアラブ諸国への揺さぶりの材料として活用し、「イスラムの連帯」という理念を掲げ、アラブ諸国をイラン側に引き寄せ、アメリカの影響力を中東から排除していく計画を進めたい思惑があるのです。

5 日本人と日本国の起源

茂木　誠

■「日本国」という国号の初出はいつか？

茂木　日本の本来の国号は「ヤマト」です。奈良盆地をもともと「ヤマト」と呼び、ここに生まれたヤマト政権／ヤマト朝廷が、越《こし》（北陸）、吉備《きび》（岡山）、筑紫《つくし》（北九州）など他の地域の政権を徐々に統合して列島を統一したため、日本全体のことを「ヤマト」と呼ぶようになったのです。

弥生～古墳時代の日本列島については、中国の歴史書に「倭国／委国」と記録されています。では、「倭／委」（中国語で「ウォ」または「ウェイ」）とは何でしょう？

古代日本語では一人称が「わ」、二人称が「な」でした。だから「わ」に漢字を当てたという説があります。また漢字の「倭」には「従順な」という意味があるので、荒々しい北方民族に対して、おとなしい日本列島の住民に「倭」の漢字を当てたという説もあります。

宇山　そうですね。「ヤマト」については、「倭」と発音が同じ「和」に「大」を付け加え、「大和」とし、「ヤマト」の当て字にしたとされますね。「大和」という国号は天智天皇の時代には、一般化したようです。そもそも、「ヤマト」が何を意味しているかには諸説あり、「山のふもと」を意味するという説、山の神が宿る「山門」を意味するなどの説などがあります。

茂木　このヤマト政権を治める君主の称号は、「オホキミ（大王）」または「スメラミコト」でした。「スメル」は「統べる／統治する」、「ミコト」は「お方」、「統治するお方」の意味になります。「ヤマトのオホキミ」または「ヤマトのスメラミコト」、国内ではそう呼んでいたわけです。ところが中国に使いを送るときには「倭王」と名乗ることを強いられました。

先に述べたように、中国人の世界観では、世界全体を統治する「皇帝」の臣下として、各国の「王」が存在するのです。つまり「王」というのは独立国の君主ではないのです。中国では、皇帝の息子たちも「〇〇王」と名乗ります。周辺国の君主はそれと同格、という扱いです。ですから中華帝国から独立しようと思ったら、「王」の称号を捨てざるを得ないのです。これができた国は、東アジアでは倭国（のちの日本）だけでした。

国号と君主号を変えたい、と最初に考えたのは間違いなく聖徳太子（厩戸王《うまやど》）だったでしょう。隋帝国が東アジアを席巻しようとしていた時代に、推古天皇（女帝）の摂政として、隋と敵対する高句麗とも連絡を取り独自外交を展開した聖徳太子。隋の煬帝に送った国書に、こう書いたことは有名です。

「日出づる処の天子、日没する処の天子に書をいたす」（『隋書倭国伝』）

この「日出づる国」という表現が、やがて「日本国」に変わっていきます。

決定的だったのは、次の唐王朝との全面戦争でした。白村江の戦い（６６３）です。朝鮮半島に唐が攻め込み、新羅《しらぎ》と結んで百済《くだら》を滅ぼしたのが発端です。亡命百済皇子の要請を受けて、斉明天皇（女帝）の皇子である中大兄皇子《なかのおおえの》が百済復興の目的で朝鮮半島沿岸に出兵しました。歴史的に検証できる日本初の大規模な海外派兵でしたが、結果は惨敗に終わりました。

宇山　日本がこの無謀な戦いになぜ挑んだのか、様々な説があります。一つ確実に言えることは百済の滅亡は日本にとって、「遠い外国の話」ではありませんでした。事実上の自国の領土を侵犯されたという当事者意識とその国辱に対する憤激が日本を突き動かし、天皇自らが外征するということになったのです。

日本の属国たる百済は日本の領土の一部であるという事実が前提としてあり、戦争の勝ち負けに関係なく、侵略に立ち向かう意志を為政者が示さなければ、政権の維持ができないほど、激しい国辱の意識が当時の日本を覆っていたと考えられます。

戦争の勝ち負けはその次の段階、まずは外的脅威に対抗するため、国内を戒厳下に置き、政権の求心力を一気に固めようとする、中大兄皇子ら政権中枢部の打算がここに見てとれます。大化の改新以後、革命政権を担った中大兄皇子らの政権基盤は未だ脆弱でした。彼らにとって、百済滅亡は政権を強化するための格好の利用材料だったでしょう。

茂木　白村江の戦いの敗戦は、13世紀のモンゴルの侵攻や、20世紀の対米敗戦にも匹敵する国家的な危機でしたが、外洋航海可能な海軍を持たない唐帝国は、日本侵攻を断念しました。

当然、唐との関係はしばらく断絶します。中大兄皇子（天智天皇）と、次の天武天皇の時代、中華帝国との関係が完全に途切れたことが、独立への機運を促進したのです。それは、国号と君主号の変更という形に現れました。

「日本国」という国号の初出は、はっきりした記録があります。大宝元年（701年）の大宝律令で、外交文書で用いるべきわが国の君主の称号は、「明神御宇日本天皇（あきつかみ・あめのした・しろしめす・にほんのてんのう）」である、と規定されたのです。「日本」の国号と「天皇」の称号がセットで定められています。

大宝3年（703年）に再開された遣唐使は則天武后に謁見し、はじめて「日本国の使者」と名乗りました。唐の歴史書（『旧唐書《くとうじょ》』）には、「なぜ倭国ではないのか？」「倭国と日本国とは別の国か？」「国名に不満で改名したのか？」と唐側が混乱したというおもしろい記録があります。

720年に完成した国定史書のタイトルも『日本書紀』と定められ、文中の「倭」の文字はすべて「日本」と書き直し、「ヤマト」と訓読みすべきことが指示されています。

神倭磐余彦→神日本磐余彦→カムヤマトイワレビコ（神武天皇のお名前）

倭武尊→日本武尊→ヤマトタケル

それまで「ヤマト」に「倭」の漢字を当てていたのを「和」、「大和」と改めたのもこの時代からです。「和歌」「和服」「大和魂」「大和心」……という言葉はこうして生まれました。中華帝国の属国扱いされてきた倭国が、独立を記念して「日本国」と改名したわけです。このことは、多くの日本人が知っておくべき事実だと思います。

宇山　江戸時代の国学者、本居宣長は天智天皇の時代に、「日本」の国号も使われはじめていたと主張しています。この頃、「日本」と書いて「ひのもと」と読んでいたとされます。「ひのもと」は太陽が昇るところという意味です。日本はもともと、「日出づる処」の国という意識を強く持っており、これをそのまま国号にして、「日本」としました。

「日出づる処」の国、日本は古来、その国号に、国家と民族の誇りを抱いていました。我々は日本の国号の歴史的意味を振り返る時、遠い祖先たちの溢れる気概を感ぜずにはおれません。

■「人種」と「民族」の違い

茂木　次に、日本人の起源を考えてみましょう。こちらはちょっとやっかいです。まず701年に「日本国」が成立する前には「日本人」はいなかったのか？　そんなわけありません。それ以前には「ヤマト人」が住んでいましたし、ヤマト国による列島統一前には、各地に「越人」「吉備人」「筑紫人」……が住んでいたのです。彼らはそれぞれ違う民族だったのか？　あるいは同一民族の中の別の国だったのか？

そもそも日本列島には1万5000年前から縄文人が住んでいたことが考古学的な調査でわかっています。ではこの縄文人というのが、日本人の祖先なのか？　それとも縄文人は失われた先住民であり、日本人は外からやってきたのか？

その前に、「人種」と「民族」の違いを確認しておきましょう。人間には肉体と精神とがありますね。肉体は体格、肌の色、髪の色などの生物学的な特徴を持っています。それらの情報は細胞内のDNAという物質に書き込まれており、親から子へ遺伝します。このような生物学的な特徴によって人類を分類したものが「人種」で、ネグロイド（アフリカ人種）、コーカソイド（インド・ヨーロッパ人種）、モンゴロイド（アジア人種）、オーストラロイド（オーストラリア先住民）に大別されます。

もう一つの精神が受け継いできたものが文化です。言語や宗教、習慣などさまざまですが、最も研究が進んでいるのが言語です。言語は、親から子への教育によって受け継がれます。この言語によって人類を分類したものを「民族」とか「語族」といいます。「自分は○○人だ」という自己認識（アイデンティティ）は教育によって決まるものですから、これは「民族」意識です。「人種」はあまり問題ではありません。

宇山　そうですね。人種はDNAなどの遺伝学的、生物学的な特徴によって導き出されたカテゴリーで、それに対し、民族は言語・文化・慣習などの社会的な特徴によって導き出されたカテゴリーです。

茂木　大規模な移動をした民族は、その過程で混血によって人種が変化している場合があります。トルコ人はもともとモンゴル高原にいた遊牧民で、人種的には日本人やモンゴル人のような顔をしたモンゴロイド（アジア人種）でした。それが、数世紀かけて西へと移動し、現在のトルコに定住しました。

その過程でコーカソイド（イラン人やアラブ人、ギリシア人）との混血が進み、現在のトルコ人はホリの深い中東系の顔をしています。しかし彼らが話すトルコ語は、文法構造がモンゴル語や日本語に似ており、今でも彼らは祖先がアジア人であることを誇りにしています。

宇山　ユダヤ人は、数度にわたって異民族に侵略され、最終的には国を失って各地に離散しました。その過程で混血が進み、欧州のユダヤ人（アシュケナジム）はヨーロッパ系の形質を、地中海沿岸のユダヤ人（スファラディム）や中東のユダヤ人（ミズラヒム）はアラブ系の特徴を持っています。それでも彼らは、ユダヤ教という共通の文化で結ばれ、「ユダヤ人意識」を強く保ってきました。

茂木　「文化」の力、「教育」の力というのはかくも強力なものであり、混血したくらいでは、変わるものではないことがわかります。逆に、文化や教育が廃れれば、その民族は滅ぶといっても過言ではないでしょう。

アフリカの多くの民族は、欧州列強による植民地化の過程で固有の言語や宗教を奪われ、英語やフランス語を話し、教会へ通うようになりました。中南米の諸民族も、スペイン・ポルトガルによる植民地化の過程で、スペイン語を話すようになりました。彼らは白人がやってくる以前の祖先の言葉も宗教も建国神話も、忘れさせられてしまったのです。これは、恐るべきことです。私は、これらの地域における社会的な不安定の要因の一つは、アイデンティティの欠落による根源的な不安にあると思っています。

■縄文人に一番近いのはチベット人

茂木　話を日本人の起源に戻します。人種の起源の探索においては、近年の分子生物学の目覚ましい発展が欠かせません。古代の人骨からＤＮＡを取り出し、現代人のそれと比較研究することを可能にしたのです。父から息子に受け継がれるのがY染色体ですが、そのハプログループ（型集団）のＤというのが、最も古いタイプのモンゴロイド（黄色人種）だとわかっています。

そのあと突然変異が起こり、新しいモンゴロイドであるハプログループOが出現して、Ｄに取って代わっていったことがわかっています。このハプログループOに属するのが、中国人、朝鮮人、ベトナム人、タイ人、ミャンマー人などです。

一方、古モンゴロイドのＤが色濃く残るのが、チベット人と日本列島の縄文人なのです。チベットは高原のため、日本列島は海によって大陸から隔てられていました。だから新モンゴロイドのOがなかなか入り込めなかったのでしょう。

宇山　最も古い基層のハプログループＤは、新モンゴロイドのOがアジア中央部で席巻するのに対し、東西の辺境で残存したと言えますね。その東側が日本、西側がチベットです。78ペ

図表5-1　ハプログループDの分布

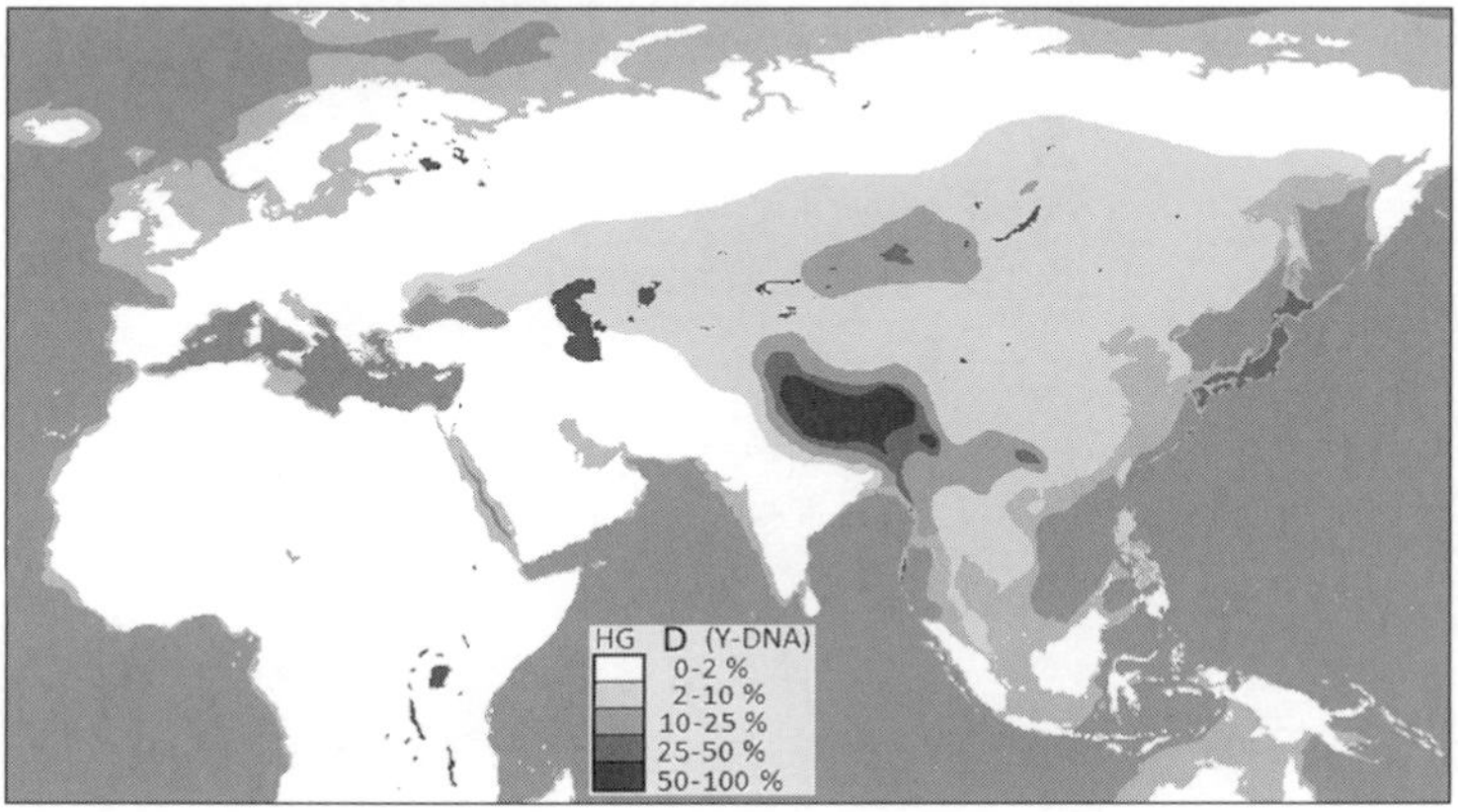

ージの、モンゴロイドのハプログループの分布の図にあるように、中国人、朝鮮人はY染色体ハプログループO２が最も高頻度に観察されるのに対し、日本人はY染色体ハプログループDが最も高頻度に観察されます。これは、我々日本人が、中国人や朝鮮人と民族の血統・系譜の上で異なる存在であることを示しています。

茂木　縄文時代中期は今より温暖で、日本列島は森に覆われ、食料も豊富にありました。日本列島全体の人口は推定26万人ほどで、そのほとんどが東日本に住んでいたことが遺跡の分布からわかっています。森が豊かだったため、狩猟採集中心の社会でも人口を維持できたのです。

縄文後期に地球規模の寒冷化がはじまり、大陸では食料増産のため灌漑農業がはじまりました。大規模な土木工事に人民を動員する必要から、国家が出現します。メソポタミア文明、インダス文明、黄河文明、長江文明などがそれです。

図表5-2 主要なY染色体ハプログループと民族の関係（モンゴロイド）

O2	北方中国人（黄河文明人）、朝鮮人
O1b	オーストロアジア語派（ベトナム人・カンボジア人）
O1a	オーストロネシア語派（フィリピン人・インドネシア人）
C2	アルタイ語派（モンゴル人・満洲人）
D	チベット人、日本人
N	ウラル語派
Q	アメリカ先住民族

日本列島では寒冷化した東日本から西日本への縄文人の大移動が起こりました。同時に南中国の長江流域から、ハプログループOの集団が日本列島へと渡来します。水田耕作を伝えたのは彼らだったようです。陸稲は縄文人も栽培していましたが、水をコントロールして水田を作る技術が入ってきたのです。ここに日本列島で最初の大規模な混血が起こり、弥生人が誕生します。

ただし中南米やアフリカとは違い、日本列島では大規模な殺戮《さつりく》が起こらなかったことは、遺跡や神話からも明らかです。弥生人は水田工作が可能な平野部にしか住めず、森林部に住む縄文人とは棲み分けができたのです。双方はコメと森の幸との交換という形で相互依存の関係を結び、ゆっくりと混血が進んでいったのでしょう。

宇山 おっしゃるように、稲作は長江流域から日本に入ってきています。この時代に、長江流域に分布していた民族はベトナム人などと同じオーストロ（Austro＝南の）アジア語派で、いわゆる漢民族とは異なります。

実は、日本は畑作牧畜の黄河文明からはほとんど影響を受けていません。この時期に、中国の北方から朝鮮半島を経由して渡来人が多くやって来て、日本に文明をもたらしたという教科書や概説書に書かれている従来の説は明らかに間違っています。

もし、稲作が本当に朝鮮半島から伝わったのであるならば、朝鮮半島に、日本よりも古い稲作の痕跡が見つかっていなければなりません。しかし、日本に稲作が伝わった約３０００年前よりも以前の痕跡は朝鮮半島では一切、見つかっていません。

朝鮮半島南部で見つかっている約２０００年前から約１５００年前の遺跡の水田跡はその方式から見て、九州からの伝来と見られています。しかも、こうした水田跡は朝鮮半島の北部では見つかっておらず、南部にのみ存在するのは、それが北部からやって来たものではなく、南方からやって来たものであることを示しています。

日本の古代稲の遺伝子分析によっても、稲作は朝鮮半島を経由することなく、長江流域から直接、日本に伝来したことがわかっています。大阪や奈良で見つかった弥生時代後期の紀元前３世紀頃の米のＤＮＡ分析を行ったところ、その種の遺伝子型（ＲＭ１‐ａ、ＲＭ１‐ｂ、ＲＭ１‐ｃの３種類）は朝鮮半島には存在しないもので、長江流域の種であることが判明しました。

茂木　神話では、ヤマト政権を建てた天孫族という部族が「高天原《たかまがはら》」から降臨した、という設定になっています。自分たちは「外」からヤマトへやってきたのだ、と伝えているのです。この神話は、縄文後期に起こった人口移動を暗示していると私は考えています。「外」とは、東日本か、長江流域かのどちらかでしょう。

■最大の謎、日本語の起源を考える

茂木　また、縄文人と弥生人とは別の言語体系だったはずです。中国や東南アジアの諸民族は、シナ・チベット語族やオーストロアジア語族に分類され、主語＋動詞＋目的語の語順で、助詞・助動詞がありません。弥生人もこのような言語を喋っていたと想像されます。

ところが日本語は主語＋目的語＋動詞の語順で助詞・助動詞があり、トルコ語やモンゴル語、朝鮮語と似ています。これがもともと縄文人の言語だったのか、北方経由で渡来人がもたらした言語なのかは非常に興味がありますが、縄文人が文字を残さず、縄文語に関する記録は大陸にも残っていないため、その言語を復元することは極めて困難な状況です。今後の研究にまちたいと思います。

宇山　日本人がどこからやって来て、どのように形成されたのかを知る上で、遺伝子研究の他に重要なのが日本語の言語ルーツを追うことですね。似た言語を使う複数の民族は共通の祖先から派生したものと考えられます。この言語と民族の相関関係を分析することで、民族の血縁関係について遡及的に想定することができます。

「語族」は同一の祖先から分かれ出たと考えられる言語のグループのことで、民族が使用する言語系統を示します。アジア東部の民族の語族として、アルタイ語族、シナ・チベット語族、オーストロネシア語族、オーストロアジア語族の4グループに大別できます。

図表5-3 アジア東部の主な語族

アルタイ語族	モンゴル人、満洲人、トルコ人
シナ・チベット語族	中国人、チベット人、ミャンマー人
オーストロネシア語族	台湾、東南アジアの島嶼部
オーストロアジア語族	東南アジアのインドシナ半島

この４グループのうち、日本語はアルタイ語族に近いという説が有力ですが、この説には、様々な異論があり、最終的に日本語がどの系統に属するのかは不明です。

日本語は文法、音韻、語彙《ごい》などでアルタイ語族との共通的な特徴が最も多いとされますが、同時に、オーストロアジア語族やオーストロネシア語族との共通性も多く指摘されており、研究者によっては、日本語はアルタイ語族よりも、それらの語族との共通性を強く持つとさえ考えられているのです。また、日本語はアルタイ語族と、オーストロアジア語族・オーストロネシア語族の混成型であるとも指摘されています。

茂木　明らかに混ざっているのです。単語レベルでは、ポリネシア語やタミル語との共通性もある。

いずれにせよ、日本列島に渡来した長江文明人は、彼らの言語を捨てて、日本語を習得したことだけは確かです。スペイン人は中南米を征服してスペイン語を強制しました。日本では逆に、弥生人が縄文人の言語を習得したのです。両者が単純な支配・被支配の関係でなかったことは、このことからもわかるでしょう。

■「日本人らしさ」は縄文人のDNA

茂木　この縄文人と弥生人の関係について、東京大学の大橋順教授らの「縄文人と渡来人の混血史から日本列島人の地域的多様性の起源を探る」（２０２３）というおもしろい研究があります。現代日本人のゲノム情報から縄文人の割合を都道府県別に図式化しているのです。ゲノムとはすべての遺伝子情報のことです。

それによれば、弥生時代に人口が急増している近畿・四国・山陽地域では縄文人のゲノムを持つ人が少なく、つまりは渡来人の子孫が多い、という結果が出ました。

宇山　「辺境残存説」とでも言うべきものですね。日本の縄文人の遺伝子や文化が本州よりも、沖縄、九州、東北や北海道で維持されやすかったという当然の重層的な現象と言えます。

ところで、北海道に人が住みはじめたのは今から約２万年以上前のことです。これらの古代人は日本本土にも見られる縄文人であり、アイヌ人ではありません。北海道にいた縄文人とアイヌ人を同一視する説が多くありますが、今日の遺伝子解析から両者はまったく別の民族であることがわかっています。また、北海道では、縄文遺跡が多数発見されていますが、これらはアイヌ人の文化様式とはまったく異なるものです。

２０１９年、アイヌ人を「先住民族」とはじめて明記したアイヌ新法が成立しました。アイヌ新法で、アイヌ人は日本の「先住民族」と規定されましたが、そう言い切れる証拠はどこにもありません。アイヌ人がいつ、樺太から南下して北海道にやって来たのか、詳しいことはわかっていないのです。文献資料で見られるアイヌ人の記述は今から約８００年前の13世紀のことです。この時期までに、アイヌ人が北海道で定着し、独自のアイヌ文化を保持していたことは間違いないのですが、彼らがいつやって来たのかは不明です。13世紀に突然、大挙してやって来たのか、それ以前にも、徐々に住み着いていたのか、わかっていません。

茂木　アイヌについては誤解が多いので、あとでじっくり検討しましょう（第2章10節参照）。

さて、弥生時代の後期には「倭国大乱」が起こったと中国の史書にあり、西日本には吉野ヶ里遺跡に代表される防壁に囲まれた集落が出現します。これは弥生人同士の戦闘と思われ、その過程で日本各地に小国家が出現しました。これらをヤマトが統合していくのが古墳時代です。

古墳時代には再び地球規模の寒冷化が起こり、社会不安から西はローマ帝国、東は漢帝国が崩壊します。戦乱が続く大陸からは、数度にわたって避難民の群れが日本列島へ渡ってきます。ヤマト政権は彼らがもたらす技術を歓迎

図表5-4　**縄文人由来ゲノム変異の地理的分布**

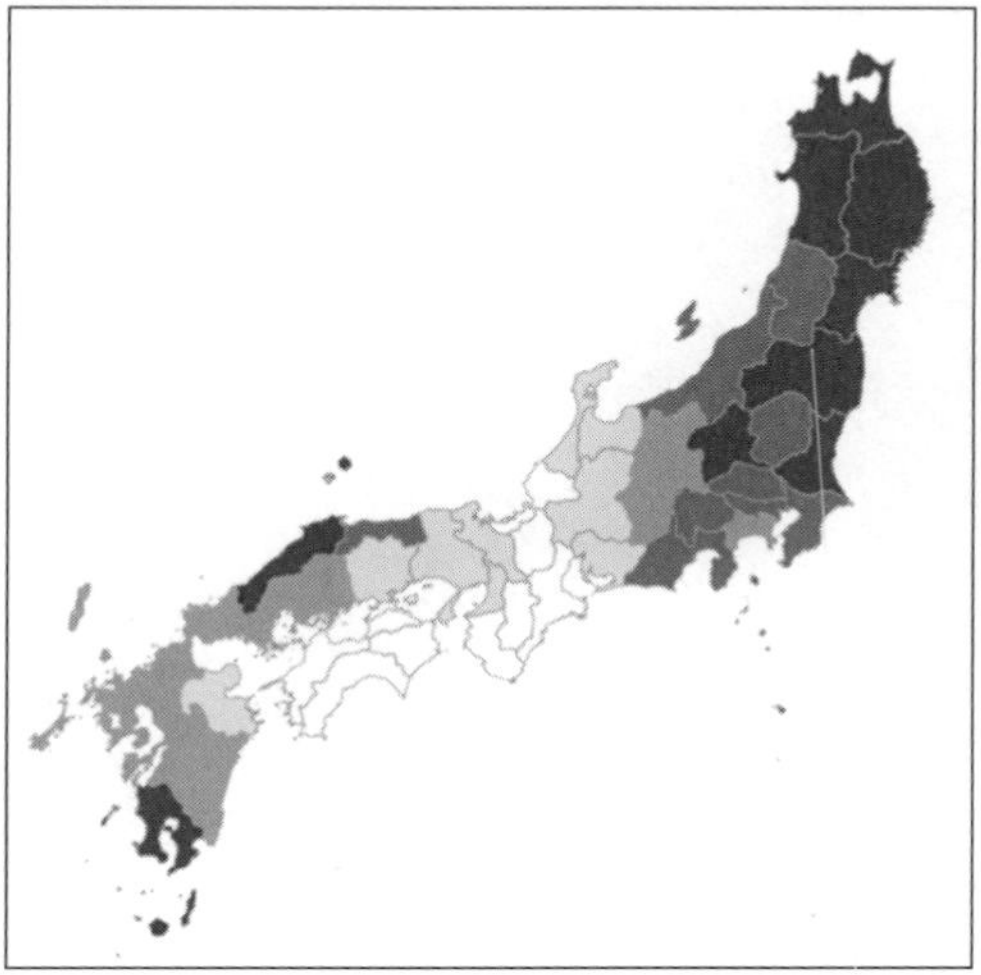

図表5-5 縄文時代から現代に至るまでの日本人ゲノムの変遷

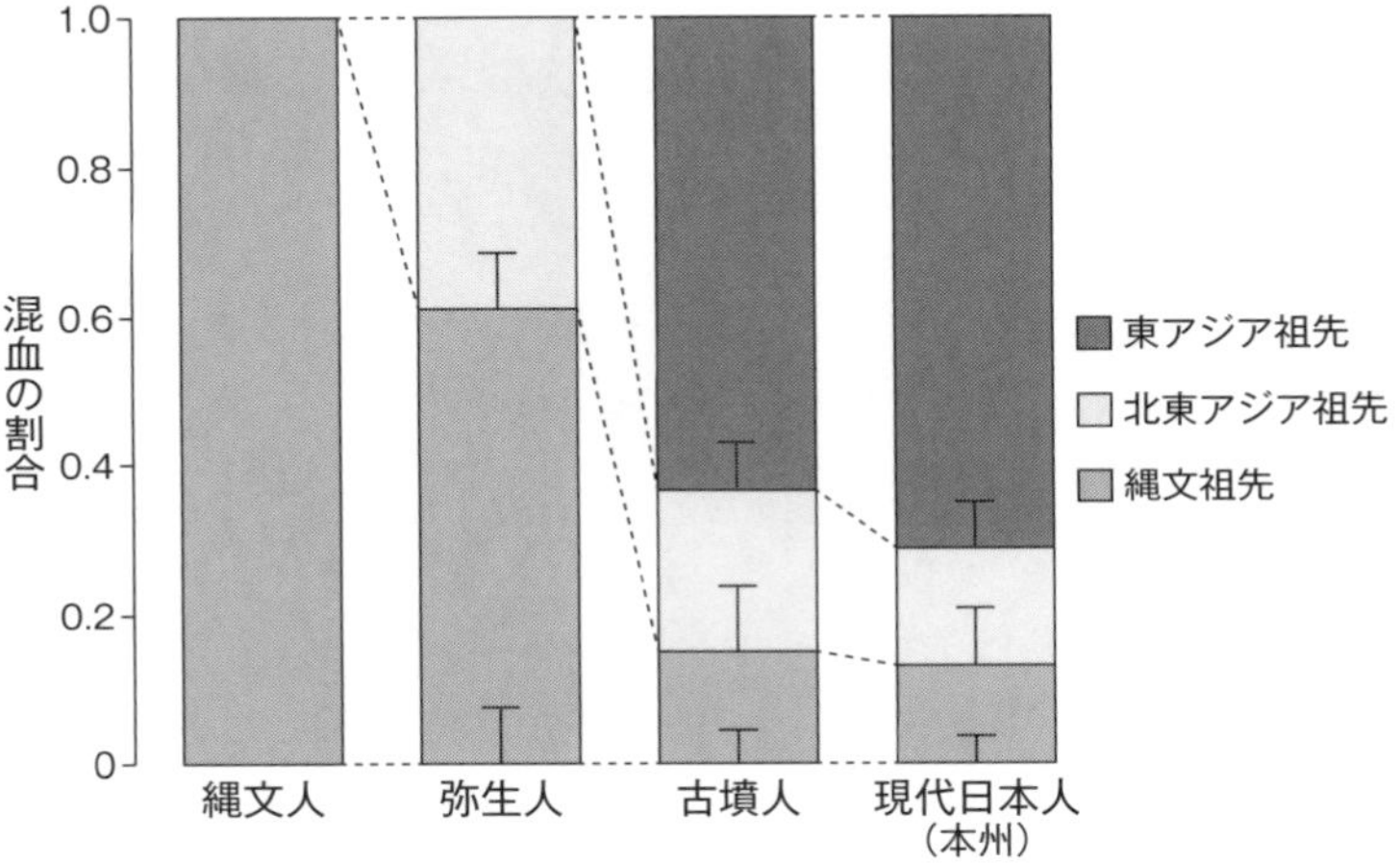

し、渡来人として受け入れました。

平安時代にまとめられた『新撰《しんせん》姓《しょう》氏録《じろく》』という文献には、平安貴族を祖先別に「神別」「皇別」「諸蕃」と分類しています。「皇別」は皇室の分家、「神別」は日本統一前の諸部族、「諸蕃」は日本統一後（古墳時代以後）の渡来人を意味し、貴族全体の実に3分の1にも達しています。

金沢大学・ダブリン大学を中心とする国際共同研究で、「縄文時代から現代に至るまでの日本人ゲノムの変遷」（2021）というのがあります。

これによると、弥生時代には縄文人6割：弥生人4割だったのに対し、古墳時代には渡来人が7割を超え、純粋縄文人が2割弱まで減少しています。古墳時代に、いかに大量の渡来人が来ていたのかがわかります。その多くは中国起源と思われますが、ほかにも様々な民族がいたでしょう。ペルシア人やユダヤ人、インド人が来ている痕跡もあります。彼らもそれぞれの母国語を捨てて日本語話者になった。このことが、とてもおもしろいと思います。

最新の遺伝子的研究で確認されたことをまとめてみましょう。

（1）日本人の原型を作ったのは1万数千年にわたりこの列島で生活を営んできた縄文人であり、日本語もこの時代に形成されたと推定できる。

（2）弥生時代と古墳時代には、大陸の戦乱を避けて大量の渡来人（新モンゴロイド）が日本列島に渡ってきたが、彼らは縄文人と共存して日本語を学び、日本人になっていった。

（3）現代人もなお、1割程度の縄文人（古モンゴロイド）の遺伝子を受け継いでおり、これが近隣アジアの諸民族との決定的な違いである。

縄文時代は1万数千年にわたる平和な時代でした。それは縄文人の人骨に、武器によって傷ついたものがほとんどないことから証明できます。鏃《やじり》の刺さった頭蓋骨が出てくるのは弥生時代からなのです。この縄文の遺伝子が現代人まで受け継がれているという事実は、世界の中で日本人の特性――気づかいや優しさ、ナイーブさ、自然との共存――を考える上で無視できないことだと思います。

宇山　縄文時代が日本人の原点だと思いますし、縄文人の気質が我々の中に残っています。日本人はいつの時代にも、外来の文化と敵対することなく、巧みに受容し続け、それを日本独自の文化に作り変えてきました。異なる価値観を持った人々と争うのではなく、それを取り込んできましたし、その共存協調の驚くべき力こそが縄文人のＤＮＡを色濃く受け継ぐ日本人の原点でしょう。

茂木　大陸の戦乱に巻き込まれなかった日本列島という「避難所」で、縄文人が長い長い時間をかけて育て上げた森の文化と言葉。これが日本文化です。日本列島へ逃れてきたさまざまなルーツを持つ渡来人が、ゆっくりとこれを受け入れ、形成してきたものだったのです。「目には目を」「力には力で」という報復の文化が、終わりのない紛争を引き起こしている今日の世界において、「日本」という国に生まれたことの意味、使命を考えてみませんか？

第2章

《中世》モンゴル帝国が与えたインパクト

6 中国人はどのようにハイブリッド化されたのか

宇山卓栄

■「中国人＝漢民族」ではない

宇山　中国国家統計局は中国の現在の人口構成の92％が漢民族としていますが、それはあり得ないことであり、中国人は実際には、中世の時代にハイブリッド化された複合民族というべきでしょう。

また、漢民族はそのほとんどの時期において、異民族に支配されている亡国の民であり、自分たちの国を自分たちの意志で統治することができませんでした。

中国の歴史を動かしていたのは、漢民族ではなく、北方遊牧民であり、彼らこそが中国の歴史の「主要民族」であり、本来、「異民族」という表現をされるべき存在ではありません。

茂木　そもそも漢民族の遠い祖先は、東夷《とうい》、北狄《ほくてき》、西戎《せいじゅう》・南蛮《なんばん》と呼ばれた異民族です。彼らが黄河流域に相次いで侵入、混血して黄河文明を作り上げました。

最初の夏《か》王朝を建てたのは南方の海洋民族（南蛮）、次の殷《いん》王朝を建てたのは北方の遊牧民

（北狄）、周王朝を建てたのは西方の遊牧民（西戎）です。さまざまな民族のコミュニケーション・ツールとして殷代に甲骨文字が生まれました。「漢字」とか「漢民族（漢人）」という呼び名は、ずっとあとの漢王朝の時代からで、それ以前の黄河文明人は自国のことを「華《か》」とか「華夏《かか》」とか呼んでいました。これは「文明国」という意味ですね。

宇山　黄河流域と長江流域とには、それぞれ言語や文化の異なる民族が住んでいました。黄河流域のシナ語派の漢民族とは別に、長江流域には、シナ語派と関係がないオーストロアジア語派が居住していました。オーストロアジア語派は東南アジアのインドシナ半島系の民族と同じです。気候も大きく異なり、黄河流域は乾燥気候で麦作中心、長江流域は湿潤で稲作中心で、文化風習が異なります。

紀元前2200年頃、長江流域（長江文明）が洪水で衰退した時、黄河流域の勢力に征服されてしまいます。それ以降、黄河文明の影響力が長江流域に及び、この地域のオーストロアジア語派は駆逐されるか、漢民族と混血同化していきます。

そうして長江流域の漢民族化が進み、最終的には、戦国時代の紀元前4世紀、秦によって征服され、長江流域は完全に漢民族のテリトリーに組み入れられることになります。ここで、我々が一般にイメージする「漢民族の中国」が出来上がります。

茂木　「オーストロ」は「南の」という意味ですから、「南アジア語族」。ベトナム人やクメール人（カンボジア人）のことですね。古代中国の記録では「越人」と呼ばれ、「断髪文身《ぶんしん》」——短髪で体に刺青をしている、素潜りが得意で魚をとって食す、と記録されています。

彼らは長江流域に呉・越・楚などの国を建て、青銅器文明に達していました。おもしろいことに、弥生時代の倭国（日本列島）を描写した『魏志倭人伝』にも「倭人文身す」と書いてあるんですね。弥生文化はすぐれた青銅器文化でもありました。また、『魏略』など複数の史書には、「倭王は呉王・太伯《たいはく》の末裔」という記録もあります。また弥生人のＤＮＡは、南中国人と同じＯ１ｂ系統です。弥生人＝倭人の起源を考えるとき、長江流域と日本列島の間での大規模な人の移動を想定できるわけです。

それ以前から日本列島に居住していた縄文人は、さらに古いモンゴロイド（Ｄ系統）の末裔です。縄文人と弥生人（倭人）がゆっくり混血した結果、日本人が生まれました（第１章５節参照）。

■半分以上が異民族の王朝

宇山　長江文明を飲み込んだ漢民族も常に、異民族の侵略に晒され、多くの時代において、異民族に従属させられていました。

中国の統一王朝で、漢民族が作った王朝は秦、漢、晋、明の四つしかありません。中国の主要統一王朝は「秦→漢→晋→隋→唐→宋→元→明→清」と九つ続きますが、そのうちの五つが異民族の作った王朝です。秦、漢、晋、明の四つのうち、秦と晋は短命政権で、わずか漢と明の二つだけが実質的な漢民族の統一政権でした（秦の建国者のルーツはチベット系の羌族である

図表6-1　中国主要統一王朝の民族

王朝	建国者	氏族名	民族	建国時期
秦	始皇帝	嬴《えい》氏	☆漢民族	紀元前3世紀
漢	劉邦	劉氏	☆漢民族	紀元前3世紀
晋	司馬炎	司馬氏	☆漢民族	3世紀
隋	楊堅	楊氏	鮮卑族	6世紀
唐	李淵	李氏	鮮卑族	7世紀
宋	趙匡胤	趙氏	トルコ人沙陀族	10世紀
元	フビライ	ボルジギン氏	モンゴル人	13世紀
明	朱元璋	朱氏	☆漢民族	14世紀
清	ヌルハチ	愛新覚羅氏	満洲女真人	17世紀

とする見解もあり)。

図表6－1にあるように、実は、隋（581年～618年）や唐（618年～907年）も漢民族の王朝ではありません。隋の建国者の楊氏も唐の建国者の李氏も、鮮卑族の出身で、漢民族と混血（漢化）したのです。隋や唐という中国を代表する王朝が漢民族の王朝ではないということに対し、中国人史家の中には、これを否定する見解を持つ人もいますが、日本の中国史家の宮崎市定氏が隋・唐が鮮卑系であるとの見解を戦時中に発表して以降、この見解が世界の学界の定説となっています。いくつかの高校世界史教科書でも、この見解を取り上げています。

また、隋や唐は自分たちが異民族の出自であることを隠そうとしたこともあり、彼らの出自に関する詳細な記録を残していませんが、その系譜から見て、彼らが鮮卑族であることは否定することのできない事実です。

茂木　漢人風に「漢字一文字の姓がカッコイイ」病というのがありまして（笑）、匈奴の王が「劉氏」、鮮卑の王が「李氏」を名乗るものだから、わけがわからなくなるのです。新羅の王が「金氏」や「朴氏」を名乗ったのも同じ病気です。唐を建国した鮮卑の一族も、もともとは漢字二文字の姓を持っていたようですが、これをなかったことにして「李氏」の姓を採用しました。

古代中国の哲学者・老子の本名が李耳《りじ》だったので、唐王朝は老子を始祖として祭り上げ、「うちら、古代から続く漢民族なんや！」と王朝正統化に使っているのは、ほほえましいですね。

宇山　宋王朝もまた、漢民族のつくった王朝ではなく、トルコ人沙陀族のつくった王朝と考えられています。唐王朝が滅んだ後、その混乱の中で、923年、突厥系沙陀族出身の李存《りそん》勗《きょく》が後唐を建国します。宋王朝の建国者の趙匡胤ら趙氏一族は後唐の近衛軍の将官や武将でした。トルコ人王朝の後唐の要職にあった趙氏一族もやはり、漢化したトルコ人であるとされます。

趙匡胤は自らの出自を隠し、自分は前漢の名臣の趙広漢の末裔であると称し、漢民族であると主張していましたが、根拠はありません。

茂木　これについて江戸時代の日本の儒学者・林羅山は、「蜀の劉備が漢の皇族の末裔と称し、また宋の趙匡胤が漢代の都知事だった趙広漢の末裔だと称したことは、系図が途切れているため疑わしい。同様に、日本の戦国武将たちが貴人の末裔だと称していたことも疑わしい」と述べています。

宇山　趙匡胤の主張には何の根拠もありませんでしたが、自分が漢民族であると主張することにより、多数派の漢民族の共感を得ようとしました。異民族王朝である宋で、中華思想が形成されるのも同じ理屈です。異民族王朝だからこそ、漢民族中心主義を政治的に利用し、政権の求心力を高めようとしたのです。

モンゴルの元王朝の支配においても、このようなハイブリッド化はさらに続きます。従って、明王朝が「漢民族の復興」を掲げた王朝とされますが、それはモンゴル人と戦うためのプロパガンダとして使われたものに過ぎず、実際には、復興すべき「漢民族」などは既にいなかったのです。清王朝の時代には、ツングース系満洲人との混血も加速します。

■日本は「東夷」と侮蔑された

宇山　なお、現代の「中国」は「中華人民共和国」の略称です。「中華人民共和国」の「中華」はいわゆる「中華思想」の「中華」です。

「華」というのは文明のことであり、漢民族は文明の「中」にいる民族、即ち中華であり、周辺の他の民族は文明の「外」にいる夷狄（野蛮人）であるとされます。

そもそも、「中華」を国号に用いるという発想を最初に打ち出したのが革命家の章炳麟《しょうへいりん》でした。章炳麟は1907年、著書『中華民国解』で、清王朝に代わる新しい中国国家を建設する必要性を説き、その国号を「中華民国」にしてはどうかと提案しています。

1911年の辛亥革命で清王朝が倒れ、1912年、南京において、孫文を臨時大総統とする政府が成立します。この政府において、新国家の国号を何とするか、様々なアイデアが出されました。中国の伝説の古代王朝である夏王朝の名をとって「大夏」や「華夏」とするものや「支那」などの案が出ましたが、最終的には章炳麟の案である「中華民国」が孫文の支持もあり、採用されました。

茂木　この「中華民国」の名を引き継ぐ形で、毛沢東が「中華人民共和国」という名を考案し、国号としました。

宇山　「中華」という言葉は唐の時代に編纂された歴史書『晋書』などにも使われていますが、この言葉を概念として定着させ、一般化させたのは宋王朝の司馬光です。司馬光は歴史家であると同時に、宰相にまで登り詰めた大物政治家でもあり、「中華思想の父」と呼ぶべき人物です。

司馬光が編纂した『資治通鑑《しじつがん》』（1084年完成）は全294巻の大歴史書で、編纂のための史局が設置され、朝廷の全面的援助を受けて完成しました。時の皇帝神宗が「為政に資する鑑《かがみ》」と賞して、『資治通鑑』というタイトルになったのです。

司馬光はこの『資治通鑑』の中で、君主と臣下のわきまえるべき分を説く「君臣の別」や、漢民族（中華）の周辺異民族（夷狄《いてき》）に対する優位を説く「華夷の別」を主張しています。「華夷の別」とともに、文明の「華」の中にいる漢民族が歴史的に果たす使命というのは何か、という論説が全面的に展開されます。

高度な文化を擁する漢民族は憐れな周辺蛮族に施しを恵んでやる寛容さも時には必要であるということが記述され、周辺民族をバカにした内容となっており、同時に極端な民族主義を誇張しています。その中で、日本や朝鮮などの東方の国は「東夷」と呼ばれ、周辺の野蛮人の一派に位置付けられています。

南宋時代、朱子学を大成した朱熹は司馬光の『資治通鑑』を称賛し、これをもとに『資治通鑑綱目』を著し、大義名分論を展開して、中華思想が儒学の世界観の中に統合されるに至ります。

茂木　清朝は満洲人の王朝ですが、5代雍正帝はこう言っています。「満洲人は北方民族であったが、すでに文明化して中華となったのだ」「中華」＝文明、という意味ですから、本来は民族名じゃないんですね。漢字漢文を使えれば、何人でも「中華」になれる。朝鮮は「小中華」と自国を誇り標榜、江戸時代の日本でも山《やま》鹿素行《がそこう》が、「異民族支配を一度も受けなかった日本こそ中華だ」とまで言っています。これが「中華」の本来の意味です。

ところがアヘン戦争以後の半植民地状態の中で、章炳麟や孫文が「中華」を民族名にしてしまった。そうやってナショナリズムを煽り、欧米や日本に対抗しようとしたわけです。

■中華国家を標榜するならば

宇山　こうした歴史的背景からも明らかなように、「中華」は漢民族中心主義のことであり、「中華民国」の国号を考案した章炳麟も当初、「中華」を用いることによって、満洲人支配の清王朝を打倒し、漢民族の国家回復を目指すことの正統性を打ち出そうとしました。

孫文も1905年、中国同盟会を結成した際、有名な三民主義と共に、満洲人を駆逐し、漢民族による国家を取り戻すという意味の「駆除韃虜《たつりょ》・恢復中華」を綱領として掲げています。章炳麟や孫文ら革命家は1911年の辛亥革命以前、漢民族による単一民族国家を目指していたのです。この場合、漢字漢文を使わないモンゴル、チベットなど異民族の独立を認めざるを得なくなります。

しかし、辛亥革命後、中華民国が建国されると、孫文は「漢・満・蒙・回・蔵の五族が、一つとなって共和を建設する」などと述べて、中華国家建設の方針を転換します。各民族の独立運動に列強が介入し、領土の分裂が政権の弱体化に繋がるという現実に直面して、危機感を新たにし、大国意識とともに、多くの「夷狄」を版図に組み込む方針へと急速に傾斜していったのです。

本来、章炳麟や孫文は漢人の単一民族国家の実現を願い、「中華民国」を建国したにもかかわらず、現実には清王朝よりも強圧的、覇権主義的な民族統治政策が続き、「中華民国」という国号の意味とは裏腹な、事実上の「漢人帝国」に陥っていくのです。
現在の中国政府も同じです。「中華人民共和国」という中華国家を標榜しながら、チベット人やウイグル人やモンゴル人らの自立・独立を一切認めようとしません。

茂木　中国共産党がさらに悪質なのは、一度でも中華文明を受け入れた民族は、すべて中華民族である、と決めてしまったことです。「元朝を建てたモンゴル人も、清朝を建てた満洲人も、北京を首都として中華を支配した。だから彼らは中華民族である」、と。

中国の国定教科書では、チンギス・ハンも、ヌルハチも「中華民族の英雄」ということにされてしまいました。もうメチャクチャな歴史観です。もし豊臣秀吉が朝鮮出兵に成功して明軍を打ち破り、一度でも北京に入城していたら、今頃彼らは「日本人も中華民族。日本は中国領」と言っていたでしょう。朝鮮出兵を取りやめた家康は、偉かったと思います。

宇山　本書対談では、中国を「支那」とは呼ばず、「中国」という呼び方（表記）を用いています。このことで、一部の保守派の読者からお叱りを頂くかもしれません。「ありもしない漢民族優位主義で他の民族を侮蔑する『中国』などという言い方はけしからん」というのですが、もちろん、その理屈は理解できます。

中国政府は「支那」には侮蔑的な意味が含まれていると述べています。しかし、本来、「シナ」に差別や蔑称としての意味合いはありません。孫文も「支那」という語を用いていました。「大清帝国」という当時の国号の他に、「中国」を言い表す語は「支那」以外にはなかったからです。

紀元2世紀前後、インドにおいて、中国はサンスクリット語（梵語）で「チーナ・スターナChina staana（「チーナ人の土地」という意味）」と呼ばれていました。6世紀末の隋王朝時代、インドから伝来した経典の中にこの呼び名があり、当時の訳経僧がこれに「支那」という漢字を当てたことから、「支那」という語が中国でも使われるようになります。「チーナ」は初代王朝の秦を語源とするもので、そこから、英語の「チャイナChina」も派生しました。

しかし、「中国」という呼称が定着して1世紀以上が経過し、相手の嫌がる呼称をわざわざ使う必要もないと思われるので、本書対談では「中国」という呼び方を採用しています。

茂木　日本人は伝統的に中国を「カラ」と読んでいました。「カラ」はもともと朝鮮半島南部の加羅地方（任那《みまな》）のことですが、のちに中国大陸に拡大解釈されました。遣唐使の時代以後は「唐」と書いて「カラ」と読ませ、豊臣秀吉の朝鮮出兵（目的は明の征服）は「カラ入り」、中華風の揚げ物は「カラ揚げ」、中国風の傘は「カラ傘」と呼びました。

「シナ」の呼称が普及したのは結構新しくて、江戸時代からだと思います。おそらく長崎経由で入ってくる蘭学書にChinaチナと描いてあるので、これに漢字を当てて「支那」としたのでしょう。明治時代には「カラ」より「支那」が一般化し、日清戦争の勝利以後、「支那」に対する侮蔑的な感情が日本人の意識に生まれます。清朝を倒した中華民国は、「中国」の呼称を日本に求め、１９３０年に日本政府は閣議決定で公文書の「支那」を「中国」に変更しています。

最近はインドでも、外国人がつけた「インド」をやめて、古来の国号「バーラタ」に戻そうという動きがあります。いずれにせよ国号はその国の人が自由に決めるべきことで、外国人がとやかく言うべきことではありません。

7 ロシアというやっかいな隣人――ウクライナ戦争の淵源

茂木　誠

実はいったん滅んでいるロシア

茂木　日本という国の不幸は、隣人に恵まれなかったことです。中国、南北朝鮮だけでも相当にやっかいな隣人たちですが、それにあのロシアが加わるからです。

ロシアという国は、実はいったん滅んでいるのです。滅びる前の古代ロシアは、キエフ・ルーシという国でした。日本の世界史教科書では「キエフ公国」と呼んでいます。ウクライナの首都キーウ（キエフ）と都とし、黒海とバルト海を結ぶ交易で栄えました。

「ロシア」の語源である「ルーシ」とは、もともと北欧のスウェーデン出身のノルマン人、通称ヴァイキングのことです。頑健な身体を持つ金髪碧眼の彼ら海賊集団が襲来し、国家形成の

図表7-1 キエフ・ルーシ

前だった先住民のスラヴ人を征服したのです。最初の王はリューリクといい、その王統が代々キエフ・ルーシの君主になります。これをリューリク朝といいます。

先住民のスラヴ人は奴隷に落とされ、ビザンツ帝国やイスラム帝国へと転売されたため、「スラヴslav」という民族名が奴隷を意味するslaveになったほどです。ノルマン系の征服者は、やがて支配下のスラヴ人と混血し、ルーシ人を形成していきました。

日本列島に大陸のどこからか強力な民族が渡来して縄文人を奴隷化し、王朝を建てた、というような話です。民族としてのアイデンティティはどうなるのでしょうか?

やはり敗者の側ではなく、勝者の側として歴史を語りたい。だからロシアのルーツは先住のスラヴ人ではなく、無敵のノルマン人なのだ——という歴史観がロシアにはあります。

宇山 ウクライナ人もロシア人もリューリクが率いたルーシ族に共通の起源を持ちますね。今、解説いただいたルーシ族はロシア北部に８６２年、ノヴゴロド国を建国します。その後、リューリクの親族であったオレーグはキエフに南下して制圧します。キエフはドニエプル川の中流に位置する現在のウクライナの首都です。

オレーグは８８２年、ノヴゴロドからキエフに本拠を移します。これがキエフ公国のはじまりです。この時代、ロシアやウクライナに、王は存在せず、各地に豪族らが割拠し、分裂状態でした。豪族らは「公」を意味する「クニャージ」を名乗っていました。

キエフ公国の君主も「クニャージ」を名乗りましたが、キエフ公国は他の公国よりも国力が強く、主導的な立場にあったため、君主は「大公」を意味する「ヴェリーキー・クニャージ」を名乗っていました。ちなみにノヴゴロド国は「王国」でもなく「公国」でもないのは、リューリクが王でも公でもなく、ルーシ族の族長という立場に過ぎなかったからです。

ご指摘の通り、キエフ大公位はオレーグの死後、リューリクの息子に引き継がれ、以後、歴代、リューリクの血筋の者が引き継ぎますね（リューリク朝）。

茂木　先に触れましたが、19世紀、「金髪碧眼のアーリア人が世界の文明を築いたのだ」という「アーリア人仮説」というトンデモ説が唱えられ、ヒトラーがこれに心酔してナチズムの理論になったのは有名です。そして実はロシアにもこのような主張をする人たちが一定数おり、ロシア版のネオナチ運動を続けているのです。ロシアにおけるユダヤ人迫害のすさまじさも、このことと無縁ではありません。自分たちスラヴ人も被害者なのに、加害者のノルマン人と自己同一視して精神の均衡を保つ。それだけ過酷な歴史だったわけです。

■モンゴル軍に蹂躙されたというトラウマ

茂木　注意すべきは、この時代の「ルーシ人」はまだロシア人でもウクライナ人でもベラルーシ人でもなく、それらの共通祖先というべき存在だったことです。この時代、彼らは多神教徒であり自然崇拝を行っていました。

9世紀、日本では平安時代の初期ですが、キエフ大公ウラディミルのところに、ビザンツ皇帝から使いが来ます。ビザンツ皇帝とは東ローマ皇帝のことで、ギリシアに都を置いており、キリスト教のギリシア正教を国教としていました。

「わが妹を汝の妃として迎えよ。異教の神々を捨て、キリスト教に改宗せよ！」

ところが同時期に、イスラム帝国（アッバース朝）からも使者が来ていたのです。

「異教の神々を捨てて、イスラム教に改宗せよ！」

ウラディミルは双方に調査団を送り、最終的に選んだのはキリスト教でした。彼は大酒飲みで、イスラム教の禁酒の戒律が耐えられなかったのです。

この988年のウラディミルの改宗により、ロシアのキリスト教化が始まりました。もし彼が下戸だったら、その後のロシアはイスラム国家として発展し、世界史は全く変わっていたでしょう。

宇山　キエフは当時、ビザンツ帝国（東ローマ帝国）との交易の拠点となっていました。キエフ公国はバルト海と黒海を結ぶドニエプル川流域を支配し、交易によって栄えます。

経済的に、イスラム圏よりも、ビザンツ帝国に結び付きの強かったキエフ公国がギリシア正教に改宗したのは経済的な面からも必然的なことであったでしょう。この時、ギリシア正教のみならず、キリル文字をも受容し、これを基礎にロシア文字が形成されていきますね。

茂木　11世紀、ヤロスラウ大公が遊牧民との戦いの勝利の記念に建てた聖ソフィア大聖堂は、ビザンツ様式の傑作として世界遺産に登録され、ウクライナのみならず全ルーシの象徴となっています。ギリシア人が考案したキリル文字の聖書が普及し、西洋カトリック世界とは異なる、もう一つのキリスト教世界が形成されていきました。

その一方で、この時期のキエフ・ルーシは公位継承をめぐる内紛が続いたため国力を消耗し、13世紀のモンゴル軍の侵攻によって完全に滅亡してしまいました。

宇山　そうですね。内紛の他に、11世紀後半、トルコ系の遊牧民がキエフ公国に侵入し、混乱の中、各地で内乱が頻発するようになります。12世紀以降、イタリアを中心とする地中海交易が活発化し、ドニエプル川流域の交易が相対的に衰退し、キエフ公国は荒廃していき、遂にモンゴルに滅ぼされます。

茂木　日本へのモンゴル侵攻（元寇）は2回で、不慣れな渡海を強いられ失敗に終わりました。ところが地続きのルーシに対するモンゴル騎兵の侵攻は凄まじく、徹底的な破壊と殺戮が行われ、モンゴル帝国に併合されてしまいました。

この遠征軍を指揮したチンギス・ハンの孫バトゥがロシアの君主となり、生き残ったルーシ貴族に忠誠を誓わせ、貢納を要求したのです。モンゴル帝国は、チンギスの子や孫が建てた国（ウルス）の緩やかな連合体でした。バトゥは南ロシアにウルスを建国し、自立しました。彼の父の名をとってこの国をジョチ・ウルス（キプチャク・ハン国）と呼びます。

ロシア史ではこのモンゴル支配の時代を「タタールのくびき」と呼んでいます。タタールはモンゴル人のこと、「くびきをかける」とは牛に犂《すき》を引かせることです。

中世の250年もの間、モンゴル帝国の支配を受けたことが、ロシアの歴史に消すことのできない痕跡を残しました。ロシアの地名や人名にはモンゴル語の痕跡が残ります。のちのロシア貴族の15％がモンゴル系・トルコ系の血統であり、ストロガーノフ、トゥルゲーネフ、ゴーゴリなどの姓はモンゴル起源です。

この時代、モンゴルの先兵となってロシア人の反乱を鎮圧し、ハンの覚えめでたいロシア貴族がいました。モスクワ大公です。のちにモンゴル支配から脱してロシア帝国を建国し、さらにはモンゴル帝国領を蚕食《さんしょく》してシベリアに至る世界最大の版図を持つに至ります。

かつて「暗黒時代」と描かれた「タタールのくびき」があったからこそ、その後のロシア帝国の大発展が約束されたのです。ロシアの絶え間ない膨張は、逆に外から攻め込まれるという恐怖心の裏返しなのです。それはモンゴル軍に蹂躙されたというトラウマが、ロシア人の深層心理に深く刻み込まれているからなのです。

■多層な混血民族集団・コサックの登場

宇山　そのモスクワ大公がイヴァン3世ですね。彼はロシア人勢力を統一し、この中にウクライナ人も取り込まれていきます。モスクワ公もまた、「ヴェリーキー・クニャージ（大公）」を名乗っていたため、モスクワ公国は一般的に「モスクワ大公国」と呼ばれます。そのため、ウクライナ人から見れば、キエフ公国の本流に対し、地方勢力に過ぎなかったモスクワ大公国には、正統性がないということになります。傍系が力と暴力によって、自分たちを強制的に従わせたと捉えているのです。

キエフ公国は正式には「キエフ・ルーシ」と呼ばれており、「ルーシ」の名を引き継ぐルーシ族の正統という意味が込められています。ウクライナ人は自分たちこそが「ルーシ（ロシア）」であり、ロシア人がそれを勝手に自称するべきではないと考えています。ウクライナ人は自分たちの歴史がロシア人によって奪われたと主張しています。

しかし、ロシア人にも言い分があります。ロシア人がキエフ公国を滅ぼしたのではなく、今、お話しいただいたように、13世紀に、モンゴル人が滅ぼしました。そして、モンゴル支配から、いち早く、勢力を回復したのがモスクワ大公国です。また、モスクワ大公は傍系ではあるものの、リューリクの血統を引いているリューリク家の一族であり、「ルーシ」を継承する充分な正統性があるとされるのです。

いずれにしても、ウクライナ人とロシア人は同じ民族で、不可分一体の共通の歴史を歩んできたのであり、両者を民族的に区分することは困難です。

茂木　ロシアとウクライナの運命を分けたのが、ポーランドの介入でした。モンゴル支配がようやく弱まった15世紀、今度は西からポーランドが台頭してきました。ポーランドもモンゴルの侵攻で壊滅的なダメージを受けましたが、やがて立ち直ります。ポーランド女王とリトアニア大公（ヤゲウォ朝）との結婚によって両国は合同し、リトアニア・ポーランド王国という強力な国家が成立しました。このヤゲウォ朝がモンゴルから奪ったのがベラルーシとウクライナで、ここでは西欧的なカトリック文化が入ってきました。

ウクライナは「辺境」を意味します。土地は豊かですがポーランド本国からは遠く、遊牧民がたびたび侵入する危険地帯で、この地の住民は自衛のため騎馬戦法を磨き、自警団のような共同体を作っていました。これをコサックといい、トルコ語で「自由の民」を意味します。

彼らはラーダ（評議会）を開いてアタマン（指導者）を選出するという民主的な社会構造を持っており、「自由と平等」を至上の価値としていました。ポーランド支配を受けずに、モンゴルから独立したモスクワ大公国が専制を強めていくのとは対照的です。

同じルーシを起源に持ちながら、モンゴル支配だけを受けたロシア人と、ポーランド支配も受けたウクライナ人という形で、国民性の違いがこの時代にはっきりしてくるのです。この点、コサックの伝統を持たないベラルーシ人は、ロシア人との親和性が高いようです。

宇山　最初のコサックはトルコ人やモンゴル人のアジア系の混成集団でした。何らかの理由で、モンゴル正規軍から離れた者、正規軍に不満を持っていた者、あるいは、正規軍に最初から属さず、馬賊として活動していた者などです。

が、ウクライナ人などのスラヴ人もコサックに加わるようになります。ウクライナ人の一部はモンゴル人支配を嫌い、自らコサックの一団に参入することにより、モンゴル人に抵抗したのです。こうして、黒海に注ぐドニエプル川やドニエストル川流域で、無数のコサック集団ができ上がります。

コサックはトルコ人集団をベースにしながら、モンゴル人やウクライナ人、ロシア人を取り込んでいき、多層な混血民族集団へと変化していきます。

ウクライナ人の愛国主義者たちは、モンゴル人やロシア人に決して屈することのなかった誇り高いコサックこそが、自分たちの民族の原点であると主張します。ウクライナの国歌の歌詞には、「我らは自由のために魂と身体を捧げ、兄弟たちよ、我らがコサックの氏族であることを示そう」とあります。

■ポーランドからの独立とロシアによる支配

茂木　やがてウクライナ・コサックはポーランドからの独立を望むようになりました。コサックの指導者フメリニツキーはモスクワ大公に援軍を要請し、独立を達成したのです。
しかしこれは新たな従属の始まりでした。モスクワはコサックを領土拡大の尖兵として動員する一方、その自治権を奪っていきました。現在、ロシアがウクライナを自国の一部と主張するときに、たびたび持ち出すのがこのフメリニツキーです。

「ウクライナの方から、ロシアへの編入を望んだではないか」といいたいのです。

今度はロシア帝国によるポーランド領の蚕食がはじまり、18世紀にポーランドは地図上から抹消されました。このときロシア領となったのが、ベラルーシとウクライナです。

寒冷なロシアにとって、ウクライナには二つの地政学的な価値があります。

第一に穀倉地帯。ウクライナの大草原は、枯れ草が積もってできた肥沃な黒い土（チェルノゼム）で覆われ、常に食料が足りないロシアにとっては垂涎の地です。

第二に黒海への出口。バルト海は冬に凍るため、凍らない黒海に軍港を持ちたいのです。ウクライナの南のクリミア半島には、モンゴル（タタール）系のクリム・ハン国が存続していました。18世紀、ロシアの女帝エカチェリーナ2世がこれを併合し、大量のロシア人を移住させて、軍港セヴァストーポリを建設し、ドネツク炭田を開発しました。

このときロシア人が多数派となったウクライナ東部（ルガンスク州・ドネツク州など）とクリミア半島を、のちにプーチンが併合することになります。

宇山　おっしゃるように、ウクライナは肥沃な穀倉地帯で、小麦を豊富に産出していました。ロシア人はウクライナ人を農場で強制労働させます。ロシアには、「農奴」と呼ばれる奴隷的な農民階級があり、多くのウクライナ人が農奴に貶められて、搾取され、差別されたのです。

ウクライナ人はロシア人に監視され、行動を制限されていました。19世紀後半から20世紀初頭にかけて、ウクライナ人の民族運動が活発化しますが、ロシア帝国は出版や新聞の言論を厳しく統制し、反抗的な者を容赦なく、シベリアへ流刑にしました。

茂木　黒海へ進出したロシア艦隊は、今度はボスフォラス海峡を抜けて地中海に出ようとします。この結果、地中海のシーレーンを守りたいイギリスを警戒させ、19世紀のクリミア戦争を引き起こす遠因になりました。ナポレオンのヨーロッパ侵略に対して英露は一時的に手を組みましたが、そのあとの英露は一貫して敵対関係になります。

クリミア戦争（１８５３～56）は、地中海への南下を図るロシアがオスマン帝国を侵略したことに始まります。オスマン帝国の要請を受けた英仏連合艦隊は黒海に侵入し、圧倒的な火力でクリミア半島を攻撃し、セヴァストーポリ要塞を攻略しました。

宇山　２０１４年、親ロシア政権を崩壊させたマイダン革命の混乱の中、ロシアはウクライナ南部のクリミア半島で、ロシア系住民のデモを煽り、意図的に混乱を引き起こし、軍事介入の口実をつくります。そして、住民投票を経て、２０１４年3月18日、クリミア半島をロシアへ編入しました。ロシアにとって、クリミア半島の奪還は歴史的悲願でした。19世紀のクリミア戦争での激闘の舞台となった歴史的因縁の地セヴァストーポリで、クリミア帰還の大祝典が行われました。

ロシアにとって、今も昔も、クリミア半島は死活的に重要な戦略拠点です。ロシアは現在、クリミアに基地を置き、黒海の制海権を握っています。

■「黒船ショック」で近代化に舵を切ったロシア、日本、清国

茂木　クリミア戦争で、イギリスの蒸気船によって帆船が主体のロシア黒海艦隊が撃破された事実は、ロシア政府に衝撃を与えました。

「近代化を急がねば、国が滅ぶ――」

皇帝アレクサンドル2世は、中世から続く農奴制の廃止を決断し、農奴解放令を布告しました。農民に移動の自由を与え、都市労働者を創出し、産業革命を促進しようとしたのです。

クリミア戦争が勃発した1853年、ペリー率いるアメリカの蒸気艦隊が江戸湾に侵入し、江戸幕府に対して開国を要求しました。すでにイギリスがアヘン戦争で清国を開国させ、ロシアは北辺で清国や日本の領土を狙っていました。新興国のアメリカは、英露両国の妨害を恐れて、英露がクリミアで激突した1853年にペリー艦隊を派遣し、日本の開国に成功したのです。幕府の権威は失墜し、新政府が明治維新に踏み切りました。

クリミア戦争が終結した1856年、勝ち誇る英仏連合艦隊は、今度は清国を襲いました。アロー戦争とも、第2次アヘン戦争とも呼ばれるこの戦争で清国は大敗し、首都北京を占領されました。衝撃を受けた清国政府は、近代化に舵を切ります（洋務運動）。

ロシアのアレクサンドル改革、日本の明治維新、そして清国の洋務運動。これらの国々は同時期に「黒船ショック」を受け、近代化に舵を切ったのです。その成果は、半世紀後の日清戦

争と日露戦争で試されることになります。

江戸時代の日本には、のちの財閥の起源となる金融資本や、手工業などの基礎的な産業がすでに存在していました。ところが帝政ロシアはあまりに遅れていたため、外資導入による近代化が図られました。英仏のロスチャイルド系金融資本がロシアに流入し、鉄道・油田・鉱山などの開発が急速に進みました。

宇山　富の流出と格差の拡大、経済発展しているのに多くの国民には還元されません。日露戦争と第一次世界大戦の敗北を機に、これらの不満が革命となって爆発し、帝政ロシアは崩壊へと向かいます。

茂木　民衆の不満を逸らすため、スケープゴートにされたのがユダヤ人でした。ユダヤ人はもともとポーランドに多く住んでいました。ポーランドがウクライナを支配していた時代には、ポーランド貴族の徴税人としてウクライナ人を苦しめ、怨嗟の対象になっていたのです。

1881年、皇帝暗殺事件を機にウクライナを中心に大規模なユダヤ人虐殺が発生しました。先に触れたポグロムです。多くのユダヤ人が殺され、生き残ったものは欧州諸国やアメリカへ難民となって脱出しました。アメリカではニューヨークを中心に金融やマスメディアで大きな力を持つようになり、民主党内部に浸透していきました。繰り返しになりますが、バイデン民主党政権のブリンケン国務長官、ヌーランド国務次官は、ポグロムでアメリカへ脱出したウクライナ・ユダヤ人の末裔です。

宇山　だからこそ、アメリカ民主党政権は強烈な反ロシア感情を持っているんですね。

茂木　仮想敵国ロシアの崩壊を、誰よりも望んだのがイギリスでした。日英同盟を結んで日露戦争で日本を間接支援し、第一次世界大戦中にロシア革命が起こると、ポーランド・ウクライナ・バルト三国などの独立を支援し、レーニンの革命政権の打倒を図り、対ソ干渉戦争を引き起こしました。ウクライナははじめて独立国となりましたが、自由すぎる国民性から内紛が続き、貧困層を味方につけた共産党が権力を奪取します。ウクライナ共産党は、ロシアを主体とするソヴィエト連邦への加盟を受け入れ、ウクライナは再併合されました。

宇山　１９１７年、ロシア革命で、ロシア帝国が崩壊すると、ウクライナは独立し、ウクライナ人民共和国が成立します。この時、はじめて、「ウクライナ」という名称が正式な国号の中で用いられましたね。

19世紀後半には、ウクライナ人たちは自分たちをロシア人と区別するため、「ルーシ」の呼称を改め、「ウクライナ」を用いるようになっていました。先に触れましたが、「ウクライナ」は中世ルーシ語で、「国」という意味があるとされます。しかし、ロシア人は「ウクライナ」を「国」とは解さず、「辺境」という意味であると主張しています。おそらく、これは「辺境」という意味が本来の意味でしょう。

■ソ連時代、辛酸をなめたウクライナ人

宇山　ソヴィエト政権はウクライナの独立を認めず、軍事侵攻し、１９１７年、ウクライ

ナ・ソヴィエト戦争が勃発します。4年に及ぶ激戦の末、ソヴィエト軍がウクライナを制圧します。1922年、ウクライナは正式にソヴィエト連邦に編入されます。

ウクライナ人はソ連時代にも弾圧され、多くの知識人や民族運動家が処刑されました。

茂木　スターリン時代、独立志向の強いウクライナ民族主義者に対する苛烈な報復が行われました。食料徴発を強化し、人工的な飢餓状態に追い込んだのです。このスターリンによる人工飢餓をホロドモール（ホロド／飢饉＋モール／死）と呼び、数百万人が犠牲になりました。ウクライナ議会はジェノサイド（虐殺）であると決議しましたが、ロシア側は「農業政策の失敗」としか認めていません。

第二次世界大戦では、ウクライナの民族主義者ステパン・バンデラがナチス・ドイツと手を組み、ソ連軍を一時的に排除します。このとき彼らは、ユダヤ人虐殺にも関与しました。

しかしヒトラーは食料と地下資源が欲しかっただけで、ウクライナの独立を認める気など毛頭ありません。バンデラはナチスに逮捕され、強制収容所に収監されました。独ソ戦争でドイツが敗れた結果、釈放されたバンデラは、ソ連軍に対する抵抗運動を続け、今度はアメリカのＣＩＡから軍事援助を受けました。ソ連の秘密警察は、バンデラを西ドイツで暗殺し、彼の仲間を「ネオナチ」と呼んで弾圧しました。今日でもウクライナ民族主義者（＝反ロシア派）はバンデラを英雄視しており、プーチンは彼らを「ネオナチ」と呼んでいます。

宇山　第二次世界大戦中、ドイツが侵攻し、ウクライナが独ソ戦の舞台となり、国土が焦土と化します。ウクライナ人の死者は、兵士や民間人合わせて、800万人から1400万人と推定され、大戦中の最大の犠牲者を出した民族とされます。ウクライナ人の5人に1人が死んだ計算となります。ドイツが約500万人の犠牲者、日本が約300万人の犠牲者ということと比較しても、ウクライナの被害がどれほど甚大であったかがわかります。

一般的な統計では、ウクライナ人の犠牲者は「ソ連の犠牲者」として表記されるため、気付きにくいのですが、「ソ連の犠牲者」の多くがウクライナ人です。つまり、このことは、ソ連軍が危険な前線にウクライナ兵を意図的に投入し、ドイツ侵攻の際、ウクライナの民間人が危険に晒されても、守らなかったということを意味しています。世界史の中で、これほど多数の犠牲者を一度に出すような経験をした民族はウクライナ人だけです。

1953年、スターリンが死ぬと、ウクライナ懐柔政策がはじまります。ソ連によって懐柔されたウクライナ人には法外な給与が支給され、飼い慣らされ、特権化します。一方、多くのウクライナ農民はスターリン時代と同じく、搾取され続け、貧困に喘いでいました。

1971年、キエフの北110キロ、ウクライナ北部に位置するチェルノブイリ市近郊で原子力発電所が建設されはじめます。ソ連は原発をウクライナに置くことを一方的に決定し、周辺のウクライナ人に何の説明もないまま、1978年、原子炉を稼働させます。そして、1986年4月26日、チェルノブイリ原発事故が発生しました。弱い立場のウクライナ人が原発の負の側面を全て、引き受けさせられたのです。

茂木　1991年のソ連崩壊でウクライナは半世紀以上ぶりに独立しました。しかしウクライナ東部とクリミアには歴史的にロシア系が多数を占める地域があり、大統領選のたびに西部の親欧米派と東部の親ロシア派が争い、2014年には親欧米派が「マイダン革命」を起こして親ロシア派政権を倒し、NATO加盟やEU加盟を求めるに至りました。アメリカのオバマ・バイデン民主党政権が、この親欧米政権をバックアップしました。ウクライナが「敵の手」に渡ったことをプーチンは看過できず、2022年、軍事行動に打って出たのです。

同じくソ連から独立したバルト三国に対して、プーチンはこれほどの執着を見せていません。やはりウクライナは「特別」なのです。ロシアから見れば、ロシアとベラルーシ、ウクライナの三国は、同じルーシを祖先に持つ「三姉妹」なのであり、「ウクライナ民族主義者は、ポーランドやドイツ、米英の手先」ということとなります。そこには、ヤゲウォ朝以来、ウクライナ人が独自の民族意識を形成してきたという視点はまったくありません。

国際法上、ロシアの行ったことは「侵略」です。ですがロシアから見れば、「ウクライナ問題は国内問題」となるのです。

この問題の解決には、ウクライナの東西分割しか方法がないように思われます。ロシア人地域はすでにロシアが占領、併合しているので、これはプーチンの勝利、ということになります。エネルギーも食料も自給できるロシアに対して、経済制裁の効果は限定的です。「国際法より力」――こういう原理を信奉する隣国といかに付き合うのか？　ウクライナ戦争は、日本人にとっても大きな教訓になったと思います。

宇山　ウクライナ問題は、ウクライナ人への迫害の歴史から生じているロシア人への激しい憎悪とも深く関連しており、感情的にも、妥協できないのでしょうね。

8

ヨーロッパの国々はどのように誕生したのか

宇山卓栄

■独仏伊、3国はいかに生まれたか

宇山　中国は秦の始皇帝以降、近代に至るまで、巨大王朝の興亡が続きました。しかし、ヨーロッパは中世以降、分断国家として歴史を歩むことになります。

800年、カール大帝が西ヨーロッパを統一するも一代しか続かず、彼の死後、帝国はドイツ、フランス、イタリアの3国に分断されます。ヨーロッパで、中国のような巨大統一王朝が形成されなかった主な理由として、地政学的な特徴が挙げられるでしょう。ヨーロッパは基本的に森林であり、複数の平野に複数の河、さらにそれを分け隔てる山脈、このような複雑な地形が勢力を分断させ、統一のインセンティブが働かない主な要因となっていました。

茂木　地形はものすごく重要です。騎馬民族が入り込めない深い森が続くアルプス以北の西ヨーロッパは、ロシアや中東、中国などユーラシア中央部とはまったく別の道を歩みました。民族が混じり合うことが比較的少ないため、それぞれの民族文化がゆっくりと醸成され、話し合いと合意によって物事が決まるという文化が育ちました。

ローマの歴史家タキトゥスが、当時「蛮族」と呼ばれたゲルマン人の社会について、「彼らには独裁者がいない。重要事項を決めるときは皆があつまり、貴族も平民も自由に発言して合議制で決める」と伝えています（『ゲルマニア』）。

これは日本人の「和の精神」ともよく似ており、のちに西欧と日本に民主主義が根付いたこととも関係しているのです。

宇山　また、4世紀のゲルマン人の移動以降、ラテン人（ローマ人）、ゲルマン人、スラヴ人の3勢力の力が均衡し、互いに牽制し合いながら、バランスを取るという政治力学が優先されました。こうした状況で、西ヨーロッパでは、ラテン人の領域としてフランス、イタリアが、ゲルマン人の領域としてドイツが区分化されていきます。

カール大帝の死後、８４３年のヴェルダン条約、８７０年のメルセン条約の2回の条約を経て、国境線が確定され、西フランク王国（フランス）、東フランク王国（ドイツ）、イタリア王国の3国に分断され、それぞれの国の基礎がつくられます。

これらの3国の中で、ゲルマン人の文化や言語を受け継いだのは東フランク王国（ドイツ）でした。なお、Franceはラテン語のFrancia（フランク人に支配された所）に由来しますが、ゲルマン人は言語までも支配するには至らず、ラテン語文化が残り、そこから派生してフランス語が形成されます。そして、人口の大半もラテン人が占めました。

イタリアには、教皇がおり、カトリックによる文化統治が徹底されたため、ラテン語文化が

図表8-1 ドイツ、フランス、イタリアの誕生

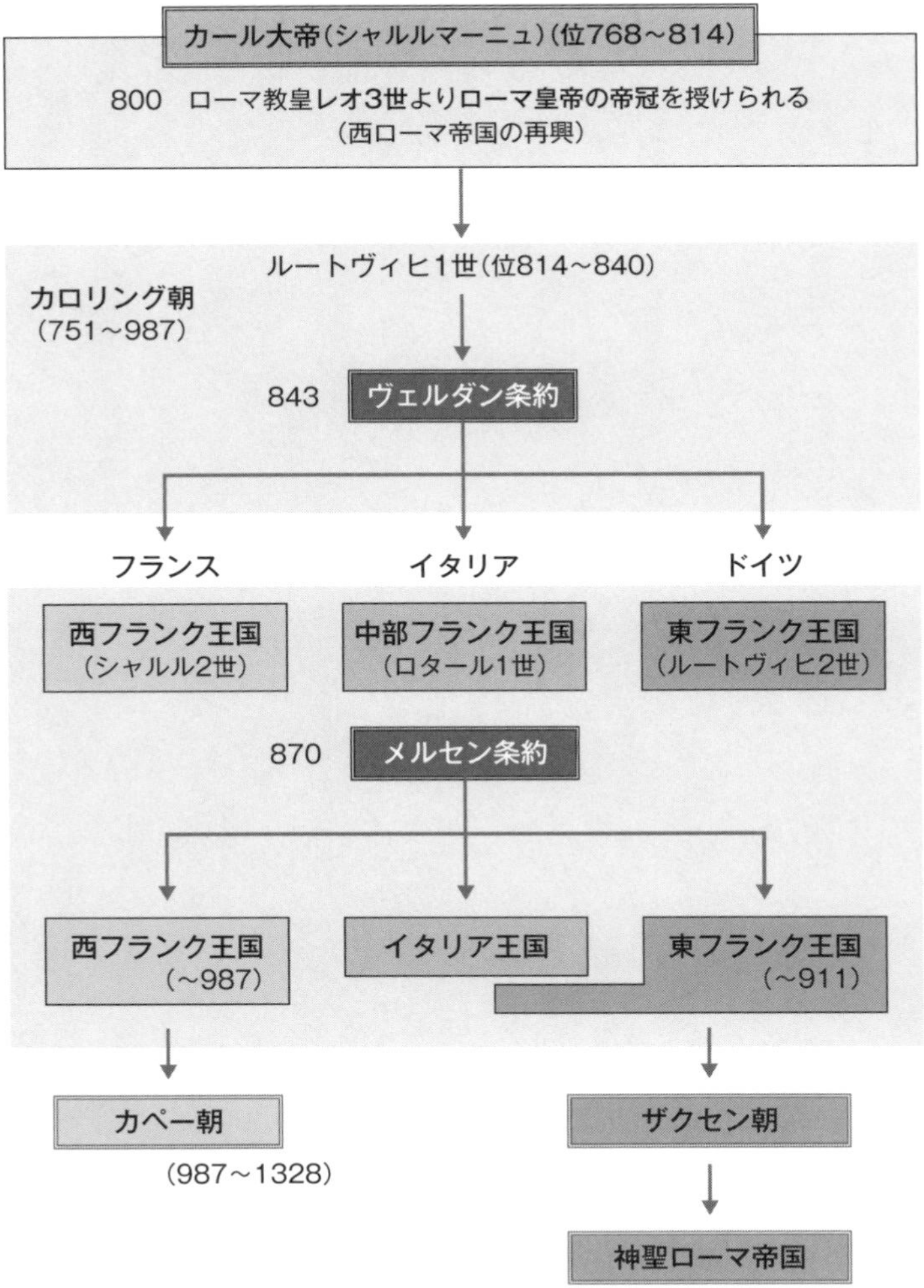

カール大帝(シャルルマーニュ)(位768～814)
800 ローマ教皇レオ3世よりローマ皇帝の帝冠を授けられる
(西ローマ帝国の再興)
ルートヴィヒ1世(位814～840)
カロリング朝
(751～987)
843
ヴェルダン条約
フランス
イタリア
ドイツ
西フランク王国
(シャルル2世)
中部フランク王国
(ロタール1世)
東フランク王国
(ルートヴィヒ2世)
870
メルセン条約
西フランク王国
(～987)
イタリア王国
東フランク王国
(～911)
カペー朝
(987～1328)
ザクセン朝
神聖ローマ帝国

保持されます。イタリア王国で、カール大帝の血統カロリング家が断絶したため、王国が早くも崩壊し、諸侯や都市が分立し、分裂状態となります。そのため、イタリアはドイツやビザンツ帝国の介入を受け、南イタリアはイスラムやノルマン人の侵入を受けます。このように、中央ヨーロッパの3国の誕生には、ゲルマン人が大きく関わっているのです。

■水上の交易ネットワークを独占したノルマン人

茂木　欧州連合（EU）の起源はここにあるわけですね。さて、民族大移動が一段落すると、森林に深く覆われていた内陸部の伐採・開墾事業が進みました。農業生産が向上し、余剰生産物はヨーロッパ各地で売られ、都市の商業の成長を促進します。この頃、ヨーロッパは部族社会から脱却し、都市を中心に、マーケットが現れました。

農村では封建領主（大名）が土地を所有し、農民を保護する見返りに、地代（年貢）を徴収していました。領主の支配領域を荘園といいます。この荘園と荘園とを結ぶ交易ルートの必要から、鬱蒼たる大森林が切り開かれます。そして道路と道路、道路と川の交差地点、あるいは教会の前に遠隔地商人が集まり、中世都市が誕生します。都市は荘園の外に出現したので、荘園領主の権力は及びません。ここから「都市の自由」が生まれたのです。

ただし、自由には責任が伴います。都市が自由を謳歌するということは、領主に守ってもらえないということです。だから都市は自衛せざるを得ず、周囲を高い城壁で囲うことになりました。

宇山　歴史家のフェルナン・ブローデルは著書『地中海』で「人口が増大し、農業技術が改良され、商業が復活し、産業が手工業段階での飛躍を遂げる、これらのことが、同時に起こったからこそ、ヨーロッパの全空間にわたって、都市網がつくりだされた」と述べています。

9世紀、西ヨーロッパは大きく成長し、豊かな経済がマーケットや、それを繫ぐ商業ネットワークを生んでいきます。トラックや鉄道がなかった当時、モノの運搬は海の路を行く船で行われていました。

バルト海や北海のヨーロッパ北部沿岸部に物流拠点が形成されます。そして、その物流を担ったのが、「ヴァイキング（入江の民）」と呼ばれるゲルマン人の一派でした。彼らは北方に住んでいたため、「北方の人＝ノルマン人」とも呼ばれます。ノルマン人はバルト海や北海を挟むノルウェー、スウェーデン、デンマークなどの一帯に住み、古来、漁を営み、内陸部の人々には無かった高度な造船技術や操船技術を有していました。

内陸部の発展とともに、物資の運搬の需要が急速に拡大し、ノルマン人がそれを請け負いました。ノルマン人は北海・バルト海を横断し、セーヌ川、ライン川、エルベ川、オーデル川などを縦断し、縦と横の動的なラインを組み合わせて、交易ネットワークを形成します。ゲルマン人に属するノルマン人のこうした動きを総称して、第2次ゲルマン人移動と呼びます。

茂木　この時代は「中世温暖期」といわれますね。太陽の活動が活発で平均気温が高かったんです。日本でも東北地方が温暖化して、エミシ（蝦夷）と呼ばれる先住民の諸部族が勢力を拡大しました。この結果、福島以南を治めるヤマト（日本国）との衝突が起こり、桓武天皇の命を受けた坂上田村麻呂の遠征となったのです（第2章10節参照）。

ドイツ人も温暖化した北欧にどんどん移住し、先住民のポーランド人やリトアニア人との紛争が多発します。このポーランド国境に置かれたのが有名なドイツ騎士団と、ブランデンブルク辺境伯という諸侯で、日本で言えば平泉の奥州藤原氏みたいな存在です。このブランデンブルク辺境伯の居城が置かれたのがベルリンで、当時は国境警備隊の駐屯地でした。のちにこのブランデンブルク辺境伯が「プロイセン王」を名乗るようになり、19世紀にドイツを統一した結果、ベルリンがドイツの首都になりました。

また北欧の海岸では氷河が溶けて深い谷（フィヨルド）が姿を現し、人々は小型の帆船で海に漕ぎ出しました。「入江 Vig（ヴィク）の民」という意味でヴァイキング Viking と呼ばれますね。

宇山　ノルマン人は「ヴァイキング＝海賊」というイメージが強いのですが、沿岸地域を略奪した「破壊者」というよりも、海運業によって沿岸部をネットワーク化し、振興させた「創造者」というのが実態です。当初、ノルマン人の沿岸地域の征服拡大が激烈で急進的であったため、海賊というイメージが根強く残ったものと思われます。

水上の交易ネットワークを独占したノルマン人は巨万の富を蓄積し、イギリスやロシアに自らの国を築いていきます。先に述べたように、バルト海沿岸に9世紀、ノヴゴロド国がつくられ、これがロシアの母体となります。ノルマン人のルス族がこの国をつくり、「ルス」がロシアの語源となりました。このノヴゴロド国から派生して、ロマノフ王朝（20世紀まで続くロシア王朝）へと繋がっていきます。

■アングロ・サクソン人とイギリスの歴史

宇山　一方、北海・ドーヴァー海峡で、現地人（アングロ・サクソン）やノルマン人同士の複雑な抗争を経て、１０６６年、ノルマン王朝がつくられます。ノルマン王朝はイギリスの母体となります。

茂木　ノルマン王朝はドーヴァー海峡を挟み、イギリスとフランスにまたがっていた国です。その後もイギリスの王朝はフランス北部の領土を持ち続けて、フランス人貴族とも婚姻を繰り返し、こうしたことが後の英仏百年戦争を引き起こし、イギリス側がフランス王位とその領土を要求する根拠となります。

宇山　イギリスやロシアの国家の礎を築き上げたノルマン人の力は、拡がりゆく海上交易と経済発展の中で培われました。

話が前後しますが、イギリスには11世紀にノルマン王朝が成立する前に、アングロ・サクソン人が定住していました。アングロ・サクソン人もまた、ノルマン人同様にゲルマン人の一派です。

アングロ・サクソン人は5世紀頃、ドイツの北西部からブリテン島に移住したアングル人と

図表8-2　ノルマン人の国家建設

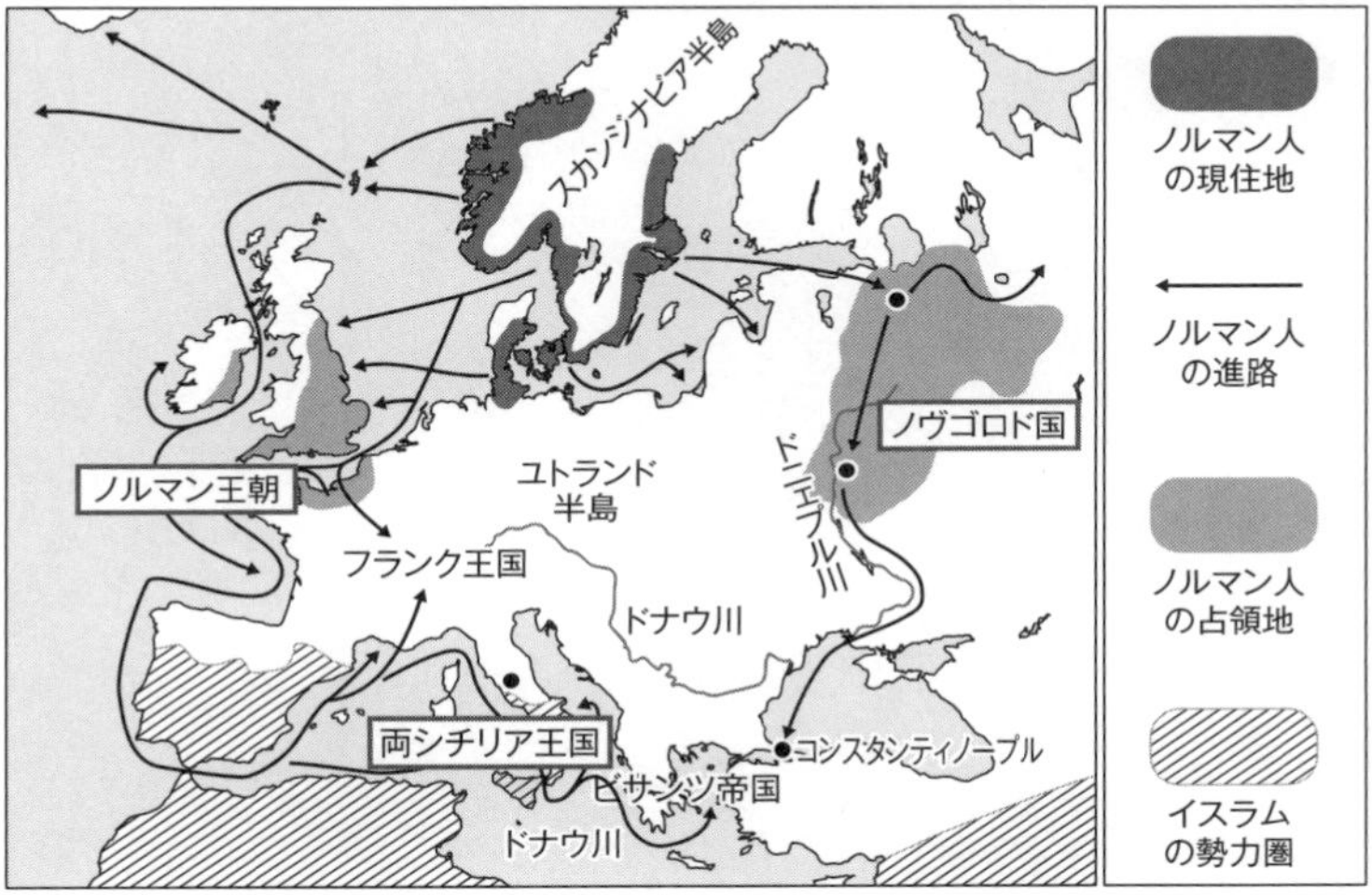

サクソン人の総称です。現在のイギリス人の血統の大部分はこのアングロ・サクソン人から派生するもので、前述のノルマン人は後からイギリスに入って来ました。ノルマン人は支配者層を構成するものの、アングロ・サクソン人との混血を繰り返し、彼らに同化していきます。

　アングル人はユトランド半島の東側の付け根に位置するアンゲルン半島（現在のドイツのシュレースヴィヒ＝ホルシュタイン州の一部）に住んでいたため、「アンゲル人」や「アングル人」と呼ばれます。サクソン人はドイツ語でいうザクセン人のことで、現在のドイツのニーダーザクセン州一帯にいたゲルマン人です。

　アングル人とサクソン人はイギリス人を形成する主体となり、独自のアングロ・サクソン国家をつくっていきます。イングランドは「アングル人の国」のことです。イングリッシュは「アングルの人々」や「アングル人の言葉」と

図表8-3 アングロ・サクソン人の移動

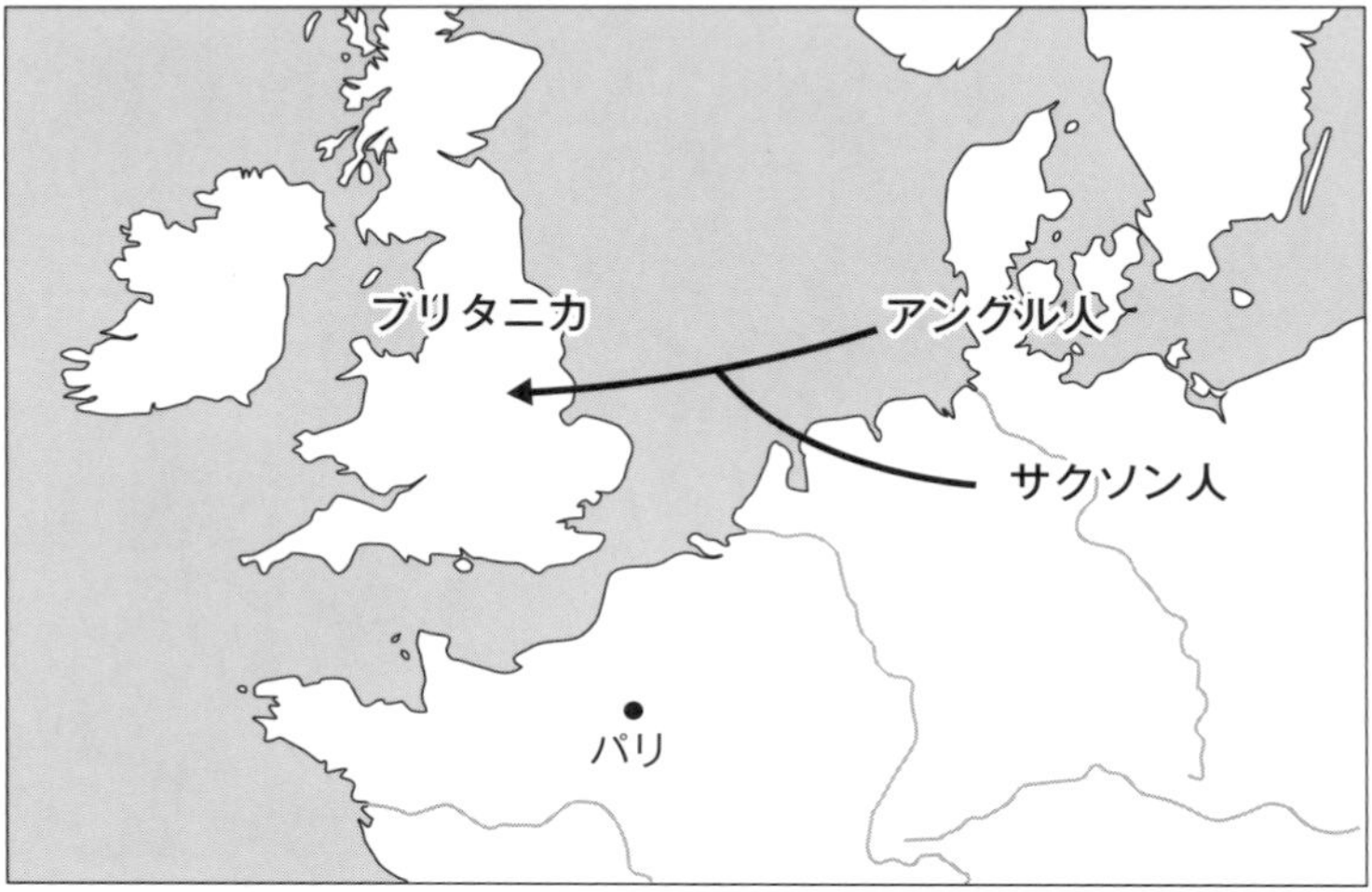

いう意味です。ポルトガル語で英国を指す「イングレス」が日本人には「イギリス」と聞こえたため、イングランドは日本でイギリスと呼ばれます。

17世紀にはイギリス人がアメリカ新大陸に入植したため、アングロ・サクソン人はイギリス人とアメリカ人の両方を指すようになります。これが今日においても、「世界の支配者」と呼ばれるアングロ・サクソン人のルーツです。

茂木　アングロ・サクソン人もドイツのザクセン人も同族で、英語はドイツ語の方言です。ところが海外発展して植民地帝国を築いたイギリスに対し、ドイツはそうならなかったのはなぜか、という点に私は興味があります。

イギリス史とドイツ史との分岐点は、やはりノルマン・コンクェスト（１０６６）にあるようです。ノルウェーを故郷とするヴァイキングの一団がフランス北部を征服してノルマンディー公国を建て、デンマークのヴァイキングとイギリス支配を争ったんですね。アングロ・サクソンの最後の王であるエドワード懺悔《ざんげ》王がデンマーク王に追われ、彼を保護してくれたノルマンディー公にイギリス王位を譲りました。

このノルマンディー公ウィリアムと、アングロ・サクソン貴族が擁立したデンマーク派のハロルドがイギリス王位を争い、ヘースティングズの戦いで勝利したウィリアムが、ロンドンのウェストミンスター寺院で戴冠式を行いました。この血統が、現在まで続くわけです。

コロンブスの航海の500年前、ヴァイキングは羅針盤なしに北大西洋を越え、グリーンランドやカナダにまで入植地を建設しています。アメリカ大陸に到達した最初の白人は、コロンブスではないのです。ただし、まだ弓矢と斧で戦っていたヴァイキングはアメリカ先住民との戦いで圧倒的優位には立てず、また再び寒冷化が起こったため、ヴァイキングの大航海は終わりました。

一方、イギリス王家は父祖の地であるノルマンディーをめぐるフランスとの戦いを断続的に続けました。最終的には「百年戦争」で敗北したため大陸領土を放棄し、純然たる島国になりました。しかしこの敗北こそ、その後のイギリスを大発展させることになったのです。

英仏間のドーヴァー海峡の幅は、日韓間の対馬海峡の幅の6分の1以下ですが、潮の流れは急で、大陸からのイギリス上陸を阻んできました。イギリス本土上陸を試みたスペインのフェリペ2世、フランスのナポレオン、ドイツのヒトラー、いずれも挫折しています。島国となることで地政学的優位性を得たイギリスは、本国防衛には最小限の兵力だけ残し、余力を海外の植民地建設に振り向けることができたわけです。

海に出たがるヴァイキングの遺伝子と、大陸からは攻めにくい地政学的優位性。これが大英帝国を生み出した要因だと私は思います。

■東西分裂後、ローマ皇帝の帝位はこうして受け継がれた

宇山　カエサルやアウグストゥスが築いたローマ帝国は約400年間続き、西暦395年、東西に分裂します。ローマ帝国の分裂以降、皇帝位は東西の二つに分かれ、西ローマ皇帝と東ローマ皇帝が並び立つことになります。

しかし、西ローマ帝国はゲルマン人の反乱で、早くも476年に滅んでしまいました。以降、西側では、ゲルマン人勢力が各地に割拠し、戦乱の時代が300年以上、続きます。

そして、先に述べた通り、ゲルマン人の一派のフランク族が力を付け、バラバラであった西側を統一します。フランク族の族長であったカール（大帝）が既に滅んだ西ローマ帝国を復活させるべく、800年に西ローマ皇帝の座に就きます。476年から800年までの324年間、空白であった西ローマ皇帝位をカールが復活させたのです。

西ローマ皇帝位はカールからオットー1世へと引き継がれます。オットー1世はドイツ王で962年、神聖ローマ帝国を樹立します。神聖ローマ帝国は図表8-4のように、「①西ローマ帝国（395年）→②カール帝国（800年）→③神聖ローマ帝国（962年）」と推移し、三

つ目の「西ローマ帝国」にあたります。

神聖ローマ帝国というと非常に大仰に聞こえるのですが、その実態はドイツ一国を支配していたに過ぎません。カール帝国（８００年）が旧西ローマ帝国領の大半を回復していたこととは対照的で、帝位を引き継いだということのみをもって、「帝国」と名乗っていました。

図表8-4　ローマ皇帝位の変遷

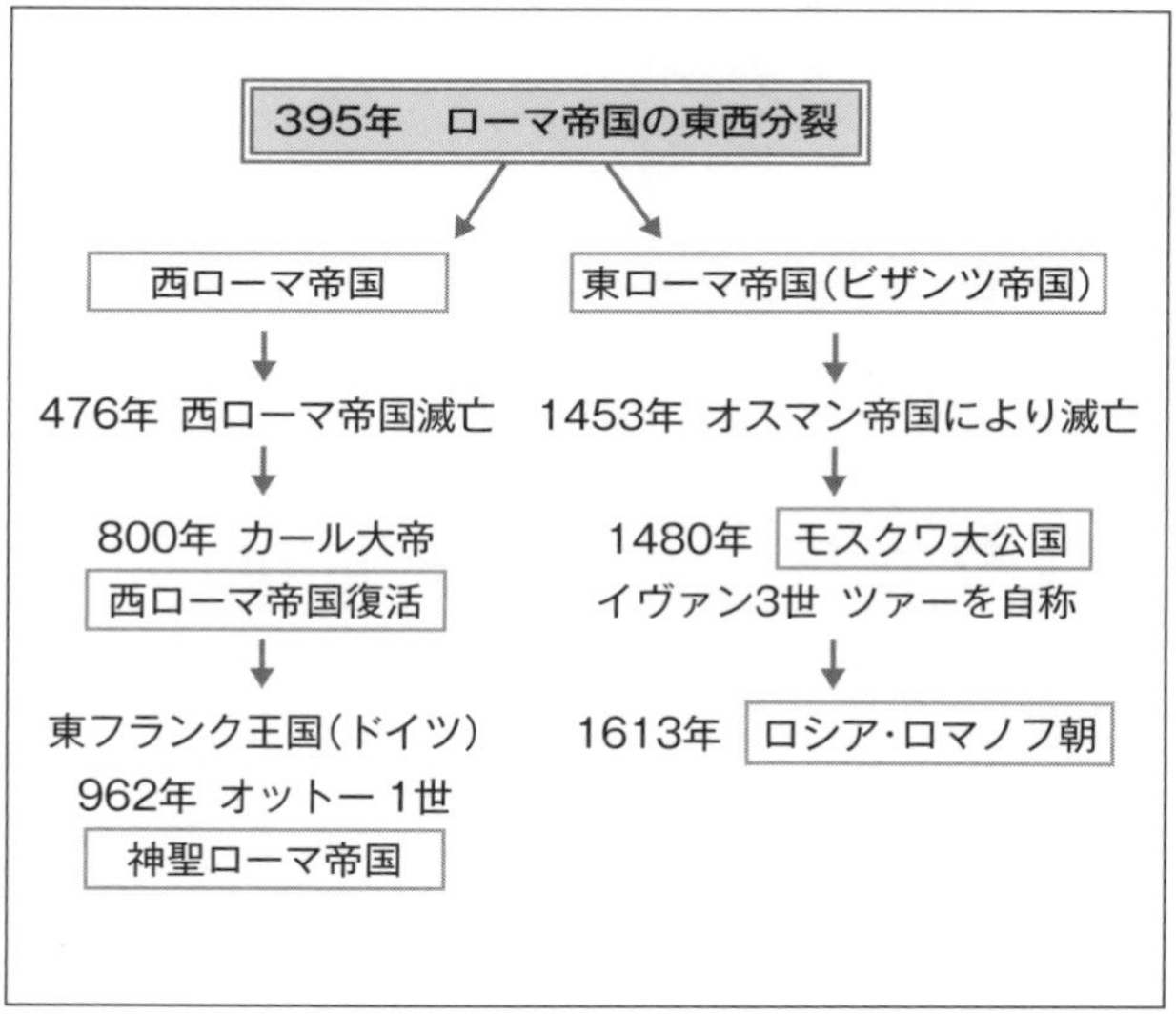

　神聖ローマ帝国の帝位は引き継がれ、15世紀にオーストリア貴族のハプスブルク家に事実上、世襲されるようになりました。従って、ハプスブルク家が最終的な皇帝家となります。

　一方、先に述べた通り、東ローマ帝国は西ローマ帝国が４７６年に滅んだ後も、１０００年にわたり帝国が続き、皇帝位が引き継がれます。東ローマ帝国はビザンティウム（現在のイスタンブール）に首都が置かれたため、ビザンツ帝国とも呼ばれます。東ローマ帝国は１４５３

年、オスマン帝国に滅ぼされます。

しばらくの皇帝空位の期間を経て、１４８０年、ロシアの貴族のモスクワ大公イヴァン３世が東ローマ皇帝位の後継者となることを名乗り出て、自らをツァー（Czar、シーザー／カエサルのこと）と称します。彼の孫イヴァン４世の時代に帝位継承が内外に認められ、以後、ロシア人が皇帝位を引き継いでいきます。

茂木　その後、ポーランドとの抗争を経て、17世紀にロマノフ朝が発足し、帝位を継承することになります。ロマノフ朝は公式には20世紀のロシア革命まで続きますが、実はドイツ出身のエカチェリーナ２世で断絶している、という説もありますね。

宇山　いずれにせよ、ヨーロッパの皇帝家はその系譜をたどっていくとローマ帝国の皇帝に行き着きます。ただし、単一の血統・血脈を受け継いでいるのではありません。ここが、血統を受け継いでいる日本の皇室と違うところです。

ローマ帝国時代から優秀な者を養子に迎え、帝位を引き継がせていました。また、実力者が武力闘争やクーデターによって皇帝となることもしばしばありました。

８００年に帝位に就いたカール大帝はゲルマン人で、ラテン人であるローマ人とは血の繋がりはありません。ハプスブルク家が帝位を世襲する以前は、選挙制で皇帝が選ばれていたこともありました。従って、図表８-４のようなヨーロッパの皇帝系譜図は概念的で政治的なものであり、血統を表すものではありません。

■ヨーロッパには、皇室が三つある

宇山　西側では19世紀、神聖ローマ皇帝位を歴代世襲したハプスブルク家に対抗する新勢力ホーエンツォレルン家が台頭します。北ドイツのプロイセンに発祥し、ドイツ全土を支配したホーエンツォレルン家は神聖ローマ帝国の流れを汲む分派でした。ホーエンツォレルン家は衰退するハプスブルク家に代わり、自らが皇帝位を引き継ぐことを主張し、１８７１年、ドイツ帝国を樹立します。このとき、神聖ローマ帝国の皇帝継承者として、旧勢力のハプスブルク家と新勢力のホーエンツォレルン家が並び立つことになります。

ドイツにおいて、９６２年発足の神聖ローマ帝国は第一帝国、１８７１年発足のホーエンツォレルン家のドイツ帝国が第二帝国、ヒトラーのナチス・ドイツが第三帝国となります。

茂木　ドイツの二重構造について、さらに補足します。中世のドイツは、大小の封建領主（公爵や伯爵）が割拠しており、また都市も自治権を持っていました。これら地方政権の領土をラント Land といい、日本語では「領邦」と訳します。江戸時代の「藩」とよく似ています。

これに対してドイツ全体のことをライヒ Reich と呼び、日本語では「帝国」と訳します。ドイツ史には三つの帝国がある、というのは「統一されていた時期が三つある」という意味です。「帝国」と訳すから誤解されるのですが、必ずしも皇帝がいたわけではありません。ヒトラーは独裁者でしたが、大統領兼首相を意味する「総統」の地位にあり、ヒトラー朝アドルフ

図表8-5 ヨーロッパの三つの皇室

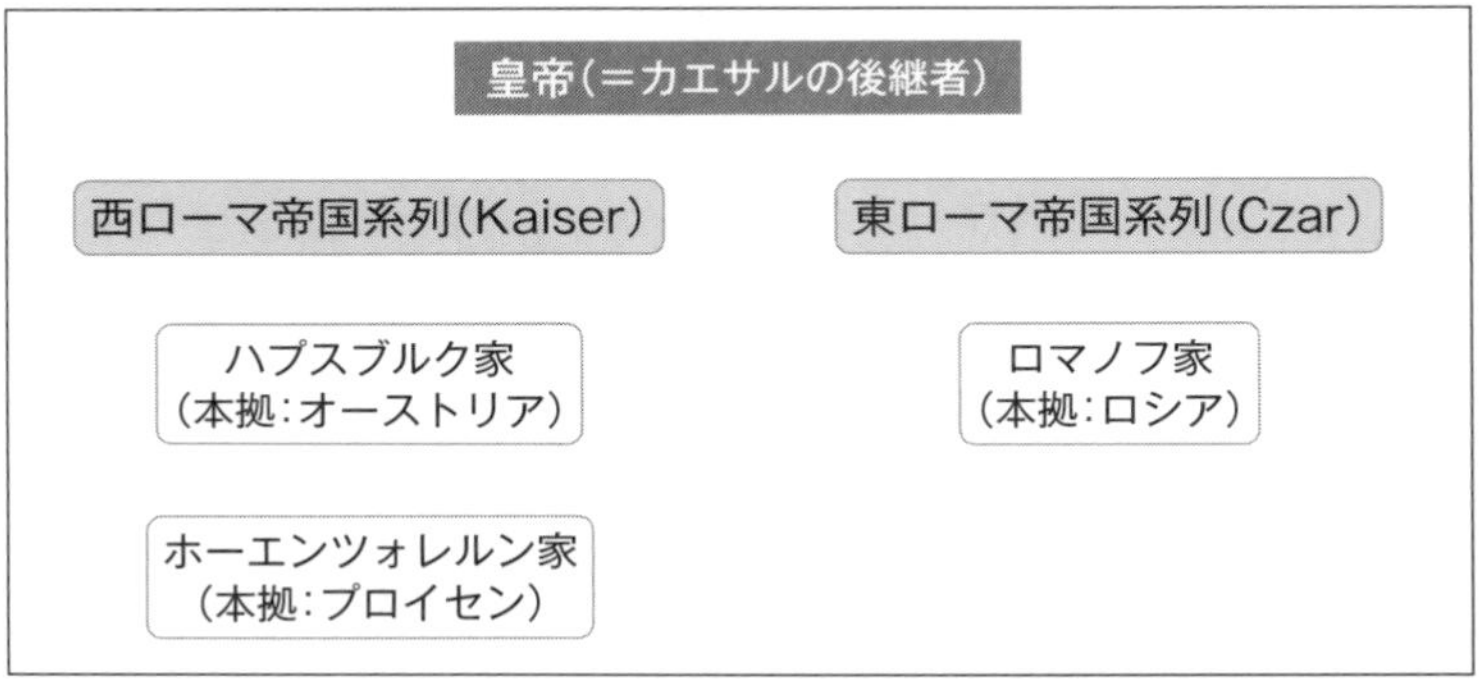

1世として皇帝に即位したわけではありません。第三帝国は共和政だったのです。

宇山　ヨーロッパ人は、自らの歴史がローマ帝国からはじまるものと捉えています。西ローマ帝国の継承者が神聖ローマ帝国の歴代皇帝であり、この流れの中に、オーストリアのハプスブルク家とドイツのホーエンツォレルン家があります。東ローマ帝国（ビザンツ帝国）の継承者がロシアのロマノフ家です。

ヨーロッパの皇室はハプスブルク家とホーエンツォレルン家、そしてロマノフ家の三家だけで、彼らはいわゆる「カエサルの後継者」なのです。

フランスの太陽王ルイ14世やイギリスのエリザベス女王などが、いかに強大といえども、彼らはローマ帝国の系譜の流れの中に属していないため、皇帝（カエサル）ではありません。また、ナポレオンが皇帝になりますが、系譜も血統もなく、武力によって強引に勝ち得たものに過ぎません。

■古代ローマの理想を19世紀に蘇らせたナポレオン

茂木　ナポレオンがなぜ「皇帝」になりたがり、フランス人がそれを受け入れたのか？　という問題はおもしろいですね。彼の故郷コルシカはイタリア人が住んでおり、ジェノヴァ共和国の領土でした。財政難のジェノヴァがフランスに売り飛ばした結果、フランス領となったので、いわばフランスの植民地みたいなものです。実家のボナパルト家はコルシカ島の下級官吏で、父親の代にやっとフランス貴族の末端に加えてもらったような家柄です。

10歳でフランス本国の陸軍幼年学校に入学したナポレオンが読み耽ったのが、古代ローマの歴史。特にカエサルの伝記が、イタリア人としての彼の誇りに火をつけたようです。クーデターで政権を握り、皇帝の座を目指したカエサルの人生をナポレオンはなぞっていくのです。

フランス革命が起こるとナポレオンは革命軍に身を投じ、共和派（ジャコバン派）政権下で軍功を上げています。革命政権が内ゲバで統治能力を失うと、ナポレオンは「秩序回復」を掲げてブリュメール18日のクーデターを起こし、大統領にあたる「第一統領」という役職につきました。その後、国民投票で「終身統領」に、ついで「皇帝」に選ばれています。

ジャック・ルイ・ダヴィッドに描かせたナポレオンの肖像画をみると、彼の思いが込められていることがわかります。

まず1枚目、「サン・ベルナール峠を越えるボナパルト」。

サン・ベルナール峠を越えるボナパルト

左下の石の上に、3人の名前が刻んであります。ハンニバル、カルロス・マグヌス、ナポレオンです。これは、アルプスを越えてイタリアに遠征した3人の英雄です。

宇山　最初は古代カルタゴの武将ハンニバル、2番目の「カルロス・マグヌス」はカール大帝のラテン語読みです。ガリア（フランス）を統一してイタリアに遠征し、教皇からローマ皇帝として戴冠したカール大帝に、ナポレオンが自らをなぞらえていたことがわかります。

茂木　フランク人のカールがローマ皇帝として戴冠したように、フランスの支配者となった自分も皇帝として戴冠したい！　という気持ちを読み取れると思います。

2枚目は、「ナポレオン1世の戴冠式と皇妃ジョゼフィーヌの戴冠」。ローマ風の衣装を纏ったナポレオン①が、妃のジョセフィーヌ②に帝冠を授与するシーンです。

この式典には教皇ピウス7世③も招かれましたが、「私は人民から皇帝に選ばれたのだ」とナポレオンは教皇からの戴冠を拒否し、自らの手で帝冠をかぶりました。教皇は右手で形だけ祝福を与えていますが、その表情は「やってられねぇよ……」と語っていますね。

宇山　このあたりが画家ダヴィッドのうまいところですね。

ナポレオン1世の戴冠式と皇妃ジョゼフィーヌの戴冠

茂木　さらに、実際にはこの場にいなかった、というより生存していなかった古代ローマの英雄も描かれています。④のカエサルです。

カエサルは、皇帝になる直前に暗殺されました。ナポレオンは憧れのカエサルを絵の中で呼び出し、自分の戴冠式の目撃者にしているのです。

そもそも古代ローマ時代には教皇なんて存在していません。ローマ皇帝は軍司令官としての実力と、ローマ市民からの歓呼によって皇帝の座を得ていたのです。ナポレオンは古代ローマの理想を19世紀に蘇らせてみせました。

その一方で、ナポレオンの家柄コンプレックスも相当なものでした。アウステルリッツの戦いでオーストリア帝国を圧倒したナポレオンは、子供を産めなかった最初の妃ジョゼフィーヌを離縁して、ハプスブルク家の皇女マリ・ルイーズと再婚しています。ハプスブルク家からみれば身分差もはなはだしい屈辱的な結婚でしたが、ナポレオンの軍事力の前では、なす術がなかったのです。ハプスブルク家は「神聖ローマ皇帝」の称号を返上し、ナポレオンの帝位を事実上認めました。

フランスがヨーロッパ統合を成し遂げ、「カール大帝の栄光」を蘇らせ、1000年ぶりに「皇帝」を出したことにフランス国民は歓喜しました。その反面、教皇をはじめ他の欧州諸国の君主たちからは軽蔑と憎悪を一身に集め、彼の帝国はわずか10年で崩壊してしまったのです。

9 「イスラム」というグローバリズム

茂木 誠

■「選民」ではないアラブ人の預言者

茂木　「イスラム」とは「絶対服従」を意味するアラビア語です。「唯一神への絶対服従」を根本教義にするのがイスラム教で、その信徒をムスリムといいます。イスラム教徒は世界人口の約25％を占め、「妻は4人まで」という一夫多妻制の影響もあって人口は増え続けています。

宇山　現在、世界人口に占める宗教の割合は１位がキリスト教で約30％、２位がイスラム教で約25％、３位がヒンドゥー教で約15％、４位が仏教で約７％となっています。イスラム圏諸国は世界人口の約４分の１、20億人を占めています。

さらに、イスラム人口は急速に増加し、２０５０年までに30億人となり、世界の３人に１人がイスラム教徒になると見込まれています。今後、イスラムが国際社会での存在感を増すことは間違いありません。

茂木　古来、「八百万《やおよろず》の神々」を信仰し続けた多神教徒であり、さまざまなあつれきを乗り越えて仏教もキリスト教も共存させてきた日本人の感覚では、最も縁遠いのがイスラム教徒で、わけのわからぬ恐怖心を抱く方も多いようです。

２０２３年に神戸では、西アフリカ出身のイスラム教徒の青年が神社の賽銭《さいせん》箱を破壊して逮捕されました。犯行時、彼は「ここに神《アッラー》はいない！」と叫んでいたと報道されました。もちろん、日本在住の大半のイスラム教徒は、トラブルを避けて日本人と共存してきました。しかし今後、イスラム教徒の移民が急増することがあれば、そのような共存関係は危うくなるでしょうし、その兆しはすでに各地で見られます。

移民・難民が人口の２割に達し、その多くが中東出身のイスラム教徒である欧州各国において、このような社会的緊張が深刻化していることを、日本人は他山の石にすべきでしょう。

イスラム教は７世紀、「神の啓示」を受けたメッカの商人ムハンマドが創始しました。日本でいうと飛鳥時代ですね。砂漠に覆われたアラビア半島のオアシスにはアラブ人が点々と都市国家を作り、東ローマ帝国とササン朝ペルシアという二つの大国の狭間で中継貿易を営んでいました。

宇山　この時代の世界は好景気で、世界各地で王朝が全盛を迎えたり、新たに台頭したりしています。世界的な好景気を背景に、ヨーロッパとアジアを結ぶ物流のネットワークが整備され、陸の道シルクロードとともに、海の道も盛んに使われます。この海の道はヨーロッパ地域から地中海を南下し、エジプトに入り、シナイ半島を越えて、アラビア半島西岸の紅海沿岸地域ヒジャーズを経由して、インド洋へと至るルートです。

ヒジャーズの中心メッカはヨーロッパとアジアの中継貿易で莫大な富を集積し、繁栄すると同時に、極端な貧富の格差を生みます。多くの人々は経済発展の恩恵にあずかれず、劣悪な生活水準に取り残されたまま、不満を抱えていました。

こうした社会矛盾の蔓延するなか、預言者ムハンマドが登場しますね。

茂木　アラブ人は都市国家ごとに部族単位で居住し、それぞれの祖先神や自然神を祀っていたようです。部族間の抗争が絶え間なく続き、貨幣経済の浸透で貧富の格差も拡大していく――齢40を超え、すでに商業で一定の財を成していたムハンマドは、メッカ近郊のヒラー山という禿山の洞窟に籠り、瞑想するようになります。

ムハンマドが「それ」を見たのは夜が白み始めた明け方でした。まばゆい天使の姿が現れ、ムハンマドに「読め！」と命じたのです。「何を⁉」と尋ねる間もなく、「言葉」がムハンマドの中に降りてきました。彼は誰かの言葉を語る者となりました。逃げるようにメッカの街へ戻

図表9-1　7世紀初頭の西アジア

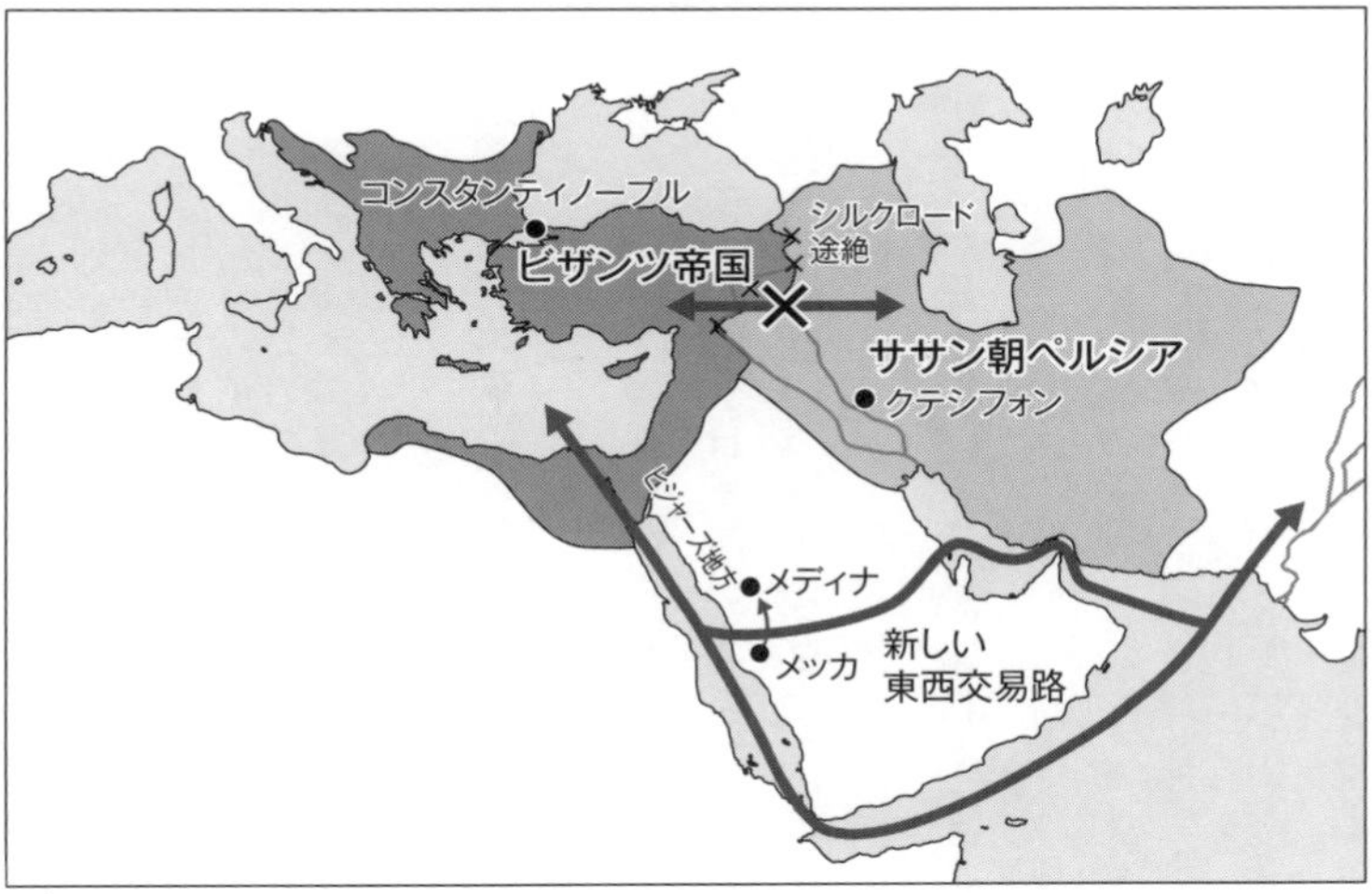

ったムハンマド。驚いた妻が親族のワラカに相談します。キリスト教徒で、学問のあるワラカは言いました。「おおムハンマド！　お前が見たのは神の啓示を伝える天使に間違いない。お前は預言者として選ばれたのだ……」。

「預言者」とは、ユダヤ・キリスト教の概念で「神の言葉を預かる者」を意味します。

『旧約聖書』に出てくるアブラハムやモーセは、唯一神ヤハウェの言葉を直接聞く能力を持っていました。これを「預言者」と言います。その後も、ヨシュア、サムエル、イザヤ、エレミヤ、エゼキエル……といった預言者が現れて、ユダヤ人に警告を発し、時にはユダヤ人を災いから救います。

『旧約聖書』の預言者はいずれも「アブラハムの民」すなわちユダヤ人です。これはアブラハムが唯一神ヤハウェと結んだ契約に基づき、「神と特別な契約を結んだ選ばれた民」であるユダヤ人の特別な地位を認めたからで、いわゆる「選民思想」です。ところがアラブ人は「選民」ではありません。

宇山　アラブ人の起源について『旧約聖書』にはおもしろい話があります。アブラハムの正妻サラは不妊だったため、子孫を残すために夫アブラハムに奴隷女ハガルを抱かせ、彼女が産んだ男子イシュマエルが後継者になった。その後、正妻サラがイサクを産んだため、後継者問題が発生した。アブラハムはイサクを後継者と定め、奴隷女ハガルと息子のイシュマエルを砂漠に追放した……。

茂木　アブラハムが正妻サラに産ませたイサクの直系がユダヤ人であり、奴隷女ハガルに産ませたイシュマエルの直系がアラブ人という設定ですね。イシュマエルはのちにエジプト人と結婚し、ユダヤ人の血はどんどん薄れていきました。アブラハムの子でありながら砂漠に追放され、異民族との結婚を繰り返した子孫がアラブ人、というストーリーなのです。

■グローバル一神教たるキリスト教とイスラム教の違い

茂木　アラブ人のムハンマドが自らを「預言者」と自任したことは、イスラム教の性質を考える上でとても重要です。「ユダヤ人であるかどうか」はもはや問題ではないのです。ユダヤ教がユダヤ人の民族宗教に留まったのに対し、イスラム教が民族の境界を超えた世界宗教、グローバル一神教として大発展していくのは、ここに要因があります。

宇山　当時、イラン系のササン朝ペルシアが強大な力を誇り、東はインド王朝を征服し、西はビザンツ帝国と戦いました。ササン朝は士気を高めるため、イラン人独自の民族宗教的なゾロアスター教を国教化し、国威の発揚を図りました。そして、他の宗教を激しく弾圧します。

東西交易に従事する商人たちは様々な信仰を持っていましたが、ササン朝は商人らの信仰を許しませんでした。商人たちはササン朝を見限り、アラビア半島西の端の紅海沿岸地域ヒジャーズへ向かいます。ゾロアスター教の民族宗教に対する反動として、イスラム教はグローバル宗教として発展していきますね。

茂木　同じくグローバル一神教として大発展したキリスト教とイスラム教の違いを考えてみましょう。

キリスト教では、アブラハムの直系であるナザレのイエスを救世主として崇拝しますが、そのイエス自身が「汝の敵を愛せ」「異邦人でも救われる」と語り、ユダヤ人の選民思想を否定しました。また、モーセの十戒にはじまるユダヤ教の戒律よりも、信仰そのものを重視しました。これらの教えが、教条主義的なユダヤ教徒からの激しい憎悪を買うことになったのです。

当時のユダヤはローマ帝国領で、ローマ人の総督が裁判権を握っていたため、ユダヤ教徒はイエスを「ローマに対する反逆者」という冤罪で告発し、弁明しなかったイエスはローマ法により十字架上で処刑されました。

イエスは自身のことを「預言者」とも「救世主」とも言っていません。ところが処刑された後、「イエスが蘇った」という信仰が広まり、これを信じる人々がイエスを「救世主《キリスト》」と呼び、

図表9-2 三つの宗教の比較

	ユダヤ教	キリスト教	イスラム教
律法の厳守	○	△	○
選民思想	○	×	×
偶像崇拝	×	×／○	×

またヤハウェ神と同一視したことから、キリスト教が成立したのです。ユダヤ教から見ればキリスト教も「選民思想を否定する異端」です。ユダヤ人の多くはユダヤ教にとどまり、キリスト教はむしろ異邦人であるギリシア人やローマ人の宗教として広まりました。

イスラム教ではイエスを否定することなく「預言者たちの一人」として位置付けました。その上でムハンマドを「最後の預言者」と位置付けたのです。イエス自身を決して神とは呼ばず、唯一神ヤハウェだけを信仰する厳格な一神教という点では、実はユダヤ教とイスラム教はよく似ています。

宇山　イスラム教はユダヤ教徒とキリスト教徒を「啓典の民」と呼びました。「啓典」とは神の言葉を記したユダヤ教の『旧約聖書』、キリスト教の『新約聖書』のことです。「啓典の民」はジズヤを納税すればジンミー（庇護民）として保護され、その信仰も保障されました。のちに仏教徒やゾロアスター教徒なども同様の扱いを受けます。

茂木　『旧約聖書』出エジプト記には、唯一神がモーセに与えた「十戒」が記されています。第1条で多神教の禁止、第2条で偶像崇拝の禁止を定め、第3条には、「あなたの神、主の名をみだりに唱えてはならない」とあります。最も聖なる「ヤハウェ※」の御名《みな》は口にするのも憚《はばか》られる。「神」とだけ呼べ、という定めです。「神」を意味する普通名詞は、ユダヤ人のへブライ語では「エロヒム」、アラビア語では「アッラー」。だからイスラム教徒は「アッラー」と呼ぶのですが、これはヤハウェ神のことです。

※ヘブライ語もアラビア語も子音しか表記しないので、「ヤハウェ」はYHWHと表記する。これに母音をつけると「ヤハウェ」「ヤーヴェ」「エホヴァ」……となるが、同じ神を意味する。

十字架上で殉教したイエスを崇拝するキリスト教徒は、「ヤハウェ神が聖霊となって聖母マリアに宿り、イエスとなって生まれた」という理論（三位一体説《さんみいったいせつ》）を作り出しました。これは、ヤハウェ一神教との整合性を保つための苦肉の策です。また、ギリシア・ローマの多神教の影響を受け、イエスやマリア、イエスの弟子たち（十二使徒）の像を描き、彫像として刻むようになりました。イスラム教はこれを「偶像崇拝」、モーセの十戒からの逸脱とし、厳格な一神教に戻したわけです。

■ムハンマドによるイスラム教の急拡大

茂木　ムハンマドの故郷メッカは、カーバ神殿の「門前町」として栄えていました。カーバとは「立方体」を意味するアラビア語で、立方体の神殿です。ここに隕石が落ちたことから聖地とされたようで、その「黒石」は神殿の外壁の一角に埋め込まれています。ムハンマド時代にはアラブの諸部族の共通の聖地として360体もの神々の像が祀られており、巡礼月には戦争が停止され、無数の巡礼者がメッカに向かいました。彼らの落とす賽銭や食費、宿泊費が、メッカの人々の収入になっていたのです。

アラブの多神教は、イスラム教徒によって徹底的に根絶されてしまいましたが、断片的な史料から三女神アッラート、死の女神マナートなどを祀っていたようです。

ムハンマドはこれらの偶像の破壊を主張したため、メッカの有力者たちの怒りを買い、追放されました。家族と弟子たちを連れてメッカを捨てたムハンマドは、北方のメディナへと逃亡します。ここには一定数のユダヤ教徒がおり、預言者への理解がありました。

部族の垣根を取っ払い、アッラーの前の万民平等を説くイスラム教は、このメディナにおいて爆発的に広まり、数年で信徒が1万人に達しました。その驚くべき急拡大それ自体が奇跡と見なされ、ムハンマドは「神の使徒」として認知されたのです。

宇山　そうですね、ムハンマドは貧困層を中心に布教し、貧富の格差を是正するべく、唯一神アッラーの前の平等を主張しました。ムハンマドは豪商の家柄で豊富な資金を有し、それを貧困層救済のために費やしました。食べ物などを与えられた貧困層はムハンマドの言うことに耳を傾け、イスラム教に帰依するようになりました。イスラム教の掲げる平等な世の中という理想が貧困層を惹き付けたのです。

イスラム教は格差拡大という当時の経済状況における偏りと歪みの中で生まれた社会的反動の産物であり、その反動を正当化するための大義名分として要請された神的な権威であったと言えます。

茂木　イスラム教徒は世界中どこにいても、定時に聖地の方角に向かって礼拝を行います。

聖地は最初、ユダヤ教の聖地イェルサレムでしたが、ムハンマドに降った「啓示」によりメッカに変更されました。しかしカーバ神殿には、多神教の神々が祀られていたのです。

６３０年、ムハンマドは大軍を率いて故郷のメッカに進軍します。驚愕したメッカの住民は無血開城し、カーバ神殿に進んだムハンマドは、自らの杖で神々の像を破壊して火を放ち、神殿を「清め」ました。カーバ神殿はその後の戦乱で何度か建て替えられ、現在は10メートル四方の石の神殿に黒い覆いがかけられています。そもそもわれわれ「異教徒」はメッカ市に入れないので確認しようがありませんが、カーバ神殿の中は空洞で、いかなる神の像も存在しないとのことです。

イスラム教ではムハンマド以前の多神教時代のことを「無明時代《ジャーヒリーヤ》」と呼び、文字通り「暗黒時代」として描きます。イスラム過激派は今日でも、非イスラム世界や西洋化したイスラム諸国のことを「ジャーヒリーヤ」と呼び、「暗黒世界」と考えているようです。

内輪揉めを繰り返す烏合の衆だったアラブの諸部族が、ムハンマドというカリスマのもとに統一されたのは世界史の奇跡です。彼の死後、後継者（カリフ）たちに率いられたアラブ軍は、西はスペインから東は中央アジアまで進軍しました。巡礼月には数億人の巡礼者が民族や身分の垣根を越え、国境を越えてメッカへ向かい、同じ唯一神に対してひれ伏す。この感覚は、おそらくイスラム教に改宗しなければ、わからないものなのでしょう。

宇山　最近、イスラム教徒は本源的に原理主義者だとする言説が横行しています。イスラムの神は異教に対する戦争を命じているという曲解を持ち出し、「ジハード」（聖戦）が義務付けられていることを、多くのイスラム教徒が覚醒しはじめていると説かれます。

ジハードというアラビア語には、日本語で訳されるような「聖戦」という意味はなく、異教徒を説き伏せて「変えさせる」、あるいは「改心させる」ということが本来の語義です。『コーラン』や『ハディース』（ムハンマドの言行録）に「ジハードせよ」と書かれているからと言って、それが全て武力行使を伴う戦争であるとは限らず、説得的な布教行為を第一義としています。

ジハードに対し、「聖戦」という日本語的意味を無理に当てはめようとするために、イスラム教徒が武力闘争を求める危険な過激主義者で、我々とは決してわかり合える人々ではないという捉え方になり、最近流布しているイスラムに対する極論や錯誤が発生しています。ただし、それでも、イスラム教徒に危険な過激主義者が多いというのは事実です。

そもそも、『コーラン』には様々な解釈があり、その解釈をめぐり、ウラマー（イスラム法学者）らが1300年間、議論して結論が得られないものを、誰かが一方的な解釈だけで切り取ることなどできないと考えています。

■いまだルネサンスなきイスラム世界

茂木　ムハンマドが生きた時代は日本では飛鳥時代です。ちょうど仏教が日本に本格的に入ってきた時代で、東アジア・グローバル宗教である仏教に改宗するか、日本古来の八百万の神々への信仰（神道）を守るかで、仏教派の蘇我氏と、神道派の物部《もののべ》氏とが武力抗争を起こしています。勝利したのは蘇我氏側で、仏教導入が決まりました。若き日の聖徳太子（厩戸王）はこのとき、蘇我氏の軍勢に加わって戦っています。しかし、日本古来の多神教――神道は残りました。なぜでしょう？

仏教はインド起源の宗教で、もともと多神教です。ですから同じ多神教である神道とは、親和性が高いのです。日本の仏教指導者は神道を排斥するのではなく、日本の神々を仏教の教義で再解釈するという道を選びました。日本の神々は、仏が姿を変えたものであるとか、仏に至る途上の存在であるとか、仏を守護する存在である、などと解釈したのです。これが神仏習合です。皇室の祖先神である太陽神アマテラスは大日如来《だいにちにょらい》の化身とされ、比叡山《ひえいざん》の神オオヤマクイは、仏教の仏・山王権現《さんのうごんげん》として延暦寺で祀られました。

思考実験ですが、もし飛鳥時代に日本に入ってきたのがイスラム教で、彼らが勝利していたらどうなっていたか？

おそらく伊勢神宮も出雲大社も焼き討ちされ、跡形もなく破壊されていたでしょう。日本神話も根絶され、太陽神アマテラスの子孫としての天皇の特別な地位も失われ、王朝交代が繰り返されたかもしれません。代わりにイスラム法学者が、天皇に権威を授けるようになっていたでしょう。

宇山　ヨーロッパ世界でも似たようなことが起こっていました。初期のキリスト教徒は、ギリシア・ローマ時代の多神教の神殿を破壊しました。

茂木　エジプトにはムセイオン（ミュージアムの語源）という古代の総合大学がありましたが、「異教時代の遺物である」という理由でキリスト教徒に襲われ、学者たちが虐殺されました。「聖書の解釈だけが正しい」ということになり、これと矛盾する理論、たとえば地動説は否定されたのです。ヨーロッパ人がキリスト教の呪縛から目覚め、古代ギリシア・ローマの文明を「再発見」するのが14世紀に始まるルネサンスでした。

その一方で、カトリック教会の腐敗を糾弾する宗教改革の運動も16世紀に始まります。ルター、カルヴァンらの宗教改革者は『聖書』だけを真理の拠り所としたため、逆に聖書を盲信する「キリスト教原理主義」を生み出します。多様性を認め、キリスト教を相対化するルネサンスと、キリスト教を純化しようという宗教改革とは、真逆の方向性だったのです。

キリスト教原理主義者は「福音派」とも呼ばれます。彼らはイギリスでのピューリタン革命（第4章16節参照）に失敗したあと、理想のキリスト教国家を建設すべくアメリカ大陸へ渡りました。こうして生まれたのがアメリカ合衆国です。だからアメリカは今でも宗教国家で、福音派が巨大な力を持っています。選挙の度に「同性愛」や「妊娠中絶」がテーマになるのは、それらを「聖書に反する」として認めない福音派が選挙結果を左右するからです。

宇山　アメリカのプロテスタントの中でも、急進的な保守右派は福音派ですね。アメリカには、メガチャーチと呼ばれるプロテスタント教会があります。週末に、数万人の信徒たちがコンサートホールのような巨大教会に集まり、カリスマ牧師が熱狂と歓声の中で迎えられ、礼拝が行われます。メガチャーチは全米で１３００以上あり、信徒数も増大しています。

アメリカ南部や中西部に、メガチャーチが集中しており、この地域は「バイブルベルト（聖書地帯）」と呼ばれます。メガチャーチを運営するプロテスタント教会は社会的にも強い影響力を持っています。強大な集票力と莫大な資金力で巨額の政治献金を行い、大統領選挙をコントロールします。

メガチャーチのほとんどは福音派に分類されます。福音派は「ボーン・アゲイン派」とも呼ばれます。プロテスタントはカトリックの権威主義や身分制肯定を批判して、台頭しました。その教義の根底には、平等主義があります。神を信じる者ならば誰でも神が降りてきて、再生（ボーン・アゲイン）することができると説かれます。

茂木　イスラム世界にはルネサンスはありません。「無明時代」の再発見はまだなのです。ただし、イスラム教が非アラブ世界に拡大するにつれ、イスラム教の持つ厳格さが薄れていきました。たとえばイランです。イスラム教徒に征服される前のイランは、ササン朝ペルシアという大帝国で、ゾロアスター教を国教にしていました。この記憶はイラン人の深層心理にいまも受け継がれています。

イラン版『古事記』ともいうべき『シャー・ナーメ』という建国叙事詩があります。古代の神々や英雄たちの物語に始まり、ササン朝ペルシアまでを描く作品で、イスラム教がまったく出てこない。まさに「無明時代」の神話世界を描いている。こういう作品がイスラム教改宗後に作られ、広く読まれてきたのです。

イランのイスラム教はシーア派という少数派です。これは、ムハンマドのいとこアリーの一族を指導者（イマーム）と考える宗派で、血統重視なのです。アリーの息子フサインは、実はササン朝ペルシアの王女と結婚しています。つまりシーア派の指導者にはササン朝の血統が受け継がれている。だからイラン人はシーア派が好きなのです。

宇山　そうですね。シーア派が歴史的に、イラン人に受け継がれてきた理由は第一に、イラン人が反体制者として、アラブ人などの多数派のスンナ派勢力に対抗せねばならなかったこと。第二に、今、述べられたように、第3代イマームのフサインはササン朝王家の女性を妻とし、以降の歴代イマームはペルシア王族の血を受け継いでいるとされ、イラン人の民族宗教となったということです。

茂木　イスラム世界を知れば、ルネサンス以降の西欧と日本の歴史をも相対的に見ることができるでしょう。どちらが優れているという話ではありません。世界には日本人の想像を絶した多様な文明があることを知れば、逆に日本文明の一貫性に改めて驚かされます。

街角にたたずむ古い神社——それが千数百年の歴史を持っているということは、世界史の奇跡なのです。

10 「先住民」の世界史

茂木　誠

■「先住民」を意味する英語表記の変遷

茂木　「先住民」を意味する英語は native people。ネイティヴ native の語源はラテン語の natus「生まれた」で、類義語にネイチャー nature「自然、天然」や nation「民族」があります。つまり「外から来た」のではなく、「もともとその土地で生まれた人たち」という意味です。

北米大陸の先住民をかつてはインディアンIndianと呼んでいました。これはコロンブスが、アメリカ大陸を「インド」と勘違いしたため、そこの住民を「インド人」――スペイン語でインディオIndio、英語でインディアンIndianと呼んだのです。

欧米社会には長い人種差別の歴史があるため、Indian は侮蔑的に使われてきました。そこで近年は中立的な Native American「先住アメリカ人」と呼ぶことが奨励され、公文書や映画でも「インディアン」は使えなくなっています。「白人とインディアンの戦い」を描いたかつての西部劇は、もはや上映できなくなっているのです。

宇山　「インディアン」は北米の先住民族を、「インディオ」は中南米の先住民族を指すことが多いのですが、これは、「インディアン」が英語のindian、「インディオ」がスペイン語やポルトガル語のindioから来ているからです。

おっしゃるように、現在、「インディアン」や「インディオ」の呼称は蔑称とされているため、アメリカ合衆国では、一般的に「ネイティブ・アメリカン」と呼ばれ、ラテンアメリカでは、「ナティーボ nativo」と呼ばれますね。

茂木　このような動きをアメリカではＰＣ——political correctness「政治的な妥当性」と呼び、日本語では「ポリコレ」と略されます。差別意識をなくすために言葉そのものを変えてしまえ、という運動です。日本でも放送禁止用語により、時代劇の放送が難しくなっています。

同じ理由で、Indianがnative「先住民」に書き換えられました。ところが今度はnativeにも差別的ニュアンスがあるという意見も出始め、今度はindigenous peopleという謎の言葉が登場しました。インディジュネス indigenousの語源はラテン語のindu「内部に」+ gignere「生み出す」。「その国内部で生まれた」という意味で、国連の文書ではこれを使っています。ただ、どんなに言葉を変えたとしても、そもそも差別意識が残る限り、その意識が言葉に投影されますから、数年後にはまた別の言葉に変わるのかもしれません。

そもそも20万年ほど前にアフリカで誕生した現生人類（ホモ・サピエンス）がユーラシア大陸へ進出したとき、そこにはすでにネアンデルタール人が住んでいました。ホモ・サピエンスはネアンデルタール人を駆逐し、世界の覇者となったのです。ネアンデルタール人がもし生き残っていたら、「われわれがこの地球の先住民だ！」と主張するでしょう。

宇山　2万8000年前に消えたネアンデルタール人のDNAは、ホモ・サピエンスのうちアジア人とヨーロッパ人にも1～2％受け継がれていることがわかっています。つまり交配が行われているのです。日本人にももちろん受け継がれています。

茂木　武漢発の新型コロナ・ウイルスが欧米人で重症化したのに対し、日本人など東アジア人では比較的軽症で済んだのは、ネアンデルタール人由来の遺伝子の影響である、という説まであります。この説を唱えているのは、ネアンデルタール人のゲノム（全遺伝子情報）を解析したマックス・プランク研究所のスバンテ・ペーボ教授です。

■フランス人やイギリス人のルーツ・ケルト人

茂木　現存最古のヨーロッパの先住民と考えられるのが、スペイン・フランス国境のピレネー山中に住むバスク人です。その言語はインド・ヨーロッパ語族とは異質の孤立した言語なのですが、父系で受け継ぐY染色体はインド・ヨーロッパ系のR1bです。つまりインド・ヨーロッパ系に征服された謎の先住民が、言語だけは保持したということになります。

バスク人の神話ではバサジャウンという「森に住む毛深い巨人」との交流が出てきますが、これがイベリア半島に最後まで残ったネアンデルタール人だというおもしろい説もあります。

宇山　バスク人は日本とも関係があります。イエズス会の創設者イグナチウス・ロヨラとフランシスコ・ザビエルは、いずれもバスク人貴族です。日本にキリスト教を伝えた後者は、ザビエル城の城主の子として生まれています。

バスク人が建てたナバラ王国は、スペイン（カスティーリャ）とフランスの緩衝地帯として独立を保ちました。スペインに圧迫されて領土の大半を失ったナバラ王国はフランス王家と婚姻関係を結んで対抗し、ブルボン家のナバラ王アンリがフランス王アンリ4世として即位したため、フランスと合併しました。つまりブルボン朝には、バスク人の血も入っているのです。

茂木　バスク人の次にヨーロッパに広まったのがケルト人です。ウクライナ方面の草原地帯から馬と馬車、すぐれた青銅器文化（ハルシュタット文化）とともにアルプスの北に広がり、のち鉄器時代に移行しました。

宇山　ケルト人の「ケルト」はギリシア語の「ケルトイKeltoi（「よそ者」を意味する）」に由来しています。古代ローマでは、ケルト人は「ケルタエCeltae」と呼ばれました。

茂木　ケルト人は西欧全域に広がり、ギリシア人やローマ人と交易しましたが統一国家になることはなく、フランスではガリア人、イギリスではブリトン人と呼ばれました。

ローマの軍人カエサルがガリア遠征で戦った相手がこのガリア人です。ガリア諸部族を率いる指導者ウェルキンゲトリクスがカエサルに降伏し、独立を失いました。

ローマの属州となったガリアではラテン語とガリア語との融合が進み、フランス語の原型が生まれました。イタリア語、スペイン語、ポルトガル語は、ラテン語を祖語とする共通性を持ち、ほぼアルファベット通りに発音します。これに対してフランス語の発音が子音を発音しなかったり、リエゾン（連音）を多用したりするのは、ガリア語の影響と考えられます。

19世紀のナショナリズムの時代、フランスではウェルキンゲトリクスが民族の英雄として再評価され、銅像が建てられるようになりました。フランス人はガリア人を先住民というより、自分たちのルーツと考え始めたのです。

宇山　イギリスの巨石記念物ストーンヘンジを建てたのは、ケルト人が侵入する以前の謎の先住民です。前8世紀頃ケルト人の一派ブリトン人がこの島国に上陸します。イギリスの正式名称を「グレートブリテン」といいますが、これはローマ人がこの島国をブリタニア、すなわち「ブリトン人の国」と呼んだからですね。

ガリアの英雄ウェルキンゲトリクス

茂木　前1世紀、ブリタニア島の南半分（イングランド）はローマのカエサルに征服されますが、民族大移動でローマ軍は撤収し、入れ替わりにドイツからゲルマン系のアングル人とサクソン人が移民してきます（第2章8節参照）。一方、アングロ・サクソン人に追われたブリトン人は、イギリス西部のウェールズやコーンウォール半

エドワード・バーン＝ジョーンズ画『アーサー王のアヴァロンでの最後の眠り』（1881年―1898年）

島、フランスのブルターニュ半島に移動しました。これらの地域では、ケルトの言語であるゲール語が長く使われました。なお、ブルターニュ半島を「リトル（小）・ブリテン」、イギリスを「グレート（大）・ブリテン」と呼んで区別するようになったのです。

この時代のブリトンの伝説的な英雄がアーサー王です。アーサー王と円卓の騎士たちをめぐる壮大な物語はイギリス最大の叙事詩であり、のちの歴代イギリス王はアーサーとの血縁関係で自らを権威づけしました。アングロ・サクソン人もまた、ブリトン人を先住民というより、自分たちのルーツの一つと考えるようになったのです。

■イングランド、スコットランド、アイルランドの関係史

茂木　一方、ブリテン島の北半分（スコットランド）はローマ支配を免れ、独特のケルト文

化が栄えました。彼らは多神教（ドルイド教）を信仰し、万物に精霊が宿ると信じていました。樹木信仰などは、日本の神道ともよく似ています。

キリスト教が伝わったあとも、精霊信仰は「妖精」という形で残りました。10月末のハロウィン（万霊節）は、冬の到来を告げるドルイド教の祭りの名残です。この時期は、霊界と現世との境界が曖昧になるという信仰があり、死霊の侵入を防ぐために灯籠祭りを行ったのです。映画『ハリー・ポッター』シリーズは、このようなケルトの多神教の世界観を現代に蘇らせ、大ヒットしました。

宇山　ケルト人が6世紀以前、キリスト教化される以前に、信仰していたドルイド教では、霊魂の不滅が強く信じられており、こうした特徴がハロウィンの風習とも結び付いています。カエサルは『ガリア戦記』において、自らの死によって霊魂の浄化を遂げようとする勇敢なケルト人兵に言及しています。

ケルト十字。キリスト教以前の太陽崇拝の痕跡（ドイツ、クヴェステンベルク）

キリスト教化されてからも、ケルト人たちは自然崇拝の思想を継承し、他のヨーロッパ人にはない独自の文化や装飾芸術を生み出していきます。アイルランドの詩人ウィリアム・バトラー・イェイツ（1865年～1939年）は、ケルト人が常に、霊魂の世界である「異界」を抱きながら生きてきたと述べています。イェイツはアイルランド文芸復興の担い手で、ケルト人の神話や伝承に、詩の主題を求め、民族の意識の中に深く眠る「異界」との接触を模索しながら、神秘主義的な作風を形成していきます。

茂木　アイルランドにルーツをもつラフカディオ・ハーン（小泉八雲）が日本文化に耽溺し、その優れた紹介者になったのは、ケルト人と日本人の根っこの部分が繋がっているからでしょう。

ケルト文化を色濃く残したスコットランド王国は、南のイングランド王国と何度も戦い、婚姻関係も結びました。イングランド女王エリザベス1世が独身のまま亡くなると、親戚筋にあたるスコットランド王ジェームズ1世がイングランド王位も継承し、両国は同一君主によって統治されるイングランド・スコットランド同君連合となりました。アン女王の時に両国は対等合併し、国名を「グレートブリテン」と改称します。

一方、アイルランドのケルト人はスコットランド王国とは別の道を歩みました。部族国家の連合体として緩やかに結びつき、部族長らは上王《じょうおう》High Kingという象徴的な君主に仕えていました。上王が即位式を行ったタラの丘には石が置かれ、正統な王が足をかけると叫び声をあげたという伝説が残っています。スコットランド王の即位式でも聖なる石が使われていました。石への信仰もケルトに共通する文化だったようで、これも古代日本の磐座《いわくら》信仰を連想させます。

宗教改革期、イングランドとスコットランドがプロテスタントに改宗したあとも、アイルランド人はカトリックの信仰をかたくなに守りました。

宇山　そのことが、プロテスタントによる侵略を招くことになります。イギリスでピューリタン革命を指導し、プロテスタントの神権政治を確立したクロムウェルがアイルランドへ侵攻し、破壊と殺戮の限りを尽くしました。これ以来、20世紀に至るまでアイルランドはイギリスの植民地として宗教弾圧と貧困に苦しみ、多くのアイルランド人が難民としてアメリカ合衆国へ渡ることになります。

茂木　南北戦争と南部の崩壊を描いたのがマーガレット・ミッチェルの『風と共に去りぬ』。主人公スカーレット・オハラの父は、アイルランド系移民という設定です。だからアメリカで成功すると、自分の農園を祖国の聖地「タラ」と名付けたのです。この作品が映画化されると、主題歌の「タラのテーマ」が大ヒットしました。

しかし黒人奴隷制が当然のこととして描かれ、登場人物の多くが人種差別団体クー・クラックス・クランのメンバーというこの作品は、ポリコレが荒れ狂う今のアメリカでは叩かれ、上映が不可能になってしまいました。

アイルランド人差別はプロテスタントによるカトリックへの宗教差別であり、先住民差別とはいえません。同じケルト系のスコットランド人が、イングランド人と共に「差別する側」にいたからです。アメリカに渡ったアイルランド人も、多数派のプロテスタントから差別される側であり続けました。

宇山　そのアイルランド系のケネディ家がバーの経営から投資家へと成り上がり、ついに大統領を出すに至ったのは、実に奇跡的なことでした。

■エミシ・ミシハセはアイヌではない

茂木　アングロ・サクソン人がブリトン人を西へと追い詰めていた頃、日本列島ではヤマト人がエミシ（蝦夷）を北へ追い詰めていました。

7世紀、斉明《さいめい》女帝と中大兄皇子は、越《こし》（＝北陸地方）を治める長官の阿倍比羅夫《あべのひらふ》に軍船180隻を北上させ、陸奥《むつ》のエミシと「渡島《わたりのしま》」のミシハセ（粛慎）の部族長たちを服属させた、と『日本書紀』にあります。

このエミシとアイヌとを混同する人が多いのですが、アイヌが北海道（蝦夷地《えぞち》）に現れるのは13世紀の鎌倉時代なので、7世紀の記録に出てくるエミシ・ミシハセはアイヌではありません。寒冷地ゆえに弥生文化を受け入れなかった東北地方の縄文人の子孫がエミシ、と考えるのが自然でしょう。

ミシハセについては欽明《きんめい》天皇紀の越の国からの報告に、「佐渡島の北の海岸に住む漁労民」と記されています。「佐渡の北」といえばロシアの沿海州ですから、沿海州と樺太の先住民であるギリヤーク人である可能性もあります。

また、ミシハセが「ヒグマ2頭と毛皮70枚を献上した」という記録から、阿部比羅夫の艦隊が到達した「渡島」は、ヒグマが生息する北海道あるいは樺太・沿海州、と考えることもできます。

「ヤマト人」は縄文人と弥生人との混血か、弥生文化を受け入れた縄文人です（第1章5節参照）。彼らが純粋縄文系の狩猟民を指して、「エミシ」と呼んでいたのでしょう。

奈良時代から平安時代にかけて、秋田県（秋田城）・岩手県（胆沢《いさわ》城）にまでヤマト（日本国）の城塞が築かれ、ヤマトの農耕民が移住しました。

宇山　エミシの最後の抵抗は、平安時代の初期に起こっていますね。宮城県の北上川流域の諸部族をまとめ上げたアテルイとモレという二人の部族長が蜂起したのです。桓武天皇の命を受けて鎮圧に向かったのが征夷大将軍・坂上田村麻呂《さかのうえのたむらまろ》でした。

茂木　アテルイの反乱は10年以上に及びました。戦法はエミシ側も朝廷側も弓矢と騎兵が中心でほぼ互角です。ただ兵力で朝廷側が圧倒し、アテルイとモレは降伏しました。

田村麻呂は二人を助命して京の都まで護送し、「降伏したのだから故郷に戻し、現地を治めさせましょう」と提案しますが、「いつまた反乱を起こすかわからぬ」という理由により、朝廷は二人を処刑しました。

降伏したエミシ軍は「俘囚《ふしゅう》」＝捕虜としての扱いを受け、東国各地に土地を与えられて農耕生活に移りました。彼らは虐殺されることなく、日本人に同化していったのです。嵯峨天皇は「彼らはもはや帰順した。蔑称ではなく、その官職や姓名で呼べ」と勅令を出しています。

彼らの戦闘能力は朝廷から高く評価され、戦時には動員されました。これがやがて東国武士団（陸奥安倍氏、出羽清原氏、奥州藤原氏）の源流となっていきます。

宇山　エミシは縄文人ですから、先住民というより日本人の祖先そのものです。弥生農耕文化を受け入れるのが、「ヤマト人」よりも少し遅かったというだけなのです。

縄文人は、北海道にまで広がっていました。そのことは遺跡の分布から明らかで、東北と北海道は同じ文化圏でした。ただし寒冷な北海道には弥生文化は最後まで伝わらず、狩猟文化が続きました（続縄文文化）。飛鳥・奈良・平安時代には、表面をヘラで擦った擦文《さつもん》土器が出現します（擦文文化）。その担い手もエミシと同族の縄文系だったと推測されます。

茂木　一方、樺太方面からはクジラのほかアザラシ、ラッコなどの海獣を捕獲する海の狩猟民が北海道へやってきます（オホーツク文化）。彼らの正体ははっきりしませんが、沿海州の諸民族、ギリヤークや女真とも交易していたことが遺物からわかります。

アイヌに関する最初の記録は意外にも新しくて、13世紀のモンゴル帝国の公式記録である『元史』です。「ギレミの民がフビライに訴えた。クイやイリウが毎年、侵入してくる」と。「ギレミ」は沿海州の先住民であるギリヤーク（ニヴフ）、「クイやイリウ」がアイヌであると考えられています。

アイヌは樺太の先住民で土器を作らず、独自の狩猟文化を持っていました。樺太と沿海州を隔てる間宮海峡は冬に凍結するため、歩いて渡ることができます。アイヌがここを渡って沿海州に侵入してくる、とギリヤークがモンゴル帝国に訴えたのです。

これを聞いたフビライはギリヤーク支援のため、１２６４年にモンゴル軍を樺太へ侵攻させます（北からの元寇）。20年後の１２８０年代にも3度にわたる樺太遠征を行い、アイヌを樺太から排除しました。逆に言えばアイヌは、モンゴル軍に4度遠征させるほどの軍事力を持っていたことになります。この間、フビライは日本を服属させるため北部九州へ出兵しますが、日本と樺太との位置関係はよくわかっていなかったようです。

■アイヌとはシベリア起源の北方民族と縄文系擦文文化人との混血

茂木　4度のモンゴル軍による攻撃を受けた樺太アイヌは北海道へと移住し、オホーツク人や擦文文化人と混血しました。これが北海道アイヌの起源です。のちにモンゴルが衰退すると、アイヌの一部は樺太に戻りました。

すでに明らかになったと思いますが、北海道の先住民は縄文系の擦文文化人であり、アイヌは鎌倉時代に樺太から渡ってきた渡来人の子孫なのです。ヒグマを神として祀るアイヌの習慣は、オホーツク人とも共通しています。

母系継承されるミトコンドリアDNAにY1という集団があります。ニヴフなどオホーツク諸民族に共通し、アイヌもこれを受け継いでいます。縄文人のミトコンドリアDNAはさまざまですが、Y1はほとんど持っていません。

一方、父系継承されるY染色体を見ると、アイヌは縄文系のD1a2aを色濃く受け継ぐ一方、シベリアから北米に広がるC2も持っています。つまりアイヌとは、シベリア起源の北方民族と北海道の縄文系擦文文化人との混血と考えるのが自然でしょう。

図表10-1 Y染色体ハプログループC2の分布

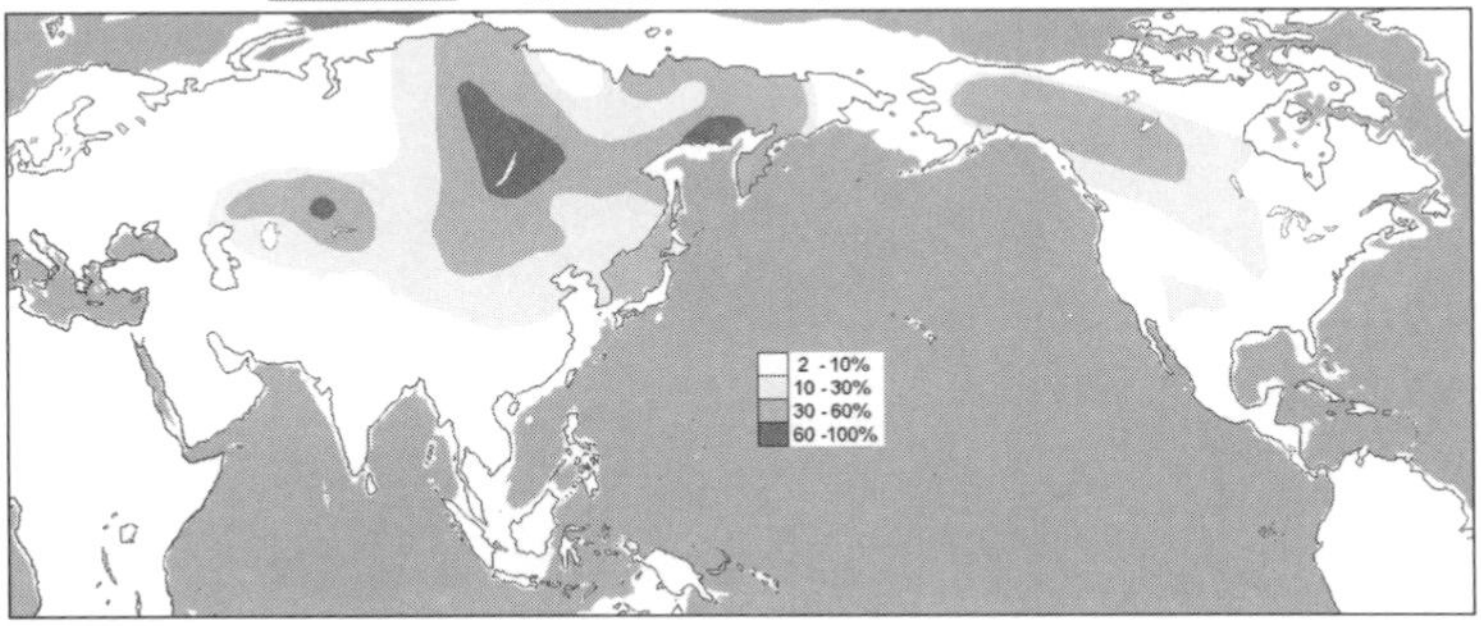

このようにアイヌは確かに縄文人の形質を受け継いでいますが、アイヌ語をはじめとするアイヌ文化は、縄文文化とはまったく異なるユニークなものです。遺伝的特徴と、文化としての民族意識とを混同すべきではありません。

宇山　オホーツク人とは樺太北部やアムール川下流域を原住地とした狩猟・漁労民で、先ほども述べられていたギリヤークつまりニヴフ人という少数民族を直接の共通祖先とすると考えられています。アイヌの起源ははっきりしませんが、言語や文化においてオホーツク人と混血同化していきました。樺太から北海道に渡ったあとは、縄文系擦文文化人と混血、同化していったのでしょう。

今日、人工的あるいは政治的都合でカテゴライズされた「アイヌ民族」は日本に約1万3000人いるとされます。こうした人工的「アイヌ民族」が自治権や自治区の獲得に向けて、今後、政治闘争を仕掛けてくることも想定されます。

日本語は文法や語彙において、アイヌ語と部分的に類似性を持ちますが、全体として言語上の系統的関連性は乏しいとされています。しかし、一部の学者は両言語が同一の系統にあると

図表10-2　アイヌ語の起源と拡散の推定図

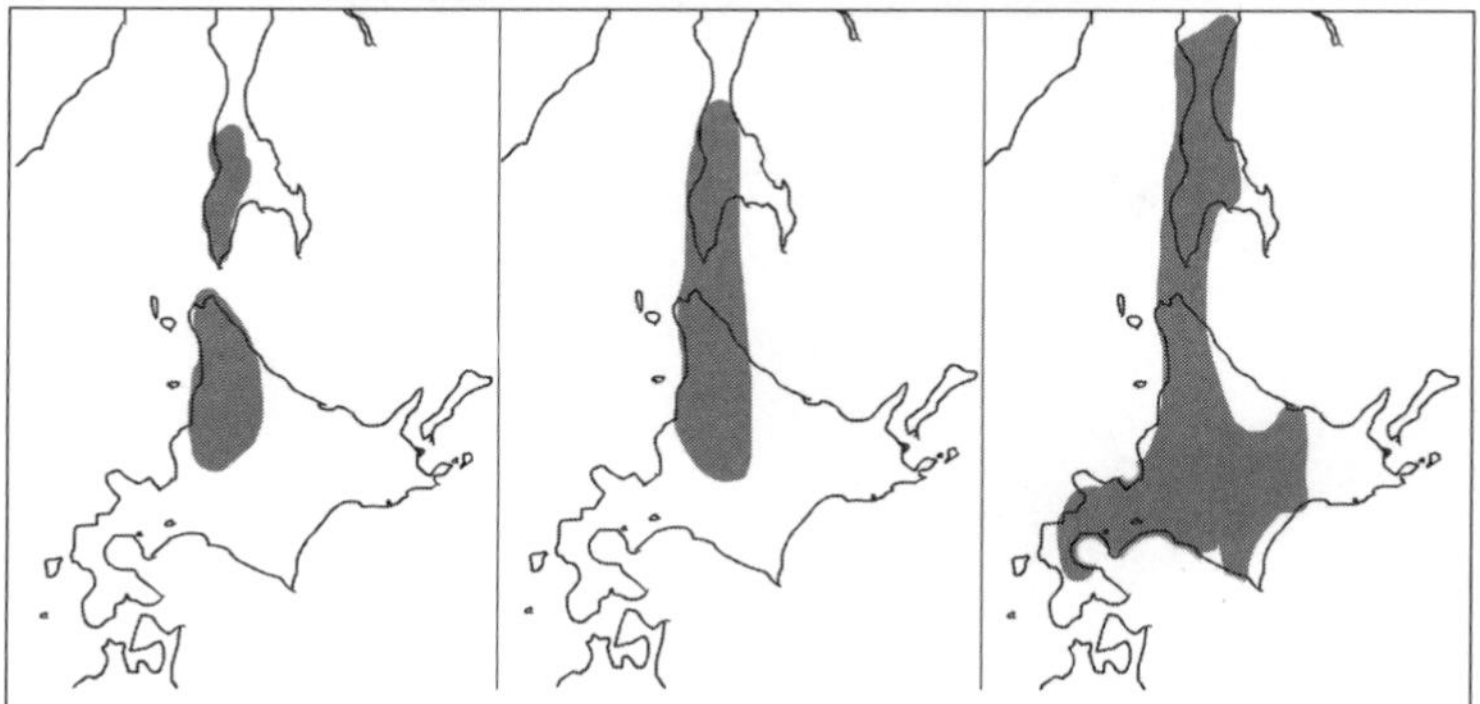

原図は Evolution of the Ainu Language in Space and Time
Sean Lee and Toshikazu Hasegawa.2013.National Library of Medicine.

主張しています。かつて哲学者の梅原猛は、日本語の多くの部分がアイヌ語を基礎に発展したと述べましたが、ほとんど根拠はありません。

茂木　本州各地にアイヌ語の地名が残っているという俗説も広まっていますが、本州にアイヌが住んでいたという確たる証拠は、考古学的にも文献学上もないのです。

この俗説は「エミシ＝アイヌ」、「縄文語＝エミシ語＝アイヌ語」という前提条件に基づいています。江戸時代に北海道を蝦夷地《えぞち》、アイヌを蝦夷《えぞ》と呼んでいたことから、古代の蝦夷《エミシ》との混同が生じ、明治期に「アイヌ＝縄文人」説も流布されました。

誤解がないようにいっておきますが、アイヌは日本の少数民族です。独特の自然崇拝、絶滅寸前のアイヌ語、壮大な叙事詩『ユーカラ』、独特の衣装デザインなどはすばらしいものです。日本文化の民族的多様性を示す貴重な文化財として守っていくべきだと私も思います。しかしそのことと、科学的根拠に乏しい「アイヌ先住民説」とは別なのです。

■「アイヌ先住民決議」の過ち

茂木　江戸時代に貨幣経済が浸透して貧富の格差が拡大し、明治時代には日本が帝国主義の時代を生き抜くために、アイヌの日本人化が強制されたのは事実です。民族の言葉を禁じられて悲しい思いをした人も多いでしょう。その一方で、日本人として懸命に働き、徴兵にも応じ、日本のために貢献してくれたアイヌの方たちもたくさんいます。彼らは日本人と混血し、いまでは完全に日本人になっているのです。江戸から明治にかけて、北米やオーストラリアで行われたことを見てください。

宇山　オーストラリア先住民アボリジニーは、白人開拓民によって狩猟の対象となりました。アボリジニー狩りというスポーツがあったのです。

茂木　幼い子供たちは親から引き離されて寄宿舎に入れられ、「文明人」となるべく英語を強制されました。カナダでも先住民に対して同じことが行われていました。オーストラリア政府とカナダ政府は、これらの非人道的行為を認め、謝罪しています。

アメリカ合衆国では１８３０年のインディアン強制移住法によって、先住民が根こそぎミシシッピ川以西の「保留区」へ強制移住させられ、彼らの土地は白人開拓民によって分配されました。のちにこの「保留区」も廃止されてオクラホマ州となり白人開拓民に「開放」されました。いくつかの部族は抵抗しましたが、そのたびに合衆国軍が投入され、掃討されていきました。

最後に抵抗したのはスー族でした。戦士の多くはすでに斃《たお》れ、抵抗した４００人の大半が女性と子供、老人でした。武装解除の命令に抵抗した彼らに対し、アメリカ陸軍の第７騎兵隊が用意した4門の機関砲が火を噴き、３００人を殺しました。

この１８９０年のウンデッドニーの虐殺で先住民の組織的な抵抗は終わり、生き残った者はさらに奥地の「保留区」に押し込められ、彼らの子孫はいまもそこで暮らしています。彼らに市民権、参政権が与えられたのは、１９６４年の公民権法によってです。

宇山　アメリカ政府は先住民に対し、いまだ公式の謝罪をしていません。

茂木　「先住民族は世界のもっとも不利な立場に置かれているグループの一つを構成する。……現在少なくとも５０００の先住民族が存在し、住民は3億７０００万人を数え、５大陸の90カ国以上の国々に住んでいる。多くの先住民族は政策決定プロセスから除外され、ぎりぎりの生活を強いられ、搾取され、社会に強制的に同化させられてきた。また自分の権利を主張すると弾圧、拷問、殺害の対象となった。彼らは迫害を恐れてしばしば難民となり、時には自己のアイデンティティを隠し、言語や伝統的な生活様式を捨てなければならない」

これは、国際連合（ＵＮ）広報センターのＨＰからの引用です。

北米やオーストラリアの先住民については、この国連声明の通りでしょう。彼らの権利と名誉は回復されなければなりません。しかしすべての先住民がこのような迫害を受けたわけではなく、ケルト人はイギリス人と、エミシは日本人と完全に同化しています。アイヌは鎌倉時代に渡来してきた少数民族であり、先住民という定義が当てはまりません。

２００８年（平成20年）、日本の国会は全会一致で「アイヌ先住民決議」を行いました。当時の内閣は自民党の福田康夫内閣です。

「同決議は、昨年9月、国連において『先住民族の権利に関する国際連合宣言』が採択されたことを受け、政府が早急に講ずるべき施策として、アイヌの人々を『独自の言語、宗教や文化の独自性を有する先住民族として認めること』及び『高いレベルで有識者の意見を聴きながら、これまでのアイヌ政策を更に推進し、総合的な施策の確立に取り組むこと』を求めています」（参議院ＨＰ）

宇山　国連で決まったことだから日本でもやらなければならない。これだけの理由で、北海道を中心に莫大な公金投入が行われ、さまざまなハコモノが建てられ、様々な利権団体に公金がバラ撒かれました。同じことはＬＧＢＴ理解増進法（２０２３）でもいえるでしょう。

茂木　官僚・政治家が歴史を知らないと、こういうことになるのです。

第3章

《近世》

世界的な「大戦国時代」

11

大航海時代、新大陸先住民族のスペイン化と混血

宇山卓栄

■アメリカ先住民は古いモンゴロイドの子孫

宇山　私は2022年と2023年に、ラテンアメリカ各国を周遊しました。大航海時代、スペインの侵略を受け、ポルトガルが支配したブラジルを除いて、全域でスペイン化されます。しかし、未だにアンデス山脈の山間やアマゾンの奥地で暮らす先住民族が多数います。それでも、近年、先住民族と都市住民との接触が頻繁化し、特有の文化や伝統は薄れています。

都市文明に汚されていない自然と共に生きる先住民族の生活に触れ、私も大きな感銘を受けました。人類学者のレヴィ＝ストロースが著書『悲しき熱帯』（1955年）の中で描いた静《せい》謐《ひっ》な世界が残っているのです。

茂木　純粋なアメリカ先住民、特に子供は日本人そっくりですね。氷河期の海面低下により、いまのベーリング海峡が干上がって「ベーリング地峡」になっていた時代、マンモスを追ってそこを渡ったモンゴロイドの子孫だからです。

モンゴロイドの移動は１万６５００年前、ちょうど日本列島（当時は大陸と地続きの日本半島）で最初の縄文土器が作られた頃に始まり、ベーリング地峡が水没した１万１０００年前に終わりました。

アラスカで発見されたサンリバー上流遺跡で出土した人骨は、まさにこの時代の乳幼児のもので、抽出された母系のミトコンドリアＤＮＡからシベリア出土の人骨との類似性が高いことがわかりました。

ブラジル先住民ヤノマミ族の子供たち

図表11-1　ハプログループQ

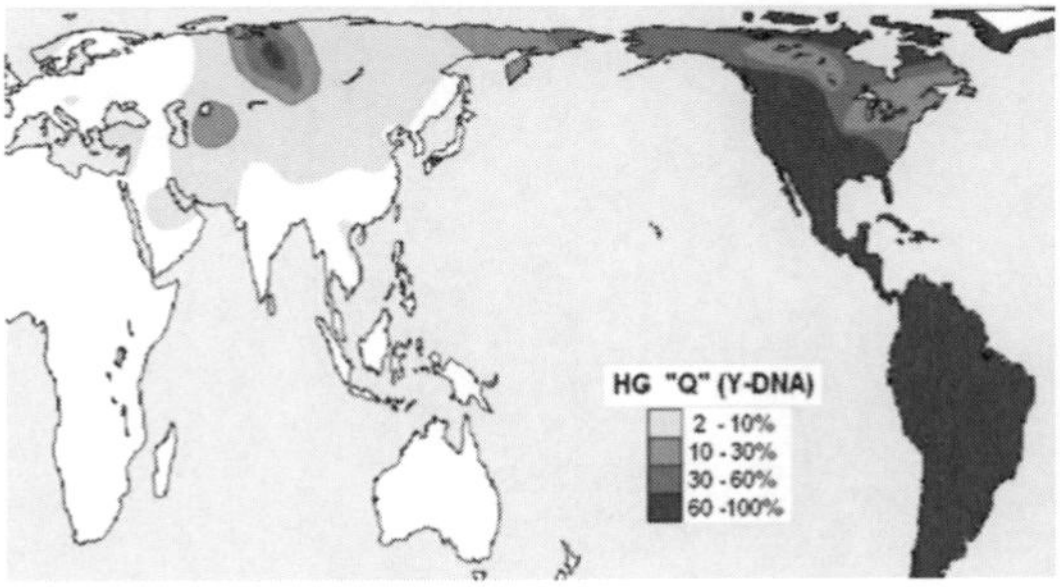

父系のＹ染色体ＤＮＡを調べると、Ｑ系統が圧倒的に多いことがわかりました。このＱ系統というのは、かつてシベリアに広く分布した古いモンゴロイドです。のちにモンゴル系やツングース系の新しいモンゴロイドに征服され、いまではシベリア中央部のトナカイ遊牧民ケット人にだけ、島のように残っていま

す。

縄文人も古いモンゴロイドですので、「縄文人が新大陸に渡ったのか！」とロマンを感じますが、そんな単純な話ではありません。アメリカ先住民の多数派Qは別のグループ、というのが科学的な事実ですね。

■騙され、人質にされて、殺されたインカ皇帝

宇山　当時、新大陸では、アステカやインカのような高度な文明が形成されていました。なぜ、アステカ人やインカ人は容易に少数のスペイン人に征服されたのか？　その理由として、疫病説が主流ですが、それ以外に、スペイン人がアステカ王国やインカ帝国に反抗的な現地部族を味方に付けたから、という説も有力でしょう。

しかし、一番の疑問は、なぜ、征服されたアステカ人やインカ人は容易にキリスト教化され、スペイン語化されたのかということです。極めて高度な文明と宗教観を持ちながら、いとも簡単に独自の文明を捨て去り、キリスト教に帰依したのはなぜか。彼らはキリスト教に具体的にどのように、優位性を感じたのか、あるいは感じさせられた（洗脳された）のか。

ちなみに、日本人の多くはイエズス会の布教を疑問視し、受け入れることがなかったのは周知の通りです。

その一つの答えとして考えられるのが、茂木先生もご著書『感染症の文明史』で言及してお

られるように、免疫力を持っていたスペイン人は病気で死ななかった。「なぜ、彼らは死なないのか」と疑問を持った先住民族に対し、スペイン人は「キリスト教を信じれば救われる」と説いたのです。

茂木　新大陸でキリスト教が流布される頃には、先住民族も相当数、免疫力を獲得し、パンデミックが収束していきます。それまで、アステカ人やインカ人が信じていた自然神信仰ではパンデミックは抑えることはできませんでしたが、キリスト教の受容によって、抑えることができた、と彼らは誤解した。これが、先住民族のカトリック化の大きな原因の一つであることは間違いないと思います。カトリック化と共に、言語もスペイン化されていきますね。

宇山　15世紀、コロンブスの探検により、南北アメリカ大陸が発見されて以降、スペインはアメリカ大陸の東岸をくまなく調査します。北はカナダから南はアルゼンチンまで調査しますが、ジャングルや荒涼とした大地があるだけで、珍しい農産物や金銀鉱石もなく、利益を上げることのできるようなものは何一つ見つかりませんでした。

諦めかけていたスペインに朗報が飛び込みました。1513年、探検家バルボアがパナマ地峡を発見しました。地峡を越えれば、新大陸の西岸へ回り込むことができます。新大陸東岸には何もありませんでしたが、西岸にはあるかもしれない。スペインは大いに期待をしました。

そして、アステカやインカが発見されます。コルテスが1521年、アステカ王国を、ピサロが1533年、インカ帝国をそれぞれ征服します。

1992年から2002年のユーロ導入まで、スペインで発行されていた最後の1000ペセタ紙幣の表面がコルテスの肖像、裏面がピサロの肖像でした。

ピサロの動向について、話を致しましょう。1532年、ピサロはパナマを出港し、インカ帝国への侵入を開始します。ピサロの父は軍人で小貴族、母は召使いだったようです。ピサロは教育されず、文字も知らないままで育ち、社会の下層に属しました。コンキスタドール（征服者）やそれに付き従った者たちはほとんど、下層の人々や戦争の敗残者、犯罪者や追われ人など、訳ありの者で、一発逆転を狙う、命知らずでした。

もともと、ピサロは1513年にパナマ遠征の部隊に所属し、その後、10年かけて、南アメリカを探検し、インカ帝国の存在を突き止めます。1528年、スペインに戻り、国王カルロス1世から、ペルーの独占支配権の許可を得て、兵を募集し、インカ帝国侵略の準備をします。ピサロは歩兵110名、騎兵76名を引き連れて、火縄銃13丁などで武装し、ペルーを侵略しました。200人足らずの兵力で、ピサロたちがインカ帝国を征服したのです。

ピサロはカハマルカで、インカ帝国皇帝アタワルパを誘い出し、騙《だま》し、人質にして、金銀財宝を奪い取りました。その後、アタワルパを殺します。インカ帝国の領域はもともと、部族社会で、一つにまとまってはいませんでした。インカ帝国は強大な力を持っていましたが、帝国の隅々まで、統治が及んでいたとは言えません。

アタワルパ殺害後、ピサロは部族対立と確執を巧みに利用して、彼らを争わせることに成功します。その隙を見て、インカ帝国の首都であるクスコに無血入城し、インカ帝国を滅ぼしました。

茂木　ピサロらがインカ帝国を滅ぼしたというよりはむしろ、インカ帝国は部族の内紛によって、崩壊したというのが実態でしょう。もともと、部族対立が根強くあり、皇帝アタワルパが殺されたことで、それが表面化したのです。

宇山　複数の学者たちは、インカ帝国やアステカ王国の崩壊は病原菌が原因だと主張しています。ピサロたち、スペイン人が持ち込んだ、天然痘やペストなどの伝染性の病原菌が免疫のない現地人に拡がり、彼らの国家を崩壊させたとしています。

動物に由来する病原菌が突然変異し、人に転移したと考えられており、多くの種類の家畜を飼うスペイン人などのヨーロッパ人は、この病原菌に対する免疫を持っていました。しかし、新大陸の先住民族には、牛や豚などを飼う習慣がなく、動物性の病原菌に対する免疫がありませんでした。先住民族は家畜化した大型哺乳類を馬や牛のように、運搬、軍事転用することもありませんでした。

茂木　感染症に対するアメリカ先住民の脆弱性について、アメリカ大陸の地形から説明したのがジャレド・ダイアモンドの『銃・病原菌・鉄』ですね。東西に細長いユーラシアでは広大な草原地帯でウマ、ウシ、ヤギ、ヒツジなど草食動物の家畜化が進み、遊牧民の移動とともに人畜共通のパンデミックが何度も流行した結果、人類は強力な免疫を獲得しました。

一方、氷河期の終わりとともにユーラシア大陸から分離され、しかも南北に細長いアメリカ大陸では、家畜になりうる動物がアンデスのリャマ、アルパカだけで絶対数が少なく、パンデミックが起こりにくかったため免疫を獲得できなかった、というわけです。

ウマはもともと北米の原産で、ベーリング地峡を渡ってユーラシアに広がりました。皮肉なことに北米に残ったウマは寒冷化により絶滅してしまったため、アステカ人やインカ人の歩兵隊は、少数のスペイン人騎兵隊に容易に征服されたのです。

■20倍の数の先住民族と混血

宇山　スペイン人によるラテンアメリカの植民地化で、16世紀、おおよそ10万人のスペイン人がラテンアメリカ全域に移住しています。

一方、この期間、ラテンアメリカの先住民族の人口は激減しました。メキシコを中心とするヌエバ・エスパーニャ副王領全体で、2000万人いた先住民族の人口はスペイン人が持ち込んだ疫病のため、1600年頃には、100万人にまで激減しています。この期間、ヌエバ・エスパーニャ副王領へのスペイン人の移住者は最大で5万人程度と考えられており、5万人程度で100万人を支配したので、20倍の数の先住民族をスペイン化（言語・宗教・混血）したことになります。

また、旧インカ帝国領域でも、1000万を超えていた人口が、1600年頃には、100万人にまで激減しています。やはりここでも、スペイン人5万人程度で、100万人の先住民族を支配したのです。

スペイン人5万人に対し、100万人の先住民族なので、20倍の数ですが、スペイン人の男

図表11-2　スペイン人の中南米移住者数推移

出典：Alicia Alted Vigil『De la España que emigra a la España que acoge』(Fundación Francisco Largo Caballero、2006)をもとに著者作成

性が複数人の先住民族の女性を妾にしていたため、ほんの数世代で混血は一気に拡がります。16世紀から18世紀の間、ラテンアメリカ全域に移住したスペイン人の総計は約50万人にのぼります。19世紀に入ると、移民の数は急増します。特に、同世紀後半から、アルゼンチンやキューバなどがスペイン人移住者を積極的に受け入れたこともあり、同世紀の総計は約２５０万人にのぼります。

スペイン人支配に対し、先住民族は度々、反乱を起こしましたが、スペイン人の近代兵器には敵いませんでした。先住民族の男性らは実質的に奴隷として酷使されたのです。

精神支配のツールとして、カトリックが使われます。ラテンアメリカ各地に異端審問所が設置され、スペイン人に反抗的な先住民族を捕らえ、拷問しました。先住民族の宗教や精神文化は強制的に廃棄させられ、先住民族は自らのアイデンティティを失っていくのです。

茂木　逆にこういう言い方もできますね。征服された先住民の女性たちは、征服者のスペイン人と結婚することで、オリジナルの遺伝子を残すことができた。また、中南米諸国民のY染色体DNAを調べると、スペイン人に由来するR1b系もいますが、先住民由来のQがいまも圧倒的ですので、父系の遺伝子も受け継がれています。ただ文化的にスペイン化されてしまったわけです。

中南米各国で異なる人々の容貌

宇山　中南米では、白人、先住民系、黒人など、複雑に混血した人々が多くいます。しかし、地域によって、どの人種の血が濃いかを容貌でも判断することができます。

たとえば、中米のメキシコと南米のコロンビアを比較すると、メキシコでは、先住民系の血を濃く受け継ぐ人が多いのに対し、コロンビアでは、白人の血を濃く受け継ぐ人が多くなります。これらの国の街を歩いて、人々を観察すれば一目瞭然、その違いがわかります。

概して、メキシコやグアテマラなどの中米の人々は先住民系のアジア人的容貌の人が多く、まるで東南アジアにいるかのように、錯覚してしまうほどです。ただし、例外はコスタリカで、白人の移住者が圧倒的に多く、一気に街の雰囲気も変わります。

16世紀に、スペイン人の征服者がやって来た当初、メキシコはスペイン人の入植者が最も多い地域でしたが、近代以降、政治的に、スペイン人をはじめとする欧米人が排斥された経緯があり、白人の血をそれほど多く、受け継がなかったのです。

一方、南米の人々は、コロンビア人やベネズエラ人のように白人的な容貌の特徴が強まります。そのため、コロンビアなどで、東南アジアにいるかのような錯覚をすることはまずありません。美人大国「３Ｃ」などと言われますが、これはコロンビア、コスタリカ、チリの「Ｃ」からはじまる国々を指しています。確かに、これらの国々の女性は美人が多いです（笑）。

しかし、南米でも、ペルーやボリビア、エクアドルなどのアンデス山岳地帯の国々はメキシコと同じく、先住民系の血を濃く受け継ぐ人が多くいます。一方、アルゼンチンやブラジルなど、アンデス山脈よりも東部の人々は、コロンビア人以上に、白人的な容貌が強まります。アルゼンチン人はほとんど純粋な白人です。ブラジル人は黒人の血を濃く受け継ぐ人も多くいます。

ハイチ、ドミニカ共和国、ジャマイカなどのカリブ海諸国の人々は純粋な黒人か、黒人と先住民系との混血が圧倒的に多いのが特徴です。これは、かつて近世において、ヨーロッパ人が奴隷貿易によって、多くのアフリカ人をこれらの地域に連行してきた名残です。ただし、キューバやプエルトリコでは、白人の移住者が多く、黒人的な容貌を持つ人の割合が低くなります。

茂木　先住民は言葉や宗教を失ったものの、祖先の記憶は語り伝えました。ペルーではインカ帝国の滅亡後も組織的な抵抗が続き、指導者のトゥパク・アマルは「最後のインカ皇帝」と称していました。

18世紀にはポトシ銀山での重労働に反発する大規模な反乱が起こります。その指導者はメスティーソ（混血）でしたが、トゥパク・アマルの末裔と称しました。1990年代には、日系のフジモリ政権の新自由主義政策に抵抗する左翼ゲリラ「トゥパク・アマル革命運動」を自称して日本大使館襲撃事件を起こすなど、最後のインカ皇帝の名は反政府運動のアイコンとして何度も登場するのです。

メキシコでは、スペイン人が破壊したアステカの都テノチティトランの廃墟の上にメキシコ市を建設しました。その北側のテペヤックの丘には、アステカ神話の大地の女神トナンツィンを祀る神殿があり、アステカの滅亡後も先住民の聖地として長く記憶されていました。

グアダルーペの聖母（メキシコシティ）

1531年、ここに聖母マリアが出現したという目撃証言があり、カトリック教会も公式にこれを認めてグアダルーペの聖母大聖堂が建立されました。これはアステカの女神が聖母マリアとして再認識されたものです。日本のキリシタンは観音様と聖母マリアが習合した「マリア観音」を祀っていましたが、メキシコではアステカの女神トナンツィンがマリア様と習合されたのです。

19世紀、先住民を組織してメキシコ独立運動の火ぶたを切ったイダルゴ神父は、ドロレス村で「グアダルーペの聖母マリア万歳！　メキシコ万歳！　独立万歳！」を叫びました。

この「ドロレスの叫び」は、毎年9月27日、メキシコ独立記念日にメキシコ大統領によって再現され、広場を埋め尽くした群衆が歓呼で答えるという感動的な儀式になっています。

国名の「メキシコ」——スペイン語で「メヒコ」は、アステカ神話における戦いの神メヒクトリの名に由来しています。１８２１年制定のメキシコ国旗の中央には、ヘビをくわえてサボテンにとまるワシの絵が描かれています。これは実は、アステカ王国のシンボルなのです。

メキシコ国旗

アステカは今も、メキシコ人の心の中に生きているのです。

12

「国家」、「国民」はいつ生まれたのか？

茂木 誠

■中世ヨーロッパの王は力があったか？

茂木　「国家」とか、「国民」とかいう考え方は、今では当たり前のものになっていますね。しかしこれは、世界史の「ある段階」に「ある特定地域」で生まれた特殊な考え方なのです。ヨーロッパでもローマ帝国という大きな帝国に属する「部族」、「氏族」意識で人々は暮らしていました。「フランス人」とか「イタリア人」とか「ドイツ人」という意識は、まだなかったのです。

この感覚は、西ローマ帝国が崩壊したあとの中世の西ヨーロッパ世界にも引き継がれました。人々は、ローマ教皇を頂点とするキリスト教のカトリック教会への信仰によって結ばれていました。その「カトリック世界」の中に、「○○王」、「○○公」、「○○伯」と名乗る貴族たちがそれぞれの領地を治めていました。「王」というのは貴族の最高位の称号に過ぎず、のちの時代のような国家の最高権力者、という意味はなかったのです。

宇山　たとえば「フランス王」が確かにいます。しかしその権力が及ぶのは、パリ近郊のフランス王の領土だけですね。

茂木　もともとパリ市の周辺地域を「イル・ド・フランス」と呼んでいたのです。ここを治めていた貴族のパリ伯が、フランス王として戴冠したに過ぎません。戴冠というのは、カトリック教会の教皇や大司教が王冠を授ける儀式のことで、誰に戴冠するかはカトリック教会が決めていたのです。

こうして生まれたフランス王の権力は、当然パリ周辺にしか及びません。地方に割拠する○○公、○○伯がフランス王に忠誠を誓えば、彼らの領地も一応「フランス」とみなされますが、彼らがフランス王を裏切り、たとえばドイツ王に忠誠を誓えば、その領土はドイツになってしまう。つまり国境線が曖昧であり、国籍の概念もないのです。

宇山　北フランスにノルマンディー公という貴族がいました。ヴァイキングの子孫である彼は、フランス王の許可なくイギリスへ遠征し、イギリス王の位を奪ってしまいます。この結果、ノルマンディーは「イギリス領の飛地」となり、これを認めないフランス王との間でずっとゴタゴタが続き、これが百年戦争の遠因になります。

茂木　ポーランドの大貴族たちはポーランド王をないがしろにし、隣国のロシア皇帝、オーストリア皇帝、プロイセン王にそれぞれ忠誠を誓い、軍事援助を得ました。この結果、ポーランド王国は三国に分割され、地図から消されてしまうのです（ポーランド分割）。

また、「王の支配」というからには、法律を施行したり、税を取ったりする権力が想定されるでしょう。ところがフランス王は、配下の貴族の領地からは徴税できず、裁判権も持ちませんでした（不輸不入権）。王はパリ近郊の王領からの収入で生活しており、対外戦争のときには、貴族たちに出陣を要請しなければなりません。出陣には獲得した領土配分という見返りが伴い、これに不満な貴族は出陣を拒否できました。

宇山　イギリス王のジョンがフランスに出兵し、臨時課税を課そうとしたとき、貴族たちがストライキを起こし、王権を制限するという文書をジョン王に署名させました。これがイギリス憲法のはじまりとされる大憲章（マグナ・カルタ）で、貴族の慣習的な権利を王に再確認させた文書です。それが中世ヨーロッパの封建社会の実態です。

茂木　イギリス同様に日本は孤立した島国ですが、大陸の王朝の支配が及んだことはないので、この日本列島の形が古代から一貫して「日本国」であり続けたかのように錯覚してしまいます。

それでも古代の律令国家が解体された平安中期以降、鎌倉・室町・戦国時代までの武家社会は、中世ヨーロッパとよく似た状況でした。実際には地方を治める荘園領主や大名が、勝手に法律を制定し、勝手に徴税していたのです。天皇の力、あるいは将軍の力が果たしてどこまで及んでいたか。これは極めて曖昧だったのです。「国家」の枠組みが極めて緩やかだった時代、これが中世です。

中東のイスラム世界、特にアラブ世界においては、今でも「国家」という意識が極めて曖昧です。人々は「エジプト人」、「イラク人」でなく、「イスラム教○○派」、あるいは国家をすっ飛ばしてその下の「○○族」という共同体意識で生きています。彼らはまだ中世世界に生きている、といっても言い過ぎではないでしょう。

宇山　それはアフリカ諸国も同じですね。こうなってしまったのは、西欧諸国による植民地支配の後遺症でしょう。彼ら自らの力で国家という枠組みを作る前に、西欧諸国が勝手に線引きをして、人工的に「○○国」を作ってしまったからです。中東・アフリカの国境に直線が多いのは、まさに「定規で引かれた」線だからです。

■国王が神の代理人となり「国家」が現れる

茂木　西欧世界で完全に独立した「国家」というものが現れてくるのは、16世紀の宗教改革の時代でした。ドイツ人のルターが火をつけた教皇批判は、カトリック世界全体をゆるがす大混乱を引き起こしました。ドイツ以北では教皇の権威は失墜し、ルター派、カルヴァン派、イギリス国教会などプロテスタント（新教）各派が生まれます。

一方、大航海時代に植民地帝国を築いたスペインとポルトガルは最後までカトリック教会を擁護し、新教諸国との間で泥沼の宗教戦争が勃発します。フランスは国内で両派による凄惨な殺し合い（ユグノー戦争）が続きました。

教皇の名の下に内政干渉してくるスペインを排除するためには、国王権力の絶対化、国境線の確定が必要である——そう考えたのがフランス王権とイギリス王権でした。

ユグノー戦争下、殺戮の続くフランスを生きた法学者ジャン・ボダンは「どんな暴君、悪政も、無政府状態（アナーキー）よりマシだ」（『国家論』）と嘆き、秩序回復のための絶対的な国家権力の必要を説きました。彼はこの権力のことを「主権」と名付けたのです。この思想はイギリスにも伝わり、国王が教会の唯一の支配者である、という主張を生み出します。「主権」を意味する英語はsovereignty ソブリンティ。super（超越的な）とreign（統治）との合成語です。ここに「主権国家」の概念が生まれ、フランスとイギリスは教皇権の支配を脱して完全な独立国家になったのです。

宇山 この「主権（sovereignty ソブリンティ）」という言葉は、ヨーロッパ人にとって、宗教的な文脈を持つものです。神が指針を与えなくなった近代世界で、現世の人間自らが主体的に決定する権利を有することを意味しているからです。

「sovereignty」はラテン語のsuperānusを語源にしています。これが、古フランス語「soverain」に転じて、英語の「sovereignty」となります。おっしゃるように、「ソブリンティ」とは「至上」という意味を本来、持っており、これはもちろん、神のことです。中世が終わり、神が持っていた至上権が現世に下りてきた時、それは人間が行使する統治権（逆らうことのできない至上権）として、新たな世俗的な意味を持つようになったのです。

神が人間に譲り渡した至上権こそが、ソブリンティであり、いわゆる日本語でいうところの「主権」です。

茂木 「主権国家」の原則は、ドイツを舞台にした最大の宗教戦争――三十年戦争を終わら

郵便はがき

料金受取人払郵便

牛込局承認

9026

差出有効期間
2025年8月
19日まで
切手はいりません

162-8790

東京都新宿区矢来町114番地
神楽坂高橋ビル5F

株式会社ビジネス社

愛読者係行

ご住所 〒 TEL: ( ) FAX: ( )		
フリガナ お名前	年齢	性別 男・女
ご職業	メールアドレスまたはFAX メールまたはFAXによる新刊案内をご希望の方は、ご記入下さい。	
お買い上げ日・書店名 年 月 日	市区 町村	書店

ご購読ありがとうございました。今後の出版企画の参考に
致したいと存じますので、ぜひご意見をお聞かせください。

書籍名

お買い求めの動機

1　書店で見て　2　新聞広告（紙名　　　　　　　　　）
3　書評・新刊紹介（掲載紙名　　　　　　　　　）
4　知人・同僚のすすめ　5　上司・先生のすすめ　6　その他

本書の装幀（カバー），デザインなどに関するご感想

1　洒落ていた　2　めだっていた　3　タイトルがよい
4　まあまあ　5　よくない　6　その他（　　　　　　　　　）

本書の定価についてご意見をお聞かせください

1　高い　2　安い　3　手ごろ　4　その他（　　　　　　　　　）

本書についてご意見をお聞かせください

どんな出版をご希望ですか（著者、テーマなど）

せたウェストファリア条約（1648）で欧州各国に確認されました。ですから主権国家体制のことを「ウェストファリア体制」ともいうのです。

それではなぜ国王は、主権という最高権力を持つことができるのか？「それは全能の神から与えられたのである」と説明するのが王権神授説です。キリスト教神学の立場から、「神」を主権の根拠としたのです。言い換えれば、「教皇が神の代理人」と説明してきたカトリック教会に対して、「いやいや、そうではない。国王が神の代理人なのだ」と主張したのです。

ヘラルト・テル・ボルフ画『ウェストファリア条約の締結』

この時代、スペイン・ポルトガルによる新大陸アメリカの征服が進みました。その結果、先住民が奴隷化され、大量の銀が欧州へと流れ込み、長期にわたるインフレ（価格革命）が起こります。このように大量の資金が航海に投資されて貿易を活性化させた一方、西欧における銀の価値を暴落させ、銀貨で地代を徴収していた貴族階級の没落を招きます。

国王は大商人を保護して儲けさせ、そこから徴税するという重商主義政策を採用しました。こうして得た資金力を背景に、官僚と傭兵を養い、地方の貴族を圧倒しました。これが「絶対主義」です。フランスのブルボン家やオーストリアはハプスブルク家が栄華を極め、没落した貴族は国王の大臣として給料を支給される「廷臣」に成り下がりました。

国王主権体制は、思想的には王権神授説、経済的には重商主義という両輪に支えられていたわけです。

宇山　そうですね。ルネサンス末期の「王権神授説」、これは、神が至上権を王に譲り渡した、という考え方です。ルネサンス時代に神中心の世界観から人間中心の世界観に転換が図られました。また、科学の発展に伴い、人々の精神の中心にあった「神の絶対性」が崩れ、代わってこの世に実在する王が神の代理人として、現実の世の中を統治する正当性を与えられます。王の権力は神から与えられた絶対的なものであるという考え方を王権神授説は打ち出したのです。

「朕は国家なり」と言ったルイ14世のような君主たちは王権神授説に基づき、絶対的な権力を有し、法制度の制定、利権の分配機能、行政機能を一元的に掌握し、世俗における統治の指針を宗教の啓示から独立させ、現世を支配しました。「朕は国家なり」という言葉は、王権と国家の強固で不可分な一体性により、神という抽象物に代わって、確かなる主権（ソブリン）を、この世に現前させようとする意志を宣言するものです。

こうして、17世紀以降の近世において、いわゆる「絶対主義」と呼ばれる、国王権力を中心とした主権国家が誕生しますね。ところが市民階級（商工業者）が十分に成長し、もはや国王の保護を必要としなくなったとき、彼らは参政権を要求し、国王主権を制限しようと動き出します。国王はこれを抑圧しようとし、両者の対立が頂点に達した時、市民革命が勃発するのです。

■天皇から将軍職を授与される徳川家

茂木　欧州諸国が絶対主義を迎えた時代、日本は江戸時代でした。この江戸時代を世界史の視点から見直してみると、おもしろいことがわかります。まず、「天下統一」の意味です。「天下統一」は織田信長が着手しました。信長は中部地方と近畿地方を平定したところで本能寺の変で倒れます。跡を継いだ豊臣秀吉が九州と関東・東北までを平定し、その死後の後継者争い——関ヶ原の戦いと大坂の陣に勝利した徳川家康が「天下人」になりました。「泣くまで待とうホトトギス」の家康は決して焦らず、柿が熟して自然に落ちるのを待って天下を取りました。服属した諸大名には基本的にそれまでの所領（藩）を統治させ（本領安堵）、忠誠の度合いに応じて所領を増やしたり、削ったりしました。抵抗した諸大名は取り潰したり、国替えを迫ったり、また治水などの大規模土木事業を請け負わせて、その経済力を削ぎました。すべての大名に課された参勤交代——半年ごとに、江戸と本国とを往復させたこと——の目的も、大名の経済力を削ぐことだったようです。

徳川家はあくまで最大の大名であり、フランスにおけるブルボン家の地位にありました。しかしブルボン家の国王が、他の貴族の「国替え」をやったという話は聞いたことがありませんし、もちろんフランスには参勤交代もありません。

宇山　江戸時代のＧＤＰは米の生産量（石高《こくだか》）で換算されます。17世紀後半の元禄時代、日本全国の総石高が約２６００万石、そのうち徳川家の直轄領が約４００万石で15％。江戸時代を通じて10％と15％の間を推移しています。最大の大名が加賀藩の前田家で１０３万石、次が薩摩藩の島津家73万石、仙台藩の伊達家63万石……と続きます。徳川家の経済力が圧倒的だったことがわかります。

茂木　徳川家の権力が圧倒的経済力に支えられた有無を言わせぬ軍事力に支えられたことは間違いないでしょう。しかしながら権力（パワー）だけでは政権は握れません。人々を納得させる政権の正統性、すなわち権威（オーソリティー）が必要になります。

西欧の君主たちはそれをキリスト教の唯一神に求めました。中世においては、各国の王は教皇や大司教による戴冠式で権威を授かり、近代になる王権神授説を唱え、自らを権威づけしようとしました。

日本の権力者は権威の源泉を天皇に求めました。政治権力を失って久しい天皇でしたが、信長を「右近衛大将」、秀吉を「関白」、家康を「征夷大将軍」に任命しています。

宇山　「主権」という言葉は幕末に翻訳されたもので、古来の日本語にはありませんが、「主権者」とも比すべき超越的な存在は、日本では一貫して天皇でしたね。

茂木　「征夷大将軍」は平安初期に設けられた官職で、本来は東北の先住民であるエミシ（第２章10節参照）を征討する将軍という意味でした。鎌倉幕府を開いた源頼朝以来、源氏の血統を引く武家の棟梁が将軍に就任するという慣例が生まれました。信長と秀吉は源氏ではなかったので将軍にはなれず、家康は実家の松平家が源氏の血統なので、将軍に就任できたのです。

徳川幕府がキリシタン（キリスト教徒）に苛烈な弾圧を行ったのは、フィリピンを植民地化したスペインの領土的野心を警戒したためでもありますが、そもそもキリスト教の神が天皇の超越性を否定し、その天皇から将軍職を授与される徳川家の権威を傷つけると危惧したからだと考えられます。

徳川家15代はいずれも京都の天皇から征夷大将軍に任命され、本来は天皇が行使すべき統治権を代行する存在でした。ところが実際の天皇は幕府の出先期間である京都所司代に監視され、政治からは遠ざけられていました。このシステムは260年間、実にうまく機能しましたが、ペリー来航以後にはじまる外圧の中で幕府の権威が揺らぎます。薩摩・長州などの倒幕勢力はその脆弱性に気付きました。

「われわれが天皇を担げば、幕府の権威を失墜させられる」――。薩長連合軍が京都に入城し、明治天皇を擁立して「錦の御旗」を立てたとき、15代将軍徳川慶喜は「征夷大将軍」から「逆賊」へと転落したのです。

■フランス革命軍の強さの秘訣

宇山　話をヨーロッパに戻します。ヨーロッパにおける市民革命を正当化したのが、啓蒙思想です。「啓蒙」とは「光を当てる」という意味で、「無知や迷信の闇に、理性の光を当てること」を意味します。要は王権神授説をひっくり返すために「キリスト教という迷信」を否定することから始まり、王権や身分制といった旧来の秩序を「非合理的だ」と断罪して破壊してしまえ、というおそるべき思想です。

ヴォルテールやルソーらのフランス人がこれを広め、読み書きのできる貴族や富裕層が最初にこれを受け入れました。

茂木　フランス革命は最初、王権に対する貴族の抵抗から始まりました。彼らが要求したのは175年間、開かれなかった三部会――聖職者・貴族・平民代表からなる議会――の開催です。市民階級がこれに合流すると憲法制定へと要求がエスカレートし、ついにパリ市の武器庫バスティーユを襲撃。国王ルイ16世はこれに屈し、憲法制定を認めました。

革命派の貴族ラファイエット侯爵が起草した最初のフランス憲法の前文は、「人権宣言」と呼ばれます。その第3条に彼は、こう記しました。

「あらゆる主権の原理は、本質的に国民Nationに存する。いずれの団体、いずれの個人も、国民Nationから明示的に発しない権威を行使できない」。これが「国民主権」の原理です。

宇山　そもそも、「Nation（仏語でナスィオン、英語でネイション、独語でナツィオン）」とは、フランス革命以後に広く使われるようになった言葉です。聖職者・貴族・平民という諸身分が、また各地方出身の人々が、ブルボン家という共通の敵との闘争を通じて仲間意識を持つようになり、「フランス国民」意識を共有するようになります。

茂木　ラファイエットはこの「国民」と「主権」とを結びつけ、「国民主権」なる新しい概念を作りだしました。国家の主権者は王ではなく、「国民」であると言いだしたのです。「主権」とは地上における最高権力ですから、それを握った国民は――厳密に言えば国民が選んだ議会の多数決によって――王政の廃止も決定できるわけです。

実際、このあとフランス革命は暴走して過激派が議会を掌握し、王政の廃止とルイ16世の処刑を採決することになります。貴族制度も廃止され、皮肉なことに人権宣言を起草したラファイエット侯爵は、爵位も領地もすべて失い、亡命せざるを得なくなりました。また、数十万の人々が「反革命容疑」で告発され、ギロチンで処刑されました。

宇山　これ以後のヨーロッパは、革命勢力と反革命勢力とが殺し合い、フランス革命軍司令官のナポレオンがロシアまで遠征するなど宗教戦争以来の大混乱となりました。最終的に１８４８年革命で革命勢力が勝利し、多くの国で「国民主権」が定着しました。国民国家National Stateの成立です。

茂木　絶対王政の時代には、国家とは国王の私有物であり、人民には参政権もなく、政治に無関心でした。戦争は国王に雇われた傭兵同士がするもので、「勝とうが負けようが、どうでもいい」と多くの人民は考えていました。

国民国家では、男性国民には参政権が与えられ、「オレが選んだ代表」が政府を構成するようになったのです。国家と国民との一体化（ナショナリズム）が生まれ、政治への関心が高まり、戦争ともなれば、国全体が一喜一憂するようになったのです。国民国家は傭兵制をやめ、国民に従軍の義務を負わせました。これが徴兵制です。

近代徴兵制を始めたのはフランス革命政府であり、これは参政権の付与と裏表だったのです。女性には兵役を免除したため、参政権も与えなかったのです。国家の名誉のため戦う兵士は、カネのために戦う各国の傭兵隊を圧倒しました。戦没者の遺族や戦傷者には政府が年金を支給し、生活を保障しました。そうでなければ戦えません。

戦没者は国立墓地に葬り、その栄誉を国家が顕彰するようになります。パリのエトワール凱旋門は、戦没者追悼施設としてナポレオンが建設を命じ、無名戦士の墓が置かれています。アメリカのアーリントン墓地は南北戦争の戦没者を慰霊するため建設されました。

宇山　フランス革命軍の強さの秘訣がここにありますね。国王のためでなく、国家のために、命をかける兵士がフランス革命軍には揃っており、彼らの士気は異常に高かったのですから。ところが、ナポレオンが独裁を強め、革命の指導者がすっかり堕落した王のイメージに塗り替えられてしまうと、兵士たちの士気も失われました。

■明治維新は革命ではなかった

茂木　こうして国民国家として団結し、産業革命によって圧倒的な軍事力を手にした欧米諸国は、アジア・アフリカの国々に侵略の触手を伸ばしました。これが、帝国主義の時代です。アジア・アフリカ諸国の多くは、君主と人民との隔たりが大きく、国民国家になり損ねて植民地へと転落していきました。そんな中で唯一、国民国家に変容できた国があります。それが日本です。

ペリーが来航した時の日本は、幕府が３００の藩を束ねる連邦国家でした。人口の７％ほどの武士階級は高い戦闘能力を持っていましたが、２００年も続いた「徳川の平和」に慣れ、武器の進歩は止まっていました。

早急に西洋型の国民国家を作らねば侵略される――。幕府は幕藩体制を維持したままの近代化を、薩長は幕藩体制を破壊して強力な中央集権体制による近代化を求めて戦い、後者の勝利によって明治政府が発足しました。

身分制の撤廃、廃藩置県、徴兵制の実施、憲法の制定というフランス革命級の国家改造を成し遂げた明治維新ですが、戊辰戦争で８０００人、西南戦争まで含めても2万１０００人の犠牲者で抑えられました。これが数十万人を殺戮したフランス革命との大きな違いで、世界史の奇跡といっても過言ではありません。

なぜ、それが可能だったのか？　それは江戸幕府も、明治政府も、権威の源泉は同じ――「天皇」だったからです。天皇が統治し続けるという点で、日本には革命は起こっていないのです。江戸時代の知識人はもちろん天皇の役割をよく理解していました。庶民が天皇をどれほど意識していたかはわかりませんが、幕末に流行したお伊勢参り――皇室の祖先神であるアマテラス信仰を通じて、天子様（天皇）の存在は身近なものになっていたでしょう。

宇山　そうですね。日本の近代化が穏健に進められた背景として、天皇の存在が大きかった

パリのエトワール凱旋門

東京の靖国神社

と思われます。最後の将軍徳川慶喜は自らの体面を失うことなく、政権から退きました。それは、将軍よりも格上の天皇に、それまで預かっていた政権を返上するという大政奉還の建て前を通すことができたからです。

約260年間続いた江戸の将軍が薩摩・長州という辺境の家臣団に屈服したという恥辱にまみれるならば、幕府勢力は死力を尽くして、革命軍と戦い、血で血を洗う陰惨な内戦に発展した可能性がありますが、幕府はあくまで大政奉還により、天皇に恭順したのです。超越的な天皇の存在が、日本の危機を救いました。

茂木　啓蒙思想でキリスト教を破壊し、ブルボン王政を打倒したフランス人に対し、天皇の下での「政権交代」を選んだ日本人は、余計な混乱を招かず新体制へ移行できたのです。同じことは、１９４５年の敗戦でも繰り返されました。昭和天皇がマッカーサーの統治を受け入れた結果、全国民がこれに従ったのです。

東京・九段の靖国神社は、戊辰戦争の戦没者を祀る「招魂社」として明治初年に創建されました。これはパリの凱旋門に比すべき戦没者慰霊施設であり、日本が国民国家に転換する上で、どうしても必要なものだったのです。

「靖国で会おう！」を合言葉に、日本軍の兵士は過酷な戦場で死の物狂いで戦いました。日清・日露戦争の勝利はこうして得られたものであり、彼らの奮闘がなければ、日本も植民地に転落していたのです。

植民地化されていたアジア・アフリカ諸国でも、日露戦争を契機にナショナリズムに火がつきました。列強に分割されていた中国では孫文が「国民党」を組織し、英領インドではガンディーやネルーらの「国民会議派」がイギリスへの粘り強い抵抗を続け、ついに独立を達成しました。

ナショナリズムを失った国は滅びる——これが世界史の教訓なのです。

13

朝鮮を独立させたのは誰か？

宇山卓栄

■「朝鮮人」は差別語なのか

宇山　「朝鮮人」という言い方は差別的なので使わないでいただきたいと、私はある雑誌の編集部から原稿校正を入れられたことがあります。「朝鮮人」と言わずして、何と言うのかとその編集部に尋ねたところ、「韓国人」と言うべきだというのです。１９４８年以前に韓国などという国は無かったのに、どうして、それを「韓国人」と書くことができるのかと問うと、現在は韓国という国があるのだから、現在や過去に限らず、その名称を使うべきだと強く要請されました。もちろん、私はその雑誌の記事掲載を断りました。

別の雑誌の編集部からも同じ指摘をもらったことがあり、この編集部とは韓国建国以後の話では「韓国人」を使い、それ以前では「朝鮮人」を使ってよいということで折り合いがつきました。どうやら、一部のメディアでは、「朝鮮人」という言葉は禁忌ワードとして認識されているようです。

韓国の人々や北朝鮮の人々を総称する時には、「朝鮮人」を使います。差別語ではありません。これを差別語と捉える人は「朝鮮人」の言葉に負のイメージを勝手に連想しているだけのことです。「朝鮮人」に負の意味はなく、それは民族の名を純粋に表す言葉です。

「朝鮮人」の他に、「半島人」という言い方もありますが、これは差別とは言わないまでも、何かの隠語のような響きがあるかもしれません。「朝鮮」という地域名があるのに、それをわざわざ「半島」と言い表そうとする作為を感ぜずにはいられないからです。

茂木　これも行き過ぎたポリコレですね。日韓併合時代の日本人が「朝鮮人」に対して侮蔑的な意識を持っていたから使うな、という理屈なのでしょうが、「朝鮮」は古代にさかのぼる歴史的な呼称なのです。朝鮮人自身、「朝鮮」の国号を誇りにしていました。

モンゴルから独立した李成桂《りせいけい》は、明の皇帝から提示された「朝鮮」の国号復活を喜び、「朝陽の鮮やかなるところ」、つまり「東方の地域」という意味で解釈しました。ヨーロッパ人は東方の中東地域を「オリエント（日が昇る方）」と呼びましたが、これとよく似ています。

宇山　朝鮮人自身がそのように解釈をして、「朝鮮」を用いていたのですから、「朝鮮」や「朝鮮人」が差別語ということはないのです。現に、誇り高い北朝鮮は「朝鮮民主主義人民共和国」と、国号に「朝鮮」を使っています。中国は「シナ」を使うなと要請しましたが、北朝鮮や韓国が「朝鮮」を使うなと要請したことはありません。

■李王朝が明の皇帝から与えられた「朝鮮」

宇山　じつは、「朝鮮」を最初に言いはじめたのは中国人です。楽浪郡付近を流れる川（どの川か不明だが、大同江の可能性あり）は「湿水」、「汕水」、あるいは「潮汕」と呼ばれており、これらの川の読み音が「朝鮮」に転じたとされます。「朝陽の鮮やかなるところ」というのは朝鮮人がそのように解釈したに過ぎないのです。なお中国人が、「貢物が少ない国」という意味で、「朝貢鮮少」としたことから、「朝鮮」となったという解釈もありますが、これは後付けの理屈でしょう。

「朝鮮」がいつから使われるようになったのか、はっきりとはしていませんが、紀元前1世紀初頭、司馬遷によって書かれた『史記』には「朝鮮」という記述が見られ、この頃には、中国では「朝鮮」の呼称が既に使われていたのです。

茂木　「朝鮮」は中国側の呼称であることは間違いないでしょう。司馬遷の『史記』に記載されている「箕子《きし》朝鮮」は殷の王族、「衛氏朝鮮」は漢の諸侯である燕《えん》の武将・衛満が建国し、ピョンヤンあたりを本拠地としていました。これに対して、中華帝国の支配が及ばなかった半島南部の住民は、「韓人」と自称していました。いまも北半分が「朝鮮」、南半分が「韓国」を名乗っているのは、その名残ですね。その後、新羅・高麗と王朝が交代し、「朝鮮」の国号は忘れ去られました。

宇山　この古い呼称に目を付けたのが14世紀末の鄭道伝《ていどうでん》という人物でした。鄭道伝は李王朝の建国者の李成桂の参謀でした。

クーデターによって、実権を握った李成桂は高麗王家を都から追放し、１３９２年に自ら王位に就きます。李成桂は高麗に代わる新たな王朝名を定めるため、上国と崇める中国の明に使者を送り、王朝名を下賜して欲しいと依頼しました。その際、「朝鮮」と「和寧」の二つの案を明に提案しています。既に忘れ去られていた「朝鮮」の呼称を案として持ち出したのが鄭道伝でした。ちなみに「和寧」は李成桂の生地で、現在の北朝鮮東北部の咸鏡南道の金野郡でかつて永興郡と呼ばれていたところを指します。「和寧」は本命案の「朝鮮」に対する当て馬候補であったと思われます。結局、明の洪武帝は「朝鮮」を使うよう、沙汰を下しました。

しかし、この時に下された「朝鮮」は国号ではありません。李王朝は明に藩属しており、朝鮮王は明の一諸侯王に過ぎず、その領土も明の帝国の一部に過ぎず、主権を持った国ではなかったからです。「朝鮮」はあくまでも地域を表す名として、明が下賜したものなのです。

茂木　「主権国家」の概念は東アジア・東南アジアにはなく、各国の君主が中華帝国の臣下としての礼儀を守る藩属国でした。これをやらなかった「無礼者」が、北方遊牧民と日本です。

■朝鮮王が「陛下」ではなく「殿下」と呼ばれたワケ

宇山　明は李成桂に「権知朝鮮国事」という称号を与えます。この称号を「朝鮮王代理」とする解釈がありますが、それは朝鮮側の勝手な解釈です。「権知国事」というのは「知事」くらいの意味です。また、「権」は日本の権大納言や権中納言と同じく、「副」「仮」という意味があることから、「権知国事」は「知事」ですらなく、「副知事」や「仮知事」という意味になります。明の朱元璋は李成桂が勝手に高麗王を廃位して、自ら王に即位したことに対し、不快に思っており、李成桂を朝鮮王として認めませんでした。

漢王朝の時代、中国には郡国制という地方制度がありました。これは地方に、諸侯王や諸侯を配し、彼らに地方政治を委任するという制度です。漢の武帝の父の景帝の時代に起こった「呉楚七国の乱」というのを聞いたことがあるかと思います。呉や楚などの七国は「国」と称されものの、いわゆる「国家」ではなく、漢王朝の一部としての地方に過ぎません。

茂木　諸侯王は「王」と称されるものの、いわゆる「国王」ではなく、漢王朝の地方知事の役割を背負っていました。

宇山　中国には、こうした郡国制のような伝統もあり、「国」や「王」が多用されることがありますが、それは近代で使われる主権国家や国王とは意味が異なります。李氏朝鮮3代目の太宗が明によって正式に「朝鮮国王」に冊封されますが、これも「郡国」的な意味における諸侯王という扱いに過ぎません。その証拠に、李氏朝鮮の王は「陛下（ペハ）」ではなく、一段格下の「殿下（チョナ）」と呼ばれます。世継ぎも「太子（テジャ）」ではなく、「世子（セジャ）」と呼ばれます。つまり、「陛下（ペハ）」という主権者は朝鮮には存在しなかったのです。また、朝鮮王に「万歳（マンセー）」と言うことは許されず、一段格下の「千歳（チョンセー）」と言わねばなりませんでした。

　中国に服属していた朝鮮は中国に毎年、多額の金銭・物品を貢納しなければなりませんでした。朝鮮は土地が痩《や》せて、貧弱な国であったので、中国が求める金銭・物品の貢納が慢性的に不足していました。その不足分を補うために、若い美女たちが送られたのです。

　朝鮮には「貢女（コンニョ）」というものがあり、これは中国の高官に差し出す性奴隷のことです。古くは5世紀の高句麗や新羅が中国に、「貢女」を送っています。李氏朝鮮3代目の王の太宗の時代、「貢女」の集め方は当初、穏健なものでした。親や身寄りのない少女、捨て子を集め、保護する代わりに「貢女」にしていました。この方法ならば、悲しませる親族はいないのだから、せめてマシな措置だと配慮したのでしょう。しかし、こうした少女たちを明の使臣に差し出したところ、使臣は「みすぼらしい女ばかりだ」、「我が明国をバカにしているのか」と怒り、その場にいた朝鮮人官吏を棒で殴ろうとしました。

「貢女」を選ぶ中国の使臣は「採紅使」と呼ばれました。採紅使の激しい怒りに恐れをなした太宗は「貢女」集めをやり直し、身寄りがあろうがなかろうが、美女を見つけ次第、強制連行しました。その際、太宗は「処女を隠した者、鍼灸を施した者、髪を切ったり薬を塗ったりした者など、選抜を免れようとした者について、厳罰に処す」という布告を出しています。

このため、娘が生まれても他人に知られないように隠したり、娘を出家させたりしました。美しい娘が生まれれば、親は娘の顔に劇薬を塗って、皮膚をただれさせました。足を引きずり、わざと障害のあるフリをさせたり、金持ちならば賄賂を出して連行を免れたりしました。ただし、娘を隠していたことが発覚すれば、村全体が残酷な形で処罰されました。娘を持つ家も持たない家も、「貢女」をめぐって地獄を強いられたのです。

日清戦争で清国から独立できた朝鮮国

茂木　このような中華帝国への朝鮮従属の長い歴史を断ち切ったのは日本でした。欧米諸国から各国平等の主権国家の概念を学んだ日本はアヘン戦争で弱気になっていた清国と交渉し、対等な外交関係を結ばせることに成功します（日清修好条規・１８７１）。

ここで大問題になったのが、清国の藩属国である朝鮮との関係でした。明治天皇の国書を朝鮮王は受け取り拒否しました。「天皇」の「皇」は中華皇帝だけが使用できる尊号であり、倭人ごときが使うことは許されぬ、「国王と書け」、という論法です。ずっと「王」「殿下」を使ってきた朝鮮から見ればそういう論理になりますが、日本から見れば、「王」の称号を用いることは清国の藩属国に落とされることを意味します。

この論争に終止符を打ったのが、日本軍の軍事的威嚇《いかく》でした。ソウルを流れる漢江の河口にある江華島を占領した日本軍が、国書の受け取りを迫ったのです。こうして結ばれた日朝修好条規（１８７５）について教科書は、「日本が武力で強制し、日本の領事裁判権を認めた不平等条約だった」と書いてあります。それは事実ですが、肝心なことが抜けています。条約というのは、大事なことは第１条に書いてあるものです。

日朝修好条規
第１条　朝鮮国は自主の邦にして、日本国と平等の権利を保有せり。

「朝鮮は独立国家で、日本とは対等」と書いてありますね。これが事実です。これを教えないから、「江華島事件で日本による植民地化がはじまった……」と多くの学生が誤解するのです。「日本と清国が対等」、「日本と朝鮮も対等」となれば、当然、「清国と朝鮮も対等」とならざるを得ません。ここから、朝鮮国内でも清国からの独立を目指す金玉均《きんぎょくきん》らの「開化派（独立党）」が登場し、清国との伝統的な藩属関係を続けたい朝鮮政府（事大党政権）とのすさまじい権力闘争がはじまりました。日本が開化派、清国が事大党を援助したことが、日清戦争の最大の要因です。

宇山　日清戦争で、清は自らの不利を悟り、日本に講和を求め、李鴻章が下関にやって来て、伊藤博文と交渉し、１８９５年、下関条約を締結します。かつて、李鴻章は「朝鮮は清の属国であるから、手を出すな」と威嚇しましたが、その面目は失われました。下関条約により、清が朝鮮の独立を承認します。この瞬間、日本は朝鮮を独立させたのです。

茂木　下関条約も、第1条が重要ですので見てみましょう。

下関条約（1895）

第1条　清国は朝鮮国の完全無欠なる独立自主の国たることを確認す。よって右独立自主を損害すべき朝鮮国より清国に対する貢献典礼は、将来まったくこれを廃止すべし。

「貢献典礼」とは、清国に対する朝貢の儀式のことです。朝鮮女性たちを長年にわたって苦しめ続けた「貢女」の制度も、この下関条約によって全廃されたのです。

宇山　山口県下関市に、日清講和記念館というものがあります。下関条約は関門海峡を望む春帆楼で締結されました。春帆楼はふぐ料理の旅館で、今日でも営業を続けている有名な老舗です。この春帆楼の敷地内に、下関条約を記念して、日清講和記念館が1937年に建てられました。講和会議に使われた部屋を再現し、テーブル・椅子などの調度品や歴史資料を展示しています。下関市が管理しています。

2017年、私がここを訪れた時、台湾人たちが多く見学に訪れていました。近年、台湾人の見学者が非常に多いとのことです。下関条約で、台湾は日本の領土となりました。台湾人たちはこれを日本による侵略というより、清の圧政からの解放として下関条約を高く評価し、自国の歴史のはじまりの重要な一歩と位置づけているのです。

朝鮮も同様に、下関条約で清の圧政から解放されたのです。本来ならば、韓国人がこの記念館に多く訪れても良いはずです。台湾は日本の領土にされましたが、朝鮮は独立したのであり、日本の領土にされたわけではありません。その意味で、下関条約の意義は台湾人よりも韓国人にとって、大きいと言えます。

■「独立門」を勘違いしている韓国人

宇山　下関条約で独立を達成した当時、朝鮮人たちはこれを非常に喜びました。そして、中国への隷属の象徴であった「迎恩門」を取り壊しました。「迎恩門」はソウルの西大門の外側に建てられ、中国の勅使を迎えるための門でした。朝鮮王は中国の勅使がやって来る時、自らこの門にまで出向き、三跪九叩頭《さんききゅうこうとう》の礼で迎えていました。

朝鮮人はこの屈辱の遺産を取り壊し（屈辱を忘れないために、2本の「迎恩門」の柱礎だけを残し）、1897年、独立の記念として、新たに「独立門」を同じ場所に建てました。

茂木　現在もソウルに残る「独立門」を、多くの韓国人は日本からの独立を記念したものと勘違いしています。これは「独立門」と同じ敷地内に、独立運動や民主化の苦難の歴史を展示した西大門刑務所歴史館があることが原因になっており、わざと混同させるような意図があるようにも思えます。「独立門」は日本への恨みを表したものではなく、感謝を表したものなのです。

独立門（宇山撮影 2018年）、右手前の柱礎が迎恩門

宇山　実際、私は「独立門」を訪れている韓国人に聞いてみたところ、若い人の多くが、「日本からの独立」と勘違いしていました。「迎恩門」が取り壊された同年の１８９７年、朝鮮は中国の属国でなくなったため、かつて明から下賜された「朝鮮」を変更し、「大韓帝国」との国号を名乗りました。「韓」は王を意味する雅語で、「偉大な、君主」も意味し、古来からの部族名の馬韓、辰韓、弁韓に由来します。

茂木　日本が朝鮮半島に介入した最大の動機は、沿海州まで南下してきたロシアの脅威に対する防波堤の必要性でした。日清戦争で清国のくびきを脱した韓国が主権国家となり、開化派政権のもとで近代化を進め、日露間のバッファーゾーンになることを望んだのです。

ところが事大党政権は日本に対抗するためむしろロシアに急接近します。その中心が皇后の閔妃《びんひ》だったため、開化派の兵士と在留日本人が宮中に侵入して閔妃を殺害する事件を起こし、日本公使・三浦梧楼が関与したとして国際問題になりました。事件は逆効果となり、高宗はロシア公使館に保護されて独立派の一掃を図り、「大韓皇帝」を自称しました。この結果、事大党を支援するロシアと、開化派を支援する日本が衝突し、日露戦争への道を開いたのです。

日本は、朝鮮王朝に対して親切が過ぎたのかもしれません。朝鮮自らが目覚め、自主独立の道を歩む前に、手取り足取り指導して、清国とロシアを撃退してしまったのです。この結果、朝鮮人は自主独立の努力を怠り、日本による併合を請願する団体（一進会）まで現れました。

これを受けて日本は韓国を併合し、36年間にわたって莫大な投資を行いました。朝鮮半島の鉄道も電気も上下水道も、すべて日本が建設したのです。韓国経済史の李大根《イ・デグン》教授の『帰属財産研究』によると、日本の朝鮮半島への投資額は現在の貨幣価値に換算すると約10兆円規模。それだけの資金を日本国内に投資していたら、国民はもっと豊かになっていたでしょう。

１９４５年の敗戦により、日本はこの巨大インフラを朝鮮半島に残して撤退しました。すべては無駄になっただけでなく、朝鮮の人々は日本への感謝どころか憎しみだけを語り伝えました。

「自国を犠牲にしてまで他国を助ける」のは余計なお世話である。これが韓国併合の最大の教訓であると私は思います。

14

明朝と清朝――絶対権力の腐敗と朝貢システム

宇山卓栄

■歴代、最も腐敗と無能を極めた明王朝

宇山　中国の王朝は入れ替わりが激しく、それも多くの王朝が民衆の反乱によって、崩壊させられています。中国の皇帝は民衆に畏怖される存在であったかもしれませんが、敬愛される存在ではありませんでした。

日本皇室のような血統の正統性は中国人には顧みられませんでした。そのため、百姓から身を起こして皇帝になった者がいます。１３６８年、明王朝を建国した朱元璋は貧農から身を起こし、反乱軍の中で人望を集め、天下を取り、洪武帝として即位しました。

茂木　朱元璋が生きた時代は、モンゴル人が建てた元朝の末期ですね。モンゴル支配に加え、地球規模での寒冷化により農村が疲弊し、ペストも大流行しました。このような大混乱の中で「世直し」を掲げる宗教結社・白蓮教《びゃくれん》が反乱を起こし、これに朱元璋は身を投じました。

宇山　紀元前3世紀末に漢王朝を建国した高祖劉邦も農民出身ですが、豪農で豊かであった

と言われています。朱元璋は水呑み百姓で、両親や兄弟を飢餓で亡くしました。読み書きができず、成人して反乱軍に身を投じているときに猛勉強をしたようです。

朱元璋は暗い過去を背負い、苦労が多かったためか、猜疑心の強い人物で、謀反を極端に恐れていました。そして、自らの側近や有能な臣下をことごとく処刑しました（「胡藍の獄」）。その数は7万人に上ると言われています。能臣たちは朝、仕事で家を出るときに、家に帰ってくることができないかもしれないということで、家族に別れを告げました。殺されることなく無事に家に帰ることができれば、再会を喜び合ったといいます。

明王朝の歴代皇帝は朱元璋に倣い、多くの能臣を粛清したため、能力ある人材が朝廷に集まらず、愚昧な政治が続き、発展が阻害されました。明王朝に、何の威厳も正統性もなく、あるのは恐怖政治と陰謀、腐敗と諦念だけでした。

茂木　おっしゃる通り、歴代中華帝国の中で、最も腐敗と無能を極めたのが明朝です。その理由は二つあると私は思います。第一に、儒学に基づく長子相続制です。モンゴル人の元、満洲人の清など北方民族の王朝は長子相続ではなく、能力主義で後継者を選びました。だから無能な皇帝が少なかったのです。

ところが明は、「能力主義は夷狄《いてき》の悪習」としてこれを廃し、アホでも皇帝になれるようにしました。明朝で有能だったのは、農民からのしあがった初代洪武帝（朱元璋）と、兄の子を殺害して帝位を奪った3代永楽帝（朱元璋の4男の燕王朱棣）だけです。この二人はサイコパス的な冷血漢の悪党ですが、実務有能はありました（笑）。

第二に、皇帝独裁体制を確立してしまったこと。漢王朝や唐王朝も長子相続でしたが、官僚機構に皇帝権力を制限する機能がありました。唐は科挙官僚の中書省と、門閥貴族の門下省が牽制し合いながら政策を決定しており、皇帝は裁可を出すだけでした。ところが明朝は中書省を廃止し、皇帝のワンマン経営にしてしまったのです。ワンマン社長がアホで、有能な部下を粛清しまくった、というのが明朝の実態です。

宇山　どこの馬の骨ともわからない者が王の座に就くと、このような疑心暗鬼と人心の荒廃を招きます。日本では、同じく百姓出身の豊臣秀吉が将軍になれず、幕府を開くことができませんでした。

茂木　少なくとも秀吉は有能でしたね。農民出身の秀吉は、日本統一後には明の征服を計画し、朝鮮に出兵しました。彼は当然、明朝の成り立ちについて知っていたでしょう。明が農民の建てた王朝なら、農民出身のわしにも征服できる、と考えたかもしれません。

宇山　中国では水呑み百姓が皇帝になれるのですから、異民族の外部侵入者も堂々と皇帝になることができます。モンゴル人などが突如襲来し、王宮を侵して、帝を廃し、自らがその玉座に座りました。

中国では、王朝がコロコロ替わり、遂に人々に国というものの意識が根付かなかったのだと思います。国の意識が無いために、公共の意識もありません。人が道で倒れていても誰も助けない、そこら中にゴミや公害を撒き散らして平然としている、そんな自分さえ良ければよい人間ばかりが集まる荒廃した社会になってしまうのです。

道徳の荒廃は、ならず者や簒奪者《さんだつ》が覇を競う無秩序な世が長期的に続いたことにより生ずるものです。国の支柱となるべき精神や規範というものが欠落した状態が歴史的に慢性化し、それが今日の共産党政権まで続いているのです。

茂木　これを嘆いたのが孔子を祖とする儒家の集団でした。彼らが「徳」とか「礼」とか、口うるさく説教したのは、それを守る者が誰もいなかったからです。

始皇帝は「やかましい！」と儒家を460人生き埋めにし、書物を焼きました（焚書坑儒）。この始皇帝を称賛した毛沢東は知識人数万人を処刑し、「われわれは始皇帝の100倍のことを成し遂げた」と1959年の共産党大会でうそぶきました。この毛沢東を礼賛する習近平が、中国共産党の宣伝工作の一環として各国の大学に「孔子学院」を開設しているというのは、悪い冗談としか言いようがありません。

■7回にわたる鄭和の「南海遠征」

宇山　明王朝の前の王朝の元は過度の商業主義的な政策をとり、バブル経済、インフレーションを引き起こし、衰退しました。これを反省した洪武帝は地道な農業経済を国家の基本とします。こうした考えのもと、「海禁」という鎖国政策により国を閉ざし、民間が海外と通商することを禁止しました。

茂木　元末の内乱の中で、朱元璋の敵対勢力が日本人（前期倭寇）との密貿易で武器を入手

図表14-1　鄭和艦隊の訪問地

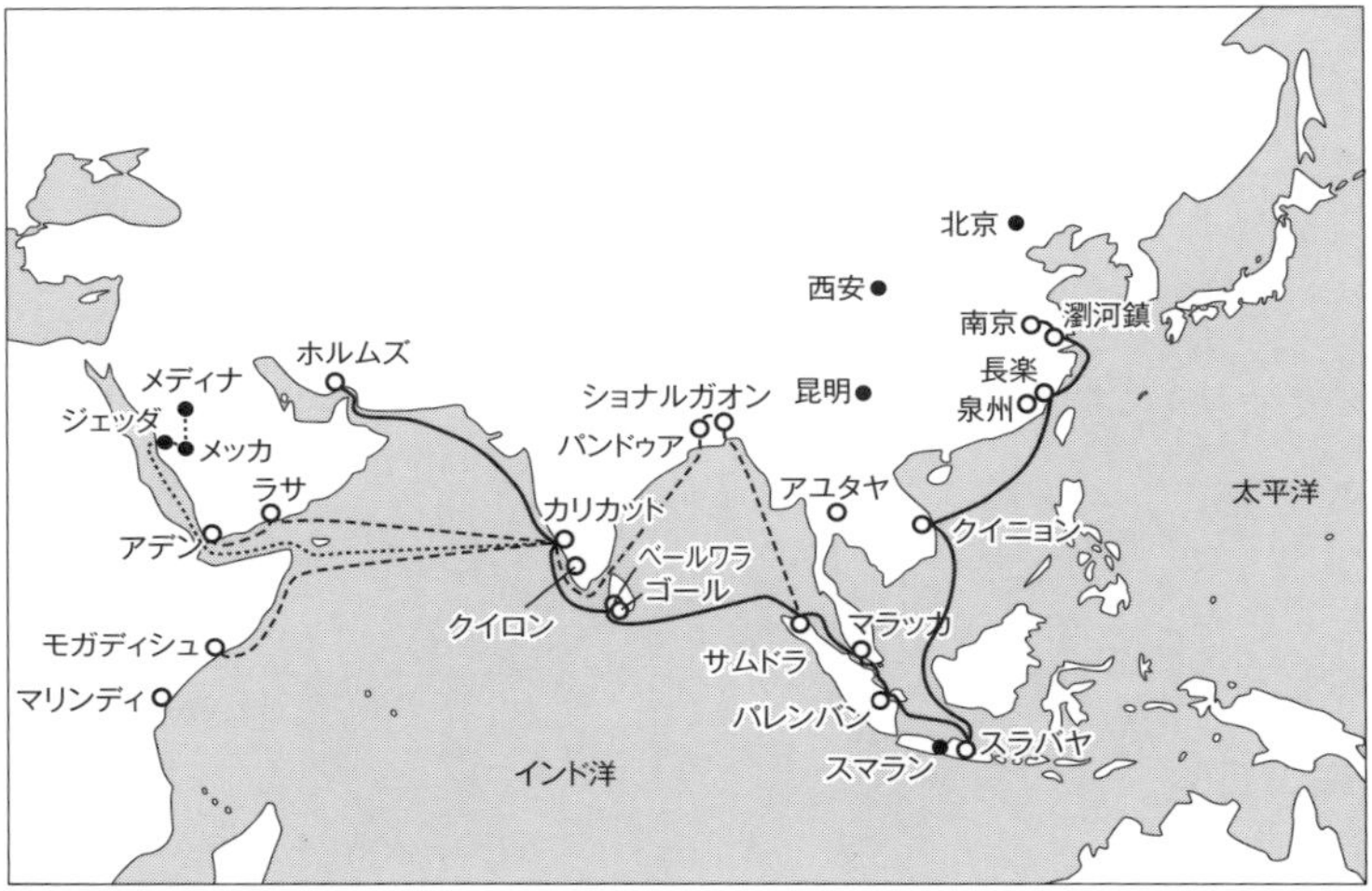

していたのも、海禁の直接的な要因ですね。

宇山　また、元朝で中断された科挙を復活させ、儒教を官学とし、六諭という民衆への儒教教育システムを創設します。儒教の目上の者に逆らってはならないとする封建思想を農民たちに徹底させ、反乱を防ごうとしました。

永楽帝の時代も海禁は続けられましたが、永楽帝は海外に積極的に打って出ました。ムスリムの宦官・鄭和に命じ、南海遠征をさせ、航路の開拓を行います。鄭和の艦隊は東南アジア、インド洋、アラビア海、東アフリカ沿岸に遠征しました。１４０５年〜30年まで、７回にわたり、派遣され、各航海とも２万人規模の乗組員により編成され、木造大型船60隻、周囲に小型船１００隻が配された大艦隊でした。これはヨーロッパで大航海時代がはじまる１世紀近く前のことです。

宋・元王朝時代、中国商人は積極的に外洋進出し、造船技術を向上させていました。羅針盤、天体観測などの航海術も、鄭和の「南海遠征」を可能にしました。鄭和の艦隊には多くの兵士が同乗し、現地勢力と交戦することもあったようです。

茂木　インド洋と南シナ海の交易ルートを開いたのは、ムスリム商人なんですね。絹を求めて唐代に来航した彼らは「大食《タージー》」と呼ばれ、広東《カントン》省の広州には10万人のムスリム・タウンがありました。宋代には福建省の泉州に移り、中国人が発明した羅針盤を広めました。

海軍を持たないモンゴルは、ムスリム商人（色目人《しきもくじん》）を厚遇することで南宋攻略作戦に協力させました。泉州の大商人で艦隊司令官でもあった蒲寿庚《ほじゅこう》はその代表例で、フビライからの働きかけに応じてモンゴルに寝返り、海上へ逃走した南宋の皇子を追いつめ、自害に追い込みました（崖山の戦い・１２７９）。このため元朝は色目人を高級官僚として優遇し、財務官などに抜擢しました。

モンゴルから独立した明は、色目人を「モンゴルの手先」として殺戮します。アラブ系と思われる鄭和の一族も明軍によって皆殺しにされ、13歳の少年だった鄭和は宦官にされ、奴隷として売られました。この哀れな少年を買い取ったのが、のちの永楽帝です。

優れた能力と抜群の忠誠心を示して彼は永楽帝に気に入られ、また色目人出身であることから艦隊司令官に任命されたのです。鄭和は東南アジアからインド、ペルシア湾のホルムズ海峡にまで達し、分遣隊は聖地メッカ、東アフリカのマリンディまで到達しています。ポルトガルのバスコ・ダ・ガマが逆回りで来航する70年ほど前のことです。

■なぜ、アジア発の大航海時代が起こらなかったか

宇山　このような大遠征をなぜ実施したのかということには、様々な説がありますが、交易のルート開拓とネットワークの整備を行うことが最大の目的であったとされます。しかし、問題は、その後、国家レベルでも民間レベルでも、そのルートやネットワークを使った交易が続かなかったことです。大遠征は7回で打ち切られます。

大遠征を「なぜ、始めたのか」ということ以上に、「なぜ、止めたのか」ということが、歴史の最大の謎の一つなのです。豊かな南海地域に、珍しい貴重な貿易品は数多くあったと思われます。それらの品々を扱えば、大きな利益を上げることができたはずです。このようなチャンスを朝廷も民間もみすみす逃したというのは、不思議な話です。

鄭和の「南海遠征」のような国家レベルでの大艦隊の派遣は、財政が続かなかったため、打ち切られたという一般的な説があります。中国は「朝貢貿易」という伝統を持っていました。中国の威信を周辺国に示すために、朝廷の貿易は利益を度外視し、周辺国に物品を分け与え、豊かな中国の恩恵を施していました。そのために、朝廷の貿易は割に合わず、明王朝は交易を続けようとしなかったというのです。

しかし、これはおかしい話です。朝廷が儲からないならば、民間レベルで、貿易をさせればよいのです。宋・元王朝時代においては民間レベルの貿易が主体でしたし、それによって、朝

廷は関税や売り上げ税などの税収を確保することができました。

民間が貿易により、富を蓄積して、朝廷に反旗を翻すことを恐れたために海禁を行ったという説もありますが、朝廷の息のかかった特許商人に貿易を独占させ、朝廷と利益を山分けすれば済む話です。実際に、日本との勘合貿易はそのような方式がとられていました。この方式を南海地域との貿易に適用することは容易なことであったはずです。

茂木　現代人が勘違いするのは、「貿易とは利益を求めるのが目的だ」という先入観があるからです。中華帝国においては経済は政治の一部であり、政治に従属するものなのです。

中華皇帝の絶対性を示し、世界各国から朝貢使節がつぎつぎに来朝して、皇帝の前でひれ伏すという行為を人民に見せつけることが「政治」であり、王朝の正統性を示すことなのです。そのためには諸外国を脅迫もするし、逆に餌をぶら下げて朝貢を促す。朝貢使節には持参した品々の数倍のお返し（下賜品）を与え、「また来いよ」と促します。

「南海遠征」といいながら、鄭和艦隊にはほとんど武器は積んでなくて、下賜品としての大量の陶磁器と絹が積み込まれていました。これを各国に見せつけて朝貢を促す「動く見本市」だったのです。明朝の権威が限りなく高まると同時に、お返しのバラマキで財政赤字は限りなく拡大していく。それが臨界点に達したとき、朝貢は制限されるのです。

「だったら民間に任せればいいじゃないか」、というのはおっしゃる通りです。しかし、民間に任せてしまえば朝貢使節が来なくなり、明朝の権威に傷がつく……。

宇山　鄭和の大航海の記録は、遠征の打ち切り後、海外進出に批判的であった官僚によって焼き捨てられ、内情や経緯がわからなくなってしまいました。１４３０〜33年の第7回の最終遠征の際、鄭和はインドのカルカッタ（現：コルカタ）で死んだとも言われ、帰国後に死んだとも言われています。いずれにしても、アジアでは、大航海時代は起こりませんでした。

多民族国家・中国の原型を形成した清王朝

宇山　明王朝の後半期の16世紀、日本では室町時代から戦国時代を経て、豊臣秀吉の天下統一の時代に移ります。秀吉は朝鮮を攻撃し（文禄・慶長の役）、明は朝鮮の救援への出費がかさみ、財政破綻しました。以後、明は官僚や宦官の党派争いなどで急激に衰退し、民衆の反乱により、滅ぼされます。

代わって、台頭したのが、満州の女真族です。女真族は１６４４年、明王朝末期の農民反乱に乗じて、北京を占領し、中国全土を統一します（清王朝）。満洲族の旧名「女真」は満洲語の「ジュルチン」のことで、「人々」や「民」を意味する言葉とされます。漢民族が満洲族に「お前たちは何者だ」と問うたところ、「人々（ジュルチン）だ」と答えたことから、「では、お前たちを女真（ジュルチン）と名付けよう」と言い、10世紀頃、彼らは「女真」と呼ばれるようになりました。

茂木　女真は、のちに満州と呼ばれる東北の森林地帯で、馬に乗って狩りをする狩猟民族です。ツングース系の言語を話し、古くは高句麗や渤海を建国し、朝鮮半島にも何度も攻め込んでいます。李氏朝鮮を建てた李成桂も、女真系だという説もあります。草原の遊牧民であるモンゴルとは宿敵同士で、女真が建てた金王朝はモンゴルに滅ぼされています。これを復活させたのがヌルハチという人物で、だから国号を「後金《こうきん》」と称し、民族名を「満洲」と改めました。

宇山　「女真」は漢民族から与えられたもので、自分たちで付けた民族名ではなかったからです。2代ホンタイジは1635年、民族名を「満洲」に統一しました。また、「後金」の国号も改めさせ、翌1636年、中国風の「清」と新たに名付けました。

「満洲」にどういう意味があるのか、はっきりとしたことはわかっていません。女真人は「文殊（マンジュ）菩薩」を崇拝していたことから、「マンジュ」に「満洲」の漢字が当てられたとする説などがあります。また、満州人は水に縁起を感じていたため、水を表す「さんずい」を付けて、「満洲」としました。「満洲」はもともと、民族名でしたが、地名にも使われるようになり、「さんずい」のない「満州」が特に地名として一般的に表記されるようになります。

茂木　陰陽五行説では、「火」に打ち勝つのは「水」。火徳の明王朝を倒すには水をシンボルにすればよい。だからさんずいの「満洲」を民族名、「清」を国号としたという説もありますね。

それから、ホンタイジのときにモンゴル系のチャハル部族が服属し、ホンタイジに遊牧民の長である「ハン」の称号を奉ります。このときホンタイジは満洲族だけの「後金」という国号を捨て、モンゴル・満洲連合国家として「清」という国号を採用しました。3代フリン（順治帝）のときに北京に入城し、今度は中華皇帝をも兼ねることになります。

宇山　清王朝は武力で押さえつけるやり方ではなく、公平な人材登用制を施行し、「満漢偶数官制」と呼ばれる人事制度を採用し、女真族と中国人を同数ずつ登用し、中国人知識人を広く懐柔しました。また、清王朝は科挙を実施し、儒教文化を尊重しました。

清は長子相続制を取らず能力主義だったため、康熙帝《こうきてい》、雍正帝《ようせいてい》、乾隆帝《けんりゅうてい》の3代にわたる優れた皇帝を輩出しました。絶え間ない対外侵略も国内の結束力を固めるうえで有効でした。清王朝の征服はモンゴル、台湾、ウイグル、チベット、ベトナム、ミャンマーにまで及びました。清王朝は多民族国家中国の原型を形成します。

18世紀後半には統計人口が約5倍に増大

宇山　清王朝は地丁銀と呼ばれる画期的な税制を施行しました。それまで、人間がただ生きて存在しているだけで課税する人頭税というものがありました。これは平民・貧民にも容赦なく課税されました。税金を払うことができない民衆は、子供が生まれても生まれなかったことにして、戸籍を届け出ません。法的にこの世に存在しない無戸籍者が実際の人口の70％はいたとされます。

茂木　最近まで続いた「一人っ子政策」で二人目以降は税制上不利になることから、二人目以降は届けず、無戸籍者になってしまうことが、いまの中国でも社会問題になっています。

図表14-2　中国人口動態

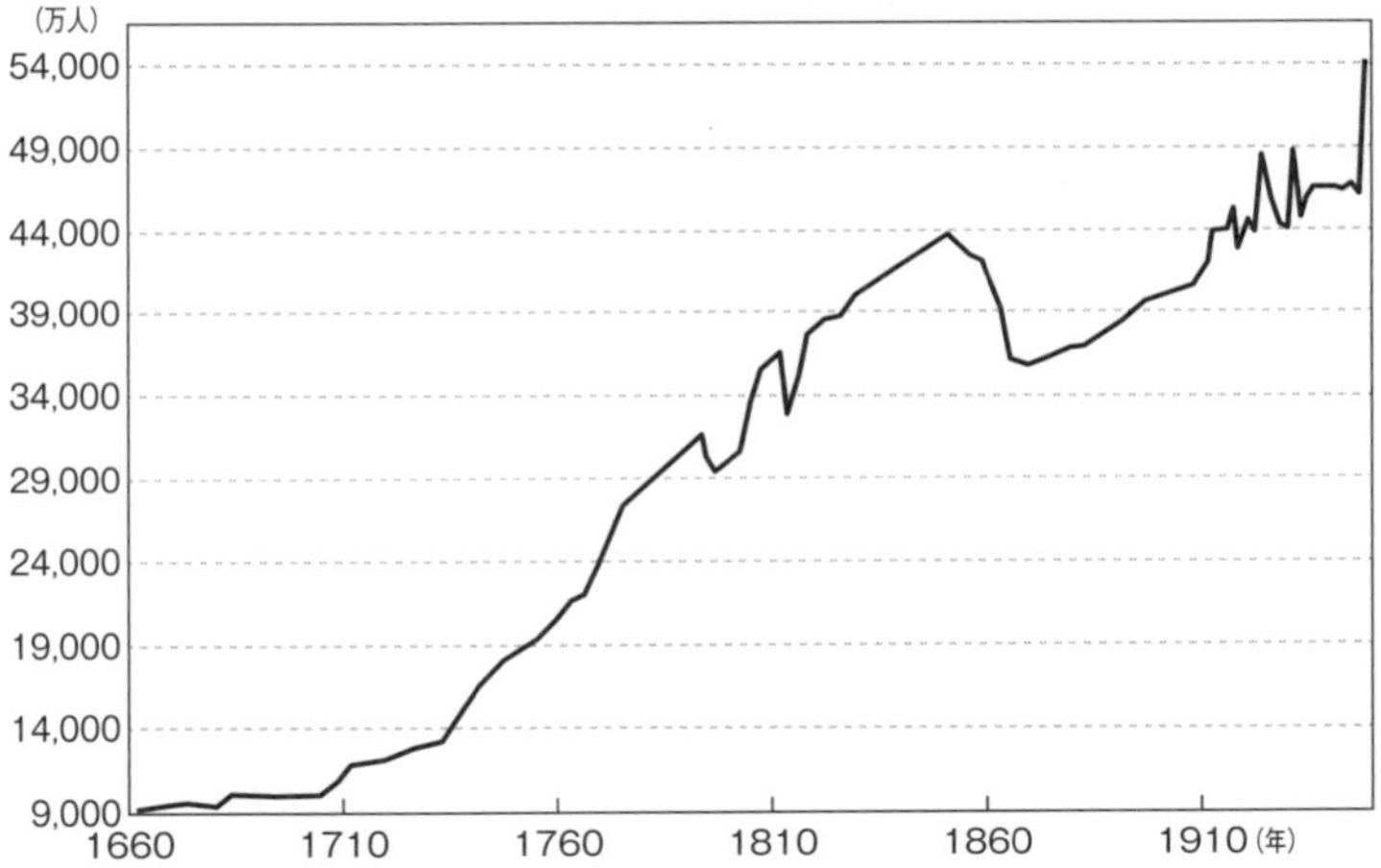

出典：出典中国国家統計局

宇山　清王朝の時代に入り、康熙帝による人口調査が１７１３年に行われました。しかし、人頭税を課せられることを恐れた民衆は逃げ隠れ、人口調査には応じません。

　そこで康熙帝は思い切って、人頭税の固定を宣言しました。これ以後生まれた人たち（盛世《せいせい》滋生人丁《じせいじんてい》）は人頭税を免除し、人頭税を定額化したのです。異民族王朝の清にとって、どの土地にどれだけの人間がいるか、という正確な人口データを把握できないことは反乱などに対応できないこともあり、致命的でした。

　人頭税廃止の宣言により、民衆は人口調査に応じ、戸籍を取得します。その結果、18世紀後半の清王朝時代には統計人口が約３倍に増大し、３億人となります。民衆は人頭税廃止を歓迎したのはもちろんのこと、逃げ隠れせず、堂々と市民生活を送ることができ、庶民の生活も活気づきました。

茂木　ポルトガル商人がもたらしたトウモロコシ、サツマイモなどアメリカ大陸産の作物が普及し、米のできない山間部でも農業が可能になったことも、人口爆発に拍車をかけました。

宇山　人頭税廃止による税収減は土地税で補われました。土地税は豊かな土地所有者のみを狙い打ちにするもので、主に漢人豪族から徴収されます。清王朝は漢人豪族の土地の所有権を認め、保証する代わりに、土地税を納めさせます。漢人豪族はこれを歓迎しました。もちろん、土地を持たない平民も、税を免れることができ、この税制を歓迎しました。康熙帝の時代に既にこうした税制の枠組みが決まり、子の雍正帝の時代に、「地丁銀」と命名され、本格稼働します。

地丁銀は異民族の征服王朝ならではの統治システムで、漢人豪族などの富裕階級からも歓迎され、平民階級からも歓迎されるという絶妙な政治均衡の上に成り立つものでありました。清王朝はこの地丁銀を統治の根幹として、長期安定の権力構造を築きました。

茂木　この時代、貿易でも圧倒的な黒字が続きました。清国は世界最大の工業国であり、絹織物、陶磁器、茶を世界に輸出していました。まだ産業革命前の欧米諸国は中国製品に憧れ、宮廷ではシノワズリ（中国趣味）が流行し、中国風ファッションまで真似されました。

特に紅茶の流行で大量の中国茶を買い付け、貿易赤字が続いていたイギリスがこれに不満を募らせます。清国が英国商人を朝貢使節扱いし、自由に交易させないことも不満でした。ジョージ3世は特使マカートニーを乾隆帝に派遣して、貿易不均衡の是正を訴えます。

これに対して乾隆帝がジョージ3世に与えた勅諭にいわく――

「天朝（清）の物産は豊かでないものはなく、外国製品で不足を補う必要はない。天朝に産《よ》する茶、磁器、生糸は、西洋各国や汝の国（英国）の必需品であるから、恩恵を与え、天朝の余沢《たく》に潤う（おこぼれにあずかる）ことを認めている」

貿易交渉の決裂後、イギリスが始めたのがインド産アヘンの中国への密輸でした。茶を買う代わりにアヘンを売りつけたのです。これが清朝に発覚し、アヘンを没収されたことを口実に、「貿易の自由を守る」という理由でイギリス海軍が清国を攻撃します。このアヘン戦争に敗北した清国は、亡国への道を転落していくのです。

15 徳川日本は世界有数の重武装中立国家だった

茂木　誠

■火砲（大砲と鉄砲）の誕生

茂木　「火薬帝国」Gunpowder Empiresという言葉があります。シカゴ大学のイスラム史学者マーシャル・ホジソンと、大著『世界史』を書いた文明史学者ウィリアム・マクニールがはじめて提示しました。16世紀以降、火砲（大砲と鉄砲）を独占した強大な権力によって統治さ

チャルディラーンの戦い（部分）

れるアジアの諸帝国を指す言葉で、オスマン帝国、イランのサファヴィー朝、インドのムガル帝国がその典型例とされ、明朝・清朝の中国、日本の江戸幕府もこれに含めることができるでしょう。

宇山　オスマン帝国は陸軍の重武装化を積極的に進め、軍隊を近代化していきますね。イランを統一したサファヴィー朝はイラク領有をめぐって、オスマン帝国とチャルディラーンの戦い（１５１４）を起こします。しかし、サファヴィー朝の誇る騎兵隊が、オスマン軍のイェニチェリ鉄砲隊の前になすすべもなく、倒れました。敗戦の衝撃からサファヴィー朝も火砲の採用に迫られました。

茂木　花火や爆竹に使われる黒色火薬は、硝石75・木炭15・硫黄10を混ぜ合わせたもので、これを発明したのは古代中国の「方士」と呼ばれる道教の修行者でした。驚くべきことに彼らはそれを、「不老長生の薬」として調合したのです。漢方医学を発達させた道士たちが、さまざまな原料を混ぜ合わせて人体への効果を確かめていくなかで、たまたま黒色火薬を発明したのです。ただし、「爆発するので取り扱い注意！」ということです。

宇山　のちにダイナマイトを発明したアルフレッド・ノーベルが、心臓病の薬ニトログリセリンの起爆性に注目してダイナマイトを開発したのとよく似ていますね。

茂木　中国技術史のジョセフ・ニーダムによれば、宋代の『真元妙道要略』に、「硫黄を以て硝石並びに蜜と合し、焼けば焔《ほのお》起き、手、面《かお》を焼き、屋舎を焼き尽くす」と黒色火薬の起爆性が明記されています。

カスティヨンの戦い

宋代の技術者たちは、矢の頭部に火薬筒を仕込んで飛ばす火矢（焼夷弾）を発明し、モンゴル軍との戦いで実戦投入しました。その効果を確かめたモンゴル軍が逆にこれを採用し、モンゴル帝国各地にまたたく間に広がったのです。モンゴル軍の日本侵攻でも、陶器のカプセルに火薬と金属片を詰めて投げる「鉄砲《てつはう》」という手榴弾が、爆音によって鎌倉武士団を動揺させた、という記録があり、長崎県の鷹島《たかしま》沖で実物が発見されています。

モンゴルの侵攻を受けたヨーロッパ諸国も火器の重要性に気づきます。実戦ではじめて大砲を使用したのは、百年戦争でフランスに攻め込んだイギリス軍です。初戦のクレシーの戦い（１３４６）では大音響でフランス騎兵を蹴散らし、同年のカレー攻略戦では攻城兵器として使用されました。ヨーロッパの城は石造りですので、大砲は有用だったのです。これに対抗してフランス軍も大砲の増産を開始し、戦争末期のカスティヨンの戦い（１４５３）ではフランス軍が３００門の大砲を投入してイギリス軍を敗走させました。

宇山　百年戦争で、火砲の前では騎兵の突撃がいかに無力かを西欧諸国は思い知りました。これ以後、怒涛の速さで火砲の携帯化が進められ、イタリア戦争（１４９４〜）では鉄砲（小銃）が登場しました。ドイツでは、銃の実用化が一気に進みます。

この時期は、スペインとポルトガルが大航海に乗り出した時代と重なっており、彼らの武装商船には小型化された大砲が積まれ、乗組員は小銃で武装していました。ポルトガル人が日本の種子島に鉄砲が伝えるのは１５４３年です。

■１０００年続いたビザンツ帝国を滅亡させた力

茂木　イスラム世界において火砲の重要性にいち早く気づいたのは、やはりオスマン帝国でしょう。もともとトルコ人騎兵を主力としていたオスマン帝国軍ですが、バルカン半島へ領土を広げる過程で、キリスト教徒出身の少年たちを訓練し、スルタン直属の常備歩兵軍（イェニチェリ）を編制していきました。１４００年代、彼らには最新の鉄砲と大砲が配備され、まだ騎兵戦法で戦っていた東欧諸国を圧倒していきます。

オスマン帝国の最終目的は、ビザンツ帝国の首都コンスタンティノープルの攻略でした。三重の城壁をいかに突破するか、作戦を練っていたメフメト2世のもとを、ハンガリー人技術者のウルバンが訪れます。彼は自分が考案した巨砲のアイデアをビザンツ皇帝に売り込もうとして相手にされず、宿敵のオスマン帝国にこれを売り込んだのです。

メフメト2世は目を輝かせ、これを採用しました。長さ8メートルを超えるウルバン砲は、巨大すぎて運搬できないため二つのパーツに分けて鋳造され、それぞれが30頭の牛に引かれて、コンスタンティノープル城外に配備されました。

１４５３年、コンスタンティノープル包囲戦が始まります。ウルバン砲は1発ごとに砲身を冷やす必要から1日数発しか撃てず、また砲弾は巨石なので爆発せず、壁にめり込むだけです。それでも少しずつ城壁にダメージを与え、またウルバン砲の発する轟音は、市民を心理的に揺さぶりました。包囲戦40日目、ついに城壁の一角が崩壊し、イェニチェリ軍団が鬨《とき》の声をあげて城内に突入します。

宇山　こうして、１０００年続いたビザンツ帝国が滅亡しますね。メフメト2世はしきたりにより3日間の略奪を許し、その後、この町に遷都しました。ここはやがて、イスタンブールと呼ばれるようになります。

茂木　中央アジアでは、チンギス・ハンの再来と呼ばれたカリスマ的な武将ティムールが没した後、遊牧民同士の抗争が続きました。ティムールの末裔であるバーブルは、サファヴィー朝に援軍を求めましたが、先述のチャルディラーンの戦いでサファヴィー朝がオスマン帝国に敗退したため、その可能性はなくなりました。逆に鉄砲の威力を知ったバーブルは急いで鉄砲隊を編成し、祖先ティムールが遠征したことのあるインドへ攻め込みます。デリーを都として北インドを治めていたロディー朝は10万の大軍を動員して迎撃しました。これにバーブル軍1万が立ち向かったのがパーニーパットの戦い（1526）です。結果は、バーブル軍の圧勝でした。鉄砲隊の前に、ロディー朝の騎兵隊がもろくも崩れ去ったのです。

宇山　バーブルはデリーに入城し、新たな王朝を開きました。ティムール家はモンゴル系なので、インドではバーブルを「モンゴル人」と呼び、訛《なま》って「ムガル帝国」となります。

■鉄砲の量産体制に入った戦国日本の軍事力

茂木　戦国時代の日本では、ポルトガル人来航の直後に刀鍛冶の手によって鉄砲が解体され、そのパーツをコピーすることによって国産化が始まりました。

宇山　種子島を治めていたのは、種子島時堯《ときたか》という16歳の若い領主でした。時堯はポルトガル人の持っていた火縄銃に目をつけ、その価値に気付きました。時堯は種子島の鍛冶屋に、銃の複製品を大量に作らせます。

しかし、発砲の衝撃に耐えられる銃を作ることは難しかったようで、ポルトガル人の協力が必要でした。鍛冶屋の娘の若狭がポルトガル人に嫁ぎ、協力を得る話は「若狭伝説」として、映画にもなっています。物語化された伝説は別として、ポルトガル人は鍛冶屋の娘らを人質に差し出すように要求し、無事に出国することができるように身の安全を確保した上で、銃製作の技術協力をしたものと思われます。

それにしても、種子島という辺境の鍛冶屋が、銃の製作技術を短期間に修得することができたことは驚くべきことで、日本人の技術力の高さを表していると思われます。銃はやがて、日本本土にも伝わります。

茂木　銃に目をつけたのが織田信長で、さっそく鉄砲隊を編成します。将軍足利義昭を奉じて京の都に入った信長を、背後から脅かしていたのが甲斐《かい》の武田信玄でした。京へ進軍した直後の武田信玄の死は伏せられ、子の勝頼が徳川領の三河へ侵攻します。これを知った信長・家康の連合軍約4万が三河防衛に向かい、武田軍1万5000を迎撃します（1575・長篠の戦い）。

イエズス会宣教師を保護していた信長はイタリア戦争の情報を得ていた可能性があり、この戦いでは本格的な野戦陣地を構築し、鉄砲隊を最前線に並べました。戦いは一方的なものでした。歴戦の武田騎兵隊は壊滅し、死者は1万を超え、重臣たちはことごとく討死したのに対し、織田・徳川軍の損害は軽微でした。武田家は間もなく滅亡し、信長が天下統一を進めます。

宇山　コンスタンティノープル、チャルディラーン、パーニーパット、長篠。この四つの戦いは火砲の圧倒的強さを証明し、中世の騎兵の時代が終わったことを象徴するものと言えますね。

茂木　中国の明朝もポルトガルから大砲を購入して万里の長城の防衛を強化したほか、秀吉の朝鮮出兵（1592〜）では朝鮮に援軍を送り、平壌の戦いでは明軍と日本軍が火砲による砲撃戦を行っています。

秀吉が朝鮮出兵に動員した兵力は、予備兵も含めると20万人。関ヶ原の戦いは両軍合わせて十数万人、大坂冬の陣（後述）では両軍合わせて29万人。火砲で武装し、これだけの兵力を動員できた国は、当時のヨーロッパにはありません。大坂の陣と同時期にドイツで続いていた三十年戦争では、1回の会戦で両軍合わせて数万人という規模でした。ましてアジアに軍隊を送るとなると、船による輸送力には限界がありますから、さらに兵力は逓減《ていげん》します。

宇山　要するに大航海時代の西欧列強には、オスマン、サファヴィー、ムガル、明朝、日本というアジアの火砲帝国を征服する軍事力がなかったのです。彼らが征服できたのは、まだ火砲を持たず、弓矢や刀剣、棍棒しか武器のなかったアメリカ先住民やアフリカ諸国、東南アジア島嶼《とうしょ》部――フィリピンやインドネシアの諸部族だけだったのです。

茂木　日本はすぐに鉄砲の量産体制に入ったため、植民地として分割されることは免れました。しかし黒色火薬の原料はインドからの輸入に頼っていたため、これをもたらすポルトガル商人を誘致するため、大村氏・有馬氏・大友氏など九州の諸大名は進んでカトリックに改宗し、土地を教会に寄進しました（キリシタン大名）。領内には教会が建てられ、神社仏閣は「邪教」として破壊されました。抵抗する日本人は捕縛され、奴隷としてポルトガル商人に売られました。

イエズス会の日本準管区長ガスパル・コエリョはスペイン領マニラの総督宛の書簡でこう書いています。

「もしも国王陛下の援助で日本66カ国すべてが改宗するに至れば、（スペインの）フェリペ国王は日本人という好戦的で怜悧な兵隊を得て、いっそう容易にシナを征服することができるであろう」

日本の軍事力に注目したイエズス会は、まず日本人をカトリックに改宗させ、日本軍を動員して明帝国を征服させ、明国人をもカトリック化しようと計画していたのです。安土城を訪れた宣教師ルイス・フロイスは、「信長が明国征服を計画していた」と証言しています。この計画は信長の死によって中断されたあと、秀吉の朝鮮出兵として形を変えて実行されました。つまり明国征服計画はイエズス会が立案して信長に吹き込み、のちに秀吉が、独自のプランとして実行したと考えられるのです（詳細は茂木誠『超日本史』第11章を参照）。

■オランダ・イギリスは家康の天下統一に貢献

宇山　オランダ・イギリスが日本に接近したのも、軍事大国日本をポルトガルから切り離し、彼らの同盟国にする思惑があったと考えられますね。

茂木　1600年、関ヶ原の戦いが起こる半年前のことです。九州の豊後に漂着したオランダ船リーフデ号の乗組員が救助され、家康に呼び出されました。黒髪のポルトガル人（南蛮人）

に対し、紅毛碧眼《こうもうへきがん》の彼らは「紅毛人」と呼ばれました。イギリス人航海士ウィリアム・アダムズは、その12年前にスペイン無敵艦隊と戦った経験を持ち、オランダ人ヤン・ヨーステンとともに外交顧問として取り立てられます。二人は武士として江戸の屋敷を与えられました。東京駅東口の「八重洲《やえす》」という地名は、ヤン・ヨーステンの屋敷跡を意味するのです。

宇山　豊臣秀吉は、キリシタン大名の背後にいるスペイン・ポルトガルの危険性について見抜いており、バテレン（宣教師）追放令を発しました。

一方、徳川家康はオランダのリーフデ号乗組員により、世界情勢をよく把握していました。また新教国のオランダやイギリスはスペインのイエズス会のように布教に興味がなく、貿易の利益だけを求めたので、家康とは利害が一致したのです。

茂木　オランダ・イギリスは、家康の天下統一にも貢献しました。日本における火砲の受容は、まず鉄砲が普及し、大砲があと、という順番になりました。都市には城壁というものがなく、基本的に木造である日本の城を攻めるのには、火矢と鉄砲で十分だったからです。

日本で、攻城兵器として本格的に大砲が使われたのは、豊臣家と徳川家が激突した大坂冬の陣（1614）です。秀吉が築いた大坂城には、その遺児の秀頼と母の淀君が立てこもりました。大坂城は二重の堀に囲まれた巨大な城塞で難攻不落を誇り、ポルトガル製のカノン砲も配備していました。

家康は大坂城を20万の大軍で包囲し、豊臣方のカノン砲の射程外に本陣を置きました。そこに、オランダ・イギリスから購入した最新鋭の大砲が到着しました。特にイギリス製のカルバリン砲は射程距離6キロ以上、豊臣軍の手の届かぬ遠方から砲撃を開始します。やがて砲弾が天守閣を貫き、淀君に仕える侍女たちが犠牲になったため、城内は騒然となります。淀君と秀頼は悟りました。「もはや大坂城は、何の役にも立たない……」

宇山　徳川軍の大砲には、堺で製造された国産のものもあったようですが、主力はイギリスから取り寄せたカルバリン砲であったようですね。カルバリン砲は、16世紀から17世紀にかけてヨーロッパで使われた大砲で、１５８８年のアルマダの海戦では、イギリス海軍がこれを用いて、スペインの無敵艦隊アルマダに勝利していますね。

茂木　豊臣家は和睦の条件として大坂城の外堀を埋めることを認めてます。家康はこれを好機として一気に内堀まで埋めてしまい、翌年の大坂夏の陣で大坂城は陥落、この戦いは秀頼母子の自刃による豊臣家滅亡で幕を下ろしました。

キリシタン大名が改宗あるいは取り潰されていく中で、キリシタン最後の抵抗が起こりました。島原の乱（１６３７～38）です。世界的な寒冷化による凶作に、領主・松倉氏の圧政が加わります。松倉重政は「キリシタン取締りが甘い！」と3代将軍徳川家光に叱責されたことを契機に、苛烈な弾圧に転じていたのです。

12万人の反乱軍は天草四郎という少年をリーダーにしましたが、実際にはキリシタン大名有馬氏の旧臣である浪人らが指導し、松倉氏から原城を奪って立てこもりました。海に面した原城に立てこもれば、キリシタン国ポルトガルが助けてくれると期待したのです。

原城を包囲した3万７０００の幕府軍。その指揮を執った老中・松平伊豆守信綱は老練で、

「知恵伊豆」と呼ばれました。信綱は長崎のオランダ商館長を呼び出し、軍事援助を求めたのです。「これは心理戦を狙ったものだ」、と信綱は語っています。オランダはバタヴィアから軍艦1隻を派遣し、洋上から原城を艦砲射撃しました。反乱軍は異国船の出現を見てポルトガルの援軍と勘違いし、歓喜の声を上げましたが、逆に砲撃されたために意気阻喪してしまったのです。

宇山　なるほど、大坂の陣と島原の乱、オランダは2度にわたって徳川家を助けたことになりますね。そのため、徳川家はオランダに、長崎における対日貿易の独占権を与えたのですね。

茂木　また、フィリピン攻略に日本軍を借りたいというオランダの要請を2代将軍秀忠は拒絶し、「重武装中立」を維持しました。欧州各国が絶え間ない戦争に国費を浪費した時代、日本は200年の平和を維持し、国内投資に専念できたのです。

対日貿易で入手した日本産の銀はオランダに莫大な利益をもたらしました。なおイギリスはオランダとの競争に敗れたため、対日貿易から手を引いています。

パクス・トクガワーナを支えた情報力と軍事力

茂木　日本はオランダを通じて最新の世界情報を入手しました。8代将軍吉宗は幕府の禁令を緩め、宗教書以外のオランダ語の書籍の輸入・翻訳を認めました。この結果、医学・天文・

軍事などに関するオランダ書が長崎で翻訳され、蘭学が生まれます。天然痘ワクチンの種痘が開発されたという情報もオランダ経由で伝わりました。

また、オランダ商館長が毎年江戸にやってきて将軍に謁見し、報告書を提出しています。この『オランダ風説書《ふうせつがき》』はその年の国際情勢を要約したもので、日本語に翻訳され、将軍と老中が回覧しました。幕府中枢には、アメリカ独立戦争も、フランス革命が起こったことも、ナポレオン戦争が始まったことも伝わっていたのです。

イギリスが清国を侵略したアヘン戦争（1840～）を受け、バタヴィア総督が東アジア情勢をまとめさせた『別段風説書』が作成、提出されました。1852年の『別段風説書』には、アメリカの東インド艦隊が出航して日本へ向かったことが、軍艦の名称や大きさとともに詳細に記されています。翌年のペリー来航の予告です。

ペリーが来た時、江戸の街は大騒ぎになりましたが、幕府中枢はすべて知っていたのです。「江戸幕府が鎖国したから、日本は世界の進歩に遅れてしまい、ペリーが来て大騒ぎした」という俗説は完全な間違いです。

ペリー来航の7年前にその前任者ビッドル提督は東インド艦隊を率いて浦賀沖に来航し、幕府に開国を要求しました。幕府は江戸湾に軍を動員してこれを拒絶し、水・食料だけ与えて退去させています。ビッドル艦隊はまだ帆船であり、軍事的にも劣勢でした。その後の7年間に、アメリカは蒸気艦隊を建造し、幕府軍を圧倒したのです。

宇山　劣勢は19世紀半ばからの短い期間だけで、日本はすぐに欧米に軍事力で追いつきますね。開国後の日本は急ピッチで技術革新を進め、半世紀後の日露戦争ではロシアを破るに至ります。

つまり日本が軍事大国になったのは明治維新以後というわけではありません。すでに信長・秀吉の時代から日本は「火薬帝国」であったという事実もありますからね。

茂木 そうです。徳川期の日本は、世界有数の重武装中立国家でした。

圧倒的軍事力が平和（ラテン語で「パクス」）をもたらす。これが世界史の教訓です。古代には「ローマの平和（パクス・ロマーナ）」があり、13世紀には「モンゴルの平和（パクス・モンゴリカ）」がありました。２００年続いた「江戸時代の平和（パクス・トクガワーナ）」も、その圧倒的な軍事力が支えていたのです。

このことは、将来の日本の安全保障を考える上で、教訓になると思います。

第4章

《近代》大英帝国と国民国家

16

「市民革命」は、なぜ西欧だけで起こったのか

茂木　誠

■「講座派」と「労農派」の日本資本主義論争

茂木　「市民革命／ブルジョワ革命Bourgeois revolution」という言葉は、マルクス主義歴史学の用語として広まりました。

ドイツ出身の社会主義者マルクスは「人類普遍の歴史法則」なるものを見出そうと努力し、古代奴隷制→中世封建制→近代資本主義→未来の共産主義、という4段階を定式化しました。そして中世封建制を支えていた王権や貴族を打倒し、近代の資本主義社会を打ち立てたのが市民革命であり、その担い手は市民階級――すなわち商工業者であった、と説明しました。ところがこの資本主義社会では、工場を所有する資本家が新たな支配階級になってしまった。だから今度は労働者革命によって資本家を打倒し、万民平等の共産主義社会を実現しよう、というのがマルクス主義のストーリーです。

宇山　マルクス主義者は「市民革命→労働者革命」という定式を無理やりに歴史に当てはめ

赤軍による冬宮の破壊（イワン・ウラジミーロフによる挿絵）

ようとしたのですね。しかし、現実の歴史はこのような定式に、いつも当てはまるとは限りません。フランスなど西ヨーロッパのいくつかの国には当てはまるかもしれませんが、それは全ての国や地域に当てはまるものではありませんね。

茂木　そうです。イギリスでさえ、革命後も王権や貴族制度は存続したのです。

20世紀まで貴族の大土地所有が続いたロシアでは、まだ近代資本主義社会に移行したとは考えられず、まずは市民革命を起こさなければならない、ということになりました。しかし市民革命の主体は資本家であり、労働者は彼らに協力すべきなのか？　という疑問が生じます。これが原因でロシアのマルクス主義者たちは2派に分裂しました。

少数派（メンシェヴィキ）は革命の主体である資本家に協力すべきだと説いたのに対し、多数派（ボリシェヴィキ）は市民革命の直後に労働者革命を起こして資本家を打倒せよ、と訴えました。

宇山　ボリシェヴィキ率いるレーニンがロシア革命を成功させ、ソヴィエト政権の実権を握ったため、世界のマルクス主義者はレーニンらのボリシェヴィキ革命を共産主義革命の模範にしますね。

茂木　ロシア革命の衝撃とともにマルクス主義は世界の知識人を魅了し、大正時代の日本にも流れ込みます。各国は暴力革命を宣伝する共産党の活動を禁止し、日本でも治安維持法（1925）で暴力革命を唱える政党の活動を禁止し、日本共産党も非合法化されました。しかしマルクス主義の研究自体は黙認され、書店にはマルクス主義者の書いた書籍が堂々と並んでいたのです。

レーニンが世界革命の司令部としてモスクワに置いたコミンテルン（共産主義インターナショナル）の支部として各国に共産党が設立され、日本共産党もその一つとして生まれました。日本史がよくわかっていないロシアの革命家たちは、天皇をロマノフ王朝のような専制君主と勘違いし、「天皇制」――この言葉もコミンテルンが作った用語です――の打倒を日本革命の方針（テーゼ）としました（32年テーゼ）。

この間違った歴史観を前提として、日本のマルクス主義者はマルクスの発展段階理論で日本史を解釈し直そうという無駄な努力に時間を浪費したのです。「講座派」と「労農派」の日本資本主義論争です。

講座派は、昭和初期に岩波書店から発刊された『日本資本主義発達史講座』の執筆メンバーです。彼らはコミンテルンの32年テーゼを無批判に受け入れ、明治維新以降の近代日本を「天皇制絶対主義」と規定、その打倒のためのブルジョワ革命がまず必要なのだ、と論じました。野呂栄太郎や羽仁五郎のグループで、その影響は敗戦後の丸山眞男や大塚久雄まで受け継がれます。

労農派は雑誌『労農』の執筆グループで、山川均や福本和夫が指導しました。彼らの主張は、革命はそれぞれの国の歴史的条件に規定されるもので、コミンテルンの指導はおかしい。明治維新は「ブルジョワ革命」、近代日本は「ブルジョワ天皇制」であり、これを打倒する労働者革命が必要だというもの。彼らは日本共産党を離れ、敗戦後は日本社会党に集結しました。戦後の左派論壇をリードした丸山眞男や向坂逸郎はこの流れです。

宇山　つまり、「講座派」と「労農派」は「天皇制打倒」の目標は同じでも、その歴史認識や革命の手法をめぐって対立していたということですね。「講座派」はいまだ、日本にはブルジョワ社会が到来していないとした。一方、「労農派」は既に明治維新で、ブルジョワ社会が到来したと考えていました。そのため、革命はブルジョワ革命（講座派）であるべきか、労働者革命（労農派）であるべきかを争ったのですね。一流大学で高い教育を受けたエリートたちが、このような噴飯物の議論で人生を無駄にしたのは、近代日本の不幸としかいいようがありません。

■カルヴァン派が発展させた資本主義

茂木　ここでマルクス主義の空理空論を離れて、市民革命の実態を見てみましょう。市民革命は、宗教改革の余波から発生しました。スイスで活動したカルヴァンは、ルターと並ぶ宗教改革者ですが、その影響力はすさまじく、ヨーロッパ社会を根本から変えてしまいました。

カトリックでは蓄財を罪とし、教会への寄進によって魂が救われる、と説きました。そのあげく、贖宥状（免罪符）なるお札を高値で販売し、信徒からカネを巻き上げるようになっていたのです。カルヴァンは「予定説」を唱えました。

「誰の魂を救うかは神が予定しており、教会に寄進しても何の効果もない」

「信徒は一人一人が神と向き合い、禁欲的な生活を続け、各自の職業に専念せよ」

「蓄財そのものは罪ではない。その財産を浪費し、快楽に溺れるのは罪である。財産はすべて投資に回し、事業を拡大し、ひたすら働け」

だからカルヴァン派のオランダ人やイギリス人は海外へ渡っても布教には関心がなく、ひたすら貿易の利益だけを求めたのです。このように、勤労は美徳であり、資産を増やすことが人生の目的であるという考え方を、「資本主義」といいます。

宇山　富や利財を世俗的なものとして忌避し、カネに携わる商人などの職業を蔑視する従来のカトリックの考え方に対し、宗教改革を行ったルターやカルヴァンは全ての職業は尊いと主張し、「職業召命」の理念を唱えます。「職業(ベルーフBeruf)」というドイツ語は「呼ぶ」という本義的な意味を持っています。神が人を呼び召して、使命を与えるというのが「召命」で、その「召命」によって、各自の使命たる職業が与えられるとする考え方です。

マックス・ウェーバーという20世紀のドイツの思想家がいます。ウェーバーの代表作は『プロテスタンティズムの倫理と資本主義の精神』（１９０５）です。この「ベルーフ」という単語は、ルターによって、意図的に使われはじめたとウェーバーは述べています。日常の職業労働に励むことが、プロテスタントにとって宗教的な勤めを果たすことであり、仕事によって得られる報酬は神の恵みと考えられました。勤労と節約によって蓄財されたカネが資本となり、近代の資本主義はそれを元に発展していくとウェーバーは主張します。

従来、忌避された利子取得を主とする銀行業などがカルヴァン以降、公的企業として認知され、近代的な金融資本が発展します。ウェーバーはカルヴァンの「営利蓄財の肯定」が資本主義の精神基盤となり、ヨーロッパの近代化を支え、また資本主義社会発展の原理となったと主張します。

茂木　カルヴァン派が広まった西欧諸国では資本主義が浸透し、やがて産業革命が起こりました。南欧のカトリック諸国では、「蓄財は罪」というカトリックの道徳自体が足枷《あしかせ》となり、産業の発展にブレーキがかかります。いまでもEU諸国の経済を牽引しているのは西欧諸国であり、スペイン・イタリアなどの南欧諸国は「お荷物」になっていますね。

またカルヴァンは、ローマ教皇を「神の代理」とするカトリックの教理を否定しました。神と信徒は直結しており、その中間に「神の代理人」を置くことを拒絶したのです。教会の指導者である司教の権威も否定し、教会の指導者はその教会に集まる信徒が下から選ぶべし、と主張しました。この信徒代表を「長老」と呼び、カルヴァン派のことを「長老派教会」ともいうのです。

この結果、ある国や地域でカルヴァン派が多数派になれば、彼らはそこを治める君主権を否定するようになります。それが起こったのがオランダとイギリスでした。スペイン領のオランダでは「カトリック教会の守護者」を自任するスペイン王フェリペ2世に対し、カルヴァン派の貴族・市民が立ち上がり、スペインからの独立を成し遂げました。この過程でオランダの経済は飛躍的に発展し、世界初の株式会社（オランダ東インド会社）や世界初の中央銀行（アムステルダム銀行）が設立されます。近代資本主義はオランダから始まったと言っても過言ではなく、オランダ独立戦争は、宗教戦争と市民革命という二つの側面をもっていたのです。

宇山　「営利蓄財の肯定」が市民に富を行き渡らせ、市民の力が醸成されます。さらに、彼らは教会の指導者をその教会に集まる信徒が下から選ぶという民主主義的な手法を主張し、君主権を否定するという構造ですね。

■ピューリタン革命と、元に戻った名誉革命

茂木　オランダに続いたのがイギリスです。贅沢を嫌い、禁欲的で質素（ピュア）な生活を送ることから、イギリスのカルヴァン派は「清教徒（ピューリタン）」と呼ばれました。一方、イギリス王ヘンリ8世は自身の離婚問題から、離婚を認めないカトリックを捨て、国王を指導者とする「イギリス国教会」を設立しました。国王が「神の代理人」となったのです。これは当然、カルヴァン派の教義に反します。

イギリスは中世のマグナ・カルタ（大憲章）以来、王権と貴族との対立の中で徐々に形成されてきた慣習法（コモン・ロー）によって王権が制限され、貴族・市民代表の議会が国政を担

ってきました。このような伝統を守ろうとする議会と、王権神授説を盾に国教会を強制する国王チャールズ1世との対立が深まると、議員の多くは国教会からピューリタンに改宗し、国王との内戦（ピューリタン革命）に突入したのです。

宇山　ピューリタンの中には、国教会との妥協を図り、王政を存続させる「長老派」と、国教会の廃止と共和政を目指す「独立派」がいました。議席数では長老派が多数でしたが、独立派の軍人クロムウェルは国王チャールズ1世を捕虜にした上で、クーデターで長老派を議会から追放し、共和政を宣言します。そしてチャールズ1世に対して「国家反逆罪」を適用し、公開処刑しました。

茂木　クロムウェルは、イギリスをピュリファイ（浄化）して、「神の国」を建てねばならぬと信じ込む狂信者でした。反対勢力は「神の敵」と呼んで容赦なく虐殺し、やがて議会も停止してしまいます。イギリス共和国の実態は、クロムウェル独裁体制でした。

クロムウェルは「娯楽も贅沢も敵だ！」と信じていました・酒・タバコもオシャレも禁止、劇場も閉鎖され、讃美歌以外の歌を歌うこともダンスも禁じました。このような人間性に反する体制が長く続くはずがありません。クロムウェルの死後、長老派が軍と結んでカウンター・クーデターに成功し、フランス亡命中の王子を呼び戻して王政復古が実現します。

政権に復帰した長老派は国教会に改宗し、国王と議会が共存する立憲君主政を目指しました。しかし議会を嫌う国王は、フランス王ルイ14世と軍事援助の密約を結び、議会を無視します。両者が衝突して2度目の革命（名誉革命）となり、議会は新教国オランダの支援を得て国王ジェームズ2世を追放し、オランダ総督夫妻をイギリス王に迎えます。オランダ総督夫人はジェームズ2世の娘だったので、血統的にも問題なかったのです。

宇山　ジェームズ2世はフランスへ亡命しました。王の追放は戦わずして達成されたため、この革命は「名誉革命Glorious Revolution」と呼ばれますね。名誉革命で確立した立憲君主政は、今日に至るまで300年以上続く、世界で最も安定した政治形態となります。

茂木　狂信者クロムウェルの共和政はイギリス史における例外中の例外だったのです。中世以来の慣習法（コモン・ロー）の秩序、王と議会との共同統治の体制に戻したのが名誉革命でした。その直後に議会が定めた「権利章典」は、マグナ・カルタ以来の議会の伝統的特権を王に再確認させたもので、イギリス憲法の一つとされます。王権も貴族制度も大土地所有制もそのまま残しました。「封建制を破壊してブルジョワ支配を確立した」というマルクスの市民革命の定義には当てはまらないのです。

そもそも英語の革命／レヴォルーションRevolutionの語源は、ラテン語のrevoltio（回転する）。「ぐるっと回転して元に戻った」「伝統に戻した」という意味ですから、名誉革命はまさに「保守革命」と呼ぶべきものだったのです。

■フランス革命の狂気、そしてマルクスの共産主義へ

茂木　ところがアメリカ独立革命とフランス革命は、まったく新しい体制を樹立したという

点で、イギリスの革命とは違いました。両者は慣習法に従ったのではなく、「自然法」なる新しい概念に従って国政を変革したのです。

「自然法」もカルヴァン派のオランダで生まれました。スペインの圧政に苦しむオランダ人の抵抗は、スペインの法では「反乱」となります。だからオランダ人は、スペインという国家の法の上に、「神の法」としての自然法を想定しました。この自然法が、全人類の自由や平等、所有権などの「自然権」、あるいは「人権」を保障しているのであり、これに反する国法には従わなくてよい、と考えたのです。

イギリス革命期の哲学者ホッブズは、「個々人が自然権を守るために争う戦争状態」を回避するため社会が生まれ、主権者（王）が選ばれた、という社会契約説を唱え、後継者のジョン・ロックは、「人民の自然権を脅かす主権者はクビにすべきだ。人民はもっとマシな人物を、新たな主権者に据えるべきだ」（『統治二論』）と主張しました。

名誉革命を体験したロックは、暴君ジェームズ２世を廃位させ、オランダ総督夫妻を王に招いた名誉革命を擁護し、社会契約説によって理論化したわけです。社会契約説は、参政権が制限されていたアメリカ13植民地やブルボン朝絶対主義が続くフランスで、現状打破のための革命理論として受け入れられました。

宇山　アメリカの独立宣言ではこう明記されました。

「すべての人は平等であり、生命・自由・幸福の追求という権利を持つ。もし政府がこれらの権利を侵害する場合には、人民はこれを改廃し、新たな政府を樹立する権利を持つ」

また、フランス人権宣言にはこうあります。

「政治的結合の目的は、自然権の保全である。その権利とは、自由、所有権、安全、圧政への抵抗である」

茂木　このような、理性によって「新たに発見された理念」に合わせて、「遅れた現実社会」を改変しようという思想を啓蒙思想といいます。アメリカ独立革命とフランス革命は、まさに啓蒙革命でした。

フランス革命の指導者たちは、「自然権を守る」という理念を実現するために、従来のさまざまな制度を「旧体制（アンシャン・レジーム）」と呼んで破壊しはじめました。先に触れましたが、最初は貴族が憲法を制定して王権を制限し、次にブルジョワジー（富裕市民）代表が王政の打倒を叫び、最後には下層市民が暴力で国王ルイ16世を処刑し、貴族とブルジョワジーをギロチンで殺しました。キリスト教も「迷信」として廃止され、教会は焼き討ちされ、聖書は焼かれました。歴代国王の墓も略奪され、遺骨はゴミとして捨てられました。

このフランス革命の破壊と殺戮を賞賛し、いや不十分だったと分析したのがマルクスです。フランス革命は貴族制を廃止し、土地を貧困層に分配したが、土地の国有化にまでは至らなかった。だからブルジョワ社会がまだ続いており、労働者が虐げられているではないか。次の革命ではブルジョワジーを徹底的に根絶し、万民平等の地上の楽園、共産主義を実現しなければならない——。

このマルクスの考えを実行したのが、レーニンとスターリンであり、毛沢東と金日成であり、ポル・ポトでした。共産主義の犠牲者は世界で推定1億人に達するという試算がありますﾞ（ニコラ・ヴェルト『共産主義黒書（ソ連篇）』）。

宇山　ロックの社会契約説と啓蒙思想が、フランス革命の狂気を生み出し、さらにはマルクスの共産主義に繋がったということですね。

茂木　日本人は賢明にも理性に振り回されず、市民革命を起こさず、また共産主義を拒絶しました。社会をゆっくりと変容させ、良き伝統は守り、悪しき伝統は手放し、皇室の伝統と議会政治、民主主義が調和する社会を作りあげました。これは世界に誇るべきことです。「歴史に学ぶ」とは、こういうことなのです。

17

イギリスの世界支配、覇権の構造

宇山卓栄

■覇権国家・三つの条件とは

宇山　学校の世界史の授業で、16世紀にスペインが、17世紀にオランダが、18世紀から19世紀にイギリスが、20世紀にアメリカがそれぞれ、覇権を握ったということを教えます。21世紀は中国が覇権を握る時代になるとも言われています。

スペインやオランダは世界に進出し、覇権を築きましたが、18世紀以降、それとは比べものにならないくらいイギリスの世界支配の構造は強固なものとなり、世界各地の人々がイギリスの支配に従属し、グローバル化の波に飲み込まれていきます。イギリスは巧妙な「収益＝収奪」のシステムを形成し、莫大な利益を世界中から集めました。

社会学者のイマニュエル・ウォーラーステインによると、覇権国家は「圧倒的な生産力」、「圧倒的な流通力」、「圧倒的な金融力」の三つの条件を持ちます。近世以降、そのような覇権国家となった国はオランダ、イギリス、アメリカの三つの国だけである、とウォーラーステインは述べています。

ウォーラーステインは、大航海時代のポルトガルやスペインは交易において優位を保っていたものの、両国とも生産や金融が発展せず、三つの条件を充分に満たしていないため、覇権国家とは言えないとしています。

茂木　スペイン王とポルトガル王を兼ねたフェリペ2世は、「太陽の沈まぬ国」と呼ばれた植民地帝国を築きました。それは先に述べたように、弓矢や棍棒しか持たなかった中南米や東南アジアの先住民を、火器と騎兵で制圧することで生まれた軍事国家でしたが、それを支える資金は植民地からの収奪に頼っていました。工業製品を生産して輸出利益を得るとか、産業に投資してリターンを得るとか、カネを貸して利子を得る、という発想がなかった。これは「蓄財を罪」とするカトリックの教義が関連しており、このリミッターを解除したカルヴァン派の蘭・英との決定的な違いです（第4章16節参照）。

もう一つのポイントはユダヤ人です。投資や金融はユダヤ人の得意分野ですが、スペインのイサベル女王がレコンキスタ（対異教徒戦争）に勝利した結果、ユダヤ人をすべて追放してしまいました。行き場のなくなったユダヤ人は、スペインの宿敵である英蘭に難民となって大量流出しました。このことは、アムステルダムやロンドンにユダヤ・マネーが流出したことを意味します。世界初の中央銀行はアムステルダム銀行ですし、世界初の先物取引もアムステルダムで始まりました。17世紀、オランダの貿易量は世界貿易の50％に達しています。

ユダヤ人は新大陸に英蘭が建設した植民地にも流出しました。たとえばオランダ領ニューアムステルダムはユダヤ人の避難所として出発し、のちに英蘭戦争で英領となり、ニューヨークと改称しました。

当時のニューヨークはマンハッタン島の南半分だけであり、境界線にはオランダが建設した城壁がありました。ニューヨークの発展とともに城壁（ウォール）が取っ払われて東西道路となり、壁の記憶は「ウォール街」の名前として残りました。ここにユダヤ系の銀行が軒を連ねたため、のちに世界の金融センターへと変貌します。

宇山　経済史家チャールズ・キンドルバーガーも、「国際的な貿易力」、「金融力」、「資本力」などを覇権国家の条件として挙げています。ウォーラーステインの師であったブローデルも、ほぼ同じ条件を挙げています。

世界には覇権国家という「中心」が各時代にあります。世界の富はその「中心」に向かって集まり、「中心」や「中心」に追随するセクターだけが、利益を上げていく仕組みになっているのです。「グローバリズム」というのはその仕組みのことを指すと言ってもよいでしょう。

茂木　ウォーラーステインの「世界システム論」ですね。前近代においては、帝国が周辺の従属国を経済的に従える「世界システム」が、地球上の各地域に生まれました。ローマ世界システム、イスラム世界システム、中華世界システムなどです。これが大航海時代に単一の「近代世界システム」として市場統合されたが、世界統一ができるほどの超大国は現れず、その主導権をめぐって覇権争いが繰り返された、という理論です。ウォーラーステインがいう「近代世界システム」こそ、いまの言葉でいうグローバリズムそのものです。

イギリスの悪辣なる収奪システム

宇山　産業革命はイギリスに富をもたらしました。しかし、産業革命をコピーした欧米や日本にも、富はもたらされました。イギリスが産業技術において優位であったのは18世紀後半の僅かな期間だけであって、すぐに他国にマネされてしまいます。イギリスは工業製品の生産量を飛躍的に増大させますが、他国もこれに追随し、各国が安売りのダンピング競争を行った結果、イギリスの利益は相対的に抑えられました。

産業革命以降、イギリスは工業製品を大量に輸出し、利益を得たとする俗説がありますが、図表17-1が示すように、イギリスの貿易収支は常に赤字であり、その赤字額は年々、増え続

図表17-1　イギリスの国際収支

（単位：100万ポンド）

年	貿易収支	貿易外収支	経常収支	海外債権残高
1816—20	-10.58	17.8	7.22	46.1
1821—25	-7.8	18.14	10.34	97.8
1826—30	-14.76	17.34	2.58	110.7
1831—35	-12.52	18.9	6.38	142.6
1836—40	-23	25.62	2.62	155.7
1841—45	-19.34	25.24	5.9	185.2
1846—50	-25.84	30.54	4.7	208.7
1851—55	-32.74	40.72	7.98	248.6
1856—60	-33.72	59.94	26.22	379.7
1861—65	-59.04	81.06	22.02	489.8
1866—70	-65.14	105.64	40.5	692.3
1871—75	-64.04	138.64	74.6	1065.1
1876—80	-123.74	148.56	24.82	1189.4

出典：Albert H. Imlah『Economic elements in the Pax Britannica』

けています。イギリスは貿易外収支（海運業、サービス業、海外金融業、海外投資収益）で稼ぎ、貿易収支の赤字を補っていました。

以上の点から、イギリスを覇権国家に押し上げた主要な原因は産業革命による生産力拡大でないことは明らかです。イギリスが他国よりも優位に立つことができた根本的な原因は、他国がマネできない独自の収益構造を形成することができたからです。

茂木　工業製品の輸出で収益を得る産業資本の段階から、資本輸出（海外投資）でリターンを得る金融資本の段階へ進んだわけです。これはすべての工業国がたどる道です。かつて工業立国といわれた日本も価格競争で韓国や台湾、中国に敗北を続け、２０１１年の福島原発事故をきっかけに貿易収支は赤字に転落しました。ところがその後も日本の海外投資額は伸び続け、現在、日本の対外資産は４００兆円を超え、世界1位になっています。

宇山　ところがイギリスが採った方法は、かつてのスペイン、オランダにさえなかった悪辣なものでした。ましてこの悪辣さは、日本人をはじめアジア人にも発想すらなかったものでした。産業革命期の技術開発に見られるようなイギリス人の忍耐力と真面目さがイギリスを強くしたことは認めますが、それだけでは到底、世界の覇権を握ることはできません。そもそも、覇権というものはその本質において、犯罪的な収奪によって成立することが多いように思います。マトモにやっていては、のし上がることができない。

ウォーラーステインは覇権国家の条件を「圧倒的な生産力」、「圧倒的な流通力」、「圧倒的な金融力」と言いましたが、これら三つの条件に加え、「圧倒的な詐術力」、「圧倒的な強奪力」の二つの条件を加えなければなりません（笑）。

茂木　なるほど、これは日本人にはできませんね（笑）。

宇山　イギリスの悪辣なる収奪システムの拡大には、三つの段階があります。第1段階は16世紀の私掠船の略奪、第2段階は17～18世紀の奴隷三角貿易、第3段階は19世紀のアヘン三角貿易です。

第1段階の私掠船とは、国王の特許状を得て、外国船の捕獲にあたった民間船で、国王が許可し、国王や貴族が資金援助した海賊船でした。イギリスの私掠船は、スペインやポルトガルの貿易船を繰り返し襲い、積み荷を略奪しました。積み荷を売却した利益は国王や貴族などの出資者に還元され、イギリスの初期資本の蓄積に寄与します。近年、この海賊私掠船のスポンサーリストが発見され、エリザベス女王の名前も掲載されていました。

茂木　スペイン無敵艦隊（アルマダ）を撃破したドレークも、私掠船の司令官あがりでしたね。

■「黒い積み荷」と「白い積み荷」

茂木　イギリスの第2段階の収奪は17世紀後半以降の黒人奴隷貿易です。イギリスは銃や剣などの武器をアフリカに渡し、黒人奴隷と交換します。黒人をカリブ海の西インド諸島に搬送し、砂糖プランテーションで強制労働させて、砂糖をイギリスに持ち帰る三角貿易を行います。

茂木　黒人奴隷貿易は、中世のムスリム商人が始めました。これを模倣したのがポルトガル人で、その規模を拡大させたのがイギリス人でした。

宇山　黒人は「黒い積み荷」、砂糖は「白い積み荷」と呼ばれました。大量に供給された砂糖は増大する人口のカロリーベースを補っていきます。

イギリスは17～18世紀、スペインやフランスという競合者と戦争をし、彼らに勝利することで、奴隷貿易を独占し、莫大な利益を上げていきます。当時、奴隷貿易ビジネスへ出資した投資家は30％程度のリターンを得ていたとされます。この犯罪的な人身売買ビジネスが、イギリスにとって、極めて有望な高収益事業であったことは間違いありません。

フランスもイギリスに続き、カリブ海諸島やハイチに進出し、黒人奴隷を使った砂糖プランテーションを経営します。アダム・スミスも言及するほど、ハイチの砂糖プランテーションは繁栄し、大きな利益を上げていました。ハイチなどのフランスのプランテーションに黒人奴隷を売っていたのはイギリスでした。

茂木　カリブ海の島国ジャマイカはもと英領で、住民のほとんどは黒人奴隷の末裔です。2015年、このジャマイカを訪問したイギリスのキャメロン首相に対し、ジャマイカ首相がこう質問しました。

「キャメロンさん、過去の奴隷貿易をどう考えますか？」

これに対してキャメロンは、「私はイギリスとジャマイカの未来を語りに来たのです。過去について話すことはありません」と、謝罪も賠償も拒否しました。さすがは「紳士の国」イギリスです。

宇山　18世紀前半から産業革命がはじまると、綿需要が高まり、綿花栽培のプランテーションが西インド諸島につくられます。綿花は砂糖に並んで「白い積み荷」となります。17〜18世紀のイギリスは砂糖や綿花を生産した黒人奴隷の労働力とその搾取の上に成立していました。

18世紀後半に至るまで、1000万人〜1500万人の奴隷たちがアフリカから連行されたため、アフリカ地域の人的資源が急激に枯渇し、奴隷の卸売り価格が上昇しました。また、南北アメリカの砂糖、綿花の生産量増大による価格低下で、奴隷貿易の利益は先細りしはじめました。人道的な批判や世論も強まり、イギリス議会は1807年、奴隷貿易禁止法を制定します。

茂木　ウィルバーフォースの奴隷解放運動ですね。彼はキリスト教人道主義の立場から、奴隷貿易に反対して議会立法にこぎつけました。この奴隷貿易禁止２００周年を記念して２００６年に公開された映画『アメイジング・グレイス』に描かれています。

アメリカでも、「黒人奴隷を解放して西アフリカに戻そう！」というアメリカ植民協会の運動が起こります。彼らは、西アフリカの一角を現地の王国から買い取って「自由の国」を意味する「リベリア」と名付け、当時のアメリカ大統領モンローにちなんで、首都をモンロヴィアと名付けました。

宇山　しかし、それでも19世紀半ばまで、奴隷貿易は続きました。この頃、イギリスはインドの植民地化を着々と進め、インド産の原綿を収奪しました。また、ポルトガル領ブラジルでは砂糖の生産量が飛躍的に向上しました。原綿、砂糖の供給が増加し、価格が下がる一方の状況で、奴隷貿易は遂に利益が出なくなり、自然消滅していきます。奴隷貿易がなくなったのは人道的な理由というよりはむしろ、経済的な理由によるところが大きかったと言えます。イギリスは黒人奴隷を搾り取れるところまで充分に搾り切って、自らの覇権の肥やしとしたのです。

■インドのアヘンと中国の茶を結びつける三角貿易

宇山　ここまでが、イギリスの第2段階の収奪でしたが、ここからが第3段階の収奪です。これが前代未聞の悪辣さで、どの国もマネができませんでした。

奴隷三角貿易の衰退とともに、19世紀、イギリスはインドのアヘンと中国の茶を結びつける三角貿易をはじめます。イギリスで喫茶の習慣が拡がり、イギリスは中国の茶を求め、銀で支払いをしていました。そのため、イギリスは輸入超過状態となり、銀の流出が止まりませんでした。そこで、イギリスはインド産のアヘンを中国に輸出し、銀に代替させ、茶を中国から得ました。

ジャーディン・マセソン商会などの貿易商がアヘンの中国への輸出を担当し、大きな利益を上げて、逆に中国側の銀が流出しはじめました。ジャーディン・マセソン商会は1832年、マカオで設立されています。イギリス東インド会社の別動隊のような役割を担った民間商社で、アヘン貿易を取り仕切ります。

茂木　ジャーディンとマセソンは、もともと東インド会社の社員でした。アジア貿易のノウハウを学ぶと独立し、清国へのアヘン輸出を主な業務として巨利を得ました。日本が開国すると同社は長崎や横浜にも支店を開きました。長崎代理店勤務のトマス・グラバーは独立してグラバー商会を創業し、薩長への武器輸出を手掛けました。維新後、ジャーディン・マセソン横浜支店長に抜擢された吉田健三も明治政府への武器輸出で利益を上げました。その養子がマッカーサーに協力し、自由民主党をつくった吉田茂です。

宇山　当時の清王朝は地丁銀によって、銀で納税をさせていました。アヘン貿易による銀の大量流出によって、中国の銀価が約2倍に急騰し、納税が滞りました。清王朝は財政を揺るがす事態を放置できず、アヘンを全面禁輸し、アヘン吸引者を死刑にするなど、厳しい措置を取りました。

　しかし、アヘン中毒者は既に広範に拡がっており、朝廷の高官まで中毒に侵されていました。皇帝からアヘンの取り締まりを命ぜられた林則徐が、高官たちを広間に集めて座らせると、中毒にかかっている彼らは2時間、席に座っていることができず、禁断症状が出て、バタバタと苦しみはじめたといいます。

トマス・グラバー

吉田健三

　1839年、林則徐は広州に赴き、イギリス商人のアヘン2万箱を没収して焼却し、商館区の封鎖を強行しました。怒ったイギリスは清王朝を武力で制裁するため、1840年、アヘン戦争を起こします。

■軍産複合体ジャーディン・マセソン商会

茂木　イギリスのパーマストン外相は、清国が朝貢外交を要求し、イギリス製品を事実上締め出している現状を打破するのは、武力行使しかないと考え、出兵のチャンスを狙っていました。林則徐によるアヘン没収事件は、これに絶好の口実を与えてしまったわけです。

宇山　アヘン貿易については、倫理的な面からイギリス国内でも激しい批判がありました。アヘン戦争の開戦に際し、イギリス議会でも、ウィリアム・グラッドストン（後に首相）らを中心に、「恥ずべき不義」とする批判が強まっていました。

しかし、ジャーディン・マセソン商会は議員に対するロビー活動で多額のカネをばらまき、反対派議員を寝返らせます。その結果、中国出兵に関する予算案は賛成271票、反対262票の僅差で承認されました。イギリスは、軍艦16隻を含む40数隻の艦隊を派遣し、大砲の威力で清王朝を屈服させました。

茂木　アヘン戦争のとき、清軍の兵力や砲台の配置、イギリス軍の作戦計画に関する詳細なレポートを作成し、パーマストン外相に提出したのがジャーディン・マセソン商会でした。まさに政商であると同時に、軍産複合体だったというべきでしょう。

宇山　ジャーディン・マセソン商会は、アヘン戦争でイギリスが占領した香港に、本店を移転し、さらに上海にも支店を開き、中国市場に進出します。上海に外灘《ワイタン》（英語名：バンド）という外国人商業区域がありますが、ジャーディン・マセソン商会は、ここで最初に土地を取得し、自社ビルを建てた会社です。ルネサンス様式のこのビルは現在でも、「怡和《いわ》洋行大楼（英語名：Jardine Matheson Building)」として残っています。

ジャーディン・マセソン商会は、清朝政府に対して借款を行い、清朝崩壊後も鉄道の敷設権や営業権などを得て、莫大な利益を上げていきます。今日でも、ジャーディン・マセソン商会は国際的なコングロマリット（複合企業）として、中国・アジアを中心に、多角的な事業展開を行っています。

アヘン戦争後、香港上海銀行（ＨＳＢＣ・The Hongkong and Shanghai Banking Corporation Limited)が設立されます。ＨＳＢＣはジャーディン・マセソン商会をはじめ、サッスーン商会、デント商会などのアヘン貿易商社の資金融通や、送金業務を請け負いました。ＨＳＢＣは香港で、アヘン戦争以降、今日まで続く通貨の発行権を持ち、中国の金融を握ります。

このように、イギリスの覇権は奴隷貿易の人身売買業者、アヘン貿易のドラッグ・ディーラーなどによって形成されたものであり、その犯罪的かつ反社会的な手法なくして、持続可能なものでなかったことは明白です。悪辣非道、弱肉強食、厚顔無恥、こうしたことこそが国際社会の現実であることを歴史は証明しています。

茂木　その結果、イギリスは大英帝国を建設しました。そのイギリスと組み（日英同盟）、資金と情報を得た日本は、膨張を続けるロシアの南下に対し、日露戦争を挑んで独立をまっとうすることができました。このように国際関係とは、「善と悪の戦い」ではなく、「悪と悪の戦い」なのです。少なくとも明治期の日本人は、そのことを理解していましたね。

18

プーチンはなぜ、ロシア皇帝を敬愛するのか？

宇山卓栄

■イギリスに阻まれたロシアの野望

宇山　「ロシアには友人はいない。二人の同盟者だけがおり、それはロシアの陸軍と海軍である」

19世紀末のロシア皇帝（ツァー）のアレクサンドル3世の言葉です。プーチン大統領はアレクサンドル3世を称賛し、クリミアに皇帝の銅像を建立し、台座にこの言葉を刻みました。ロシアの皇帝の中で、アレクサンドル3世は決して有名ではありません。父親のアレクサンドル2世は「農奴解放令」を発布した皇帝として有名ですが、息子の3世の方は日本の教科書や概説書でもほとんど扱われません。しかし、ロシア人保守派にとって、特にプーチン大統領のように「ロシア帝国の栄光を取り戻す」という信念を持った政治家にとって、アレクサンドル3

世は「聖人」のような存在です。

アレクサンドル3世は祖父のニコライ1世を尊敬していました。ニコライ1世は黒海に突き出たクリミア半島を要塞化し、ここを拠点に、ロシア海軍を黒海に展開させていました。ロシアは黒海からバルカン半島に対し、大きな影響力を及ぼしました。ニコライ1世は黒海艦隊を地中海へ、さらには大西洋からインド洋へ進出させるための世界戦略（南下政策）を描いていました。

茂木　これに反発したのがイギリスですね。英領インドとの間のシーレーンを守りたいイギリスにとって、ロシア海軍の地中海進出は見過ごすことのできない大きな脅威でした。イギリスはフランスと共に、ロシアを封じ込めるためクリミアを攻撃します。これがクリミア戦争（1853～56）です。

宇山　その半世紀前、ナポレオンとの戦いでイギリスと同盟したロシアはフランス軍を撃退した功により、ポーランドを領有することをヨーロッパ各国に認めさせました。ポーランド、ウクライナ、ヴォルガ川流域の南ロシア等の肥沃な農耕地帯での大規模農場化が進み、品種改良、耕作技術の進化もあり、ロシアはフランスを凌ぐ、農業大国となりました。

19世紀半ば、中東イランや中央アジア、満洲、極東方面にまで領土を拡げ、アジア系住民をも支配し、同世紀末には人口が1億人を超えました。同時代、イギリスの人口が2500万人、フランスの人口が4000万人弱という水準ですから、ロシアの人口の多さは傑出していました。人口の拡大はロシアの国力の増大に繋がり、イギリスと覇権を争うに至ります。

図表18-1 ロシア帝国の南下政策

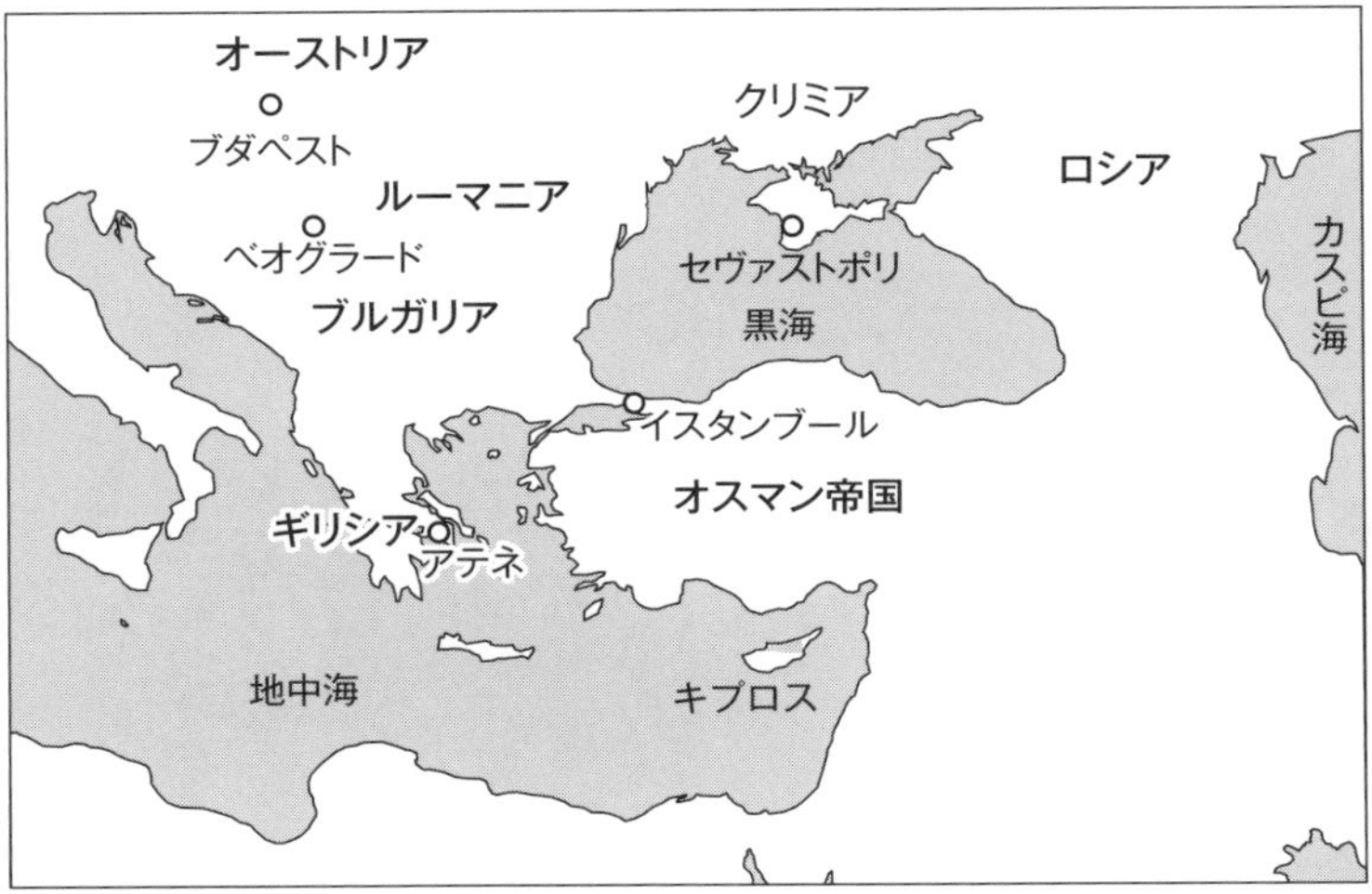

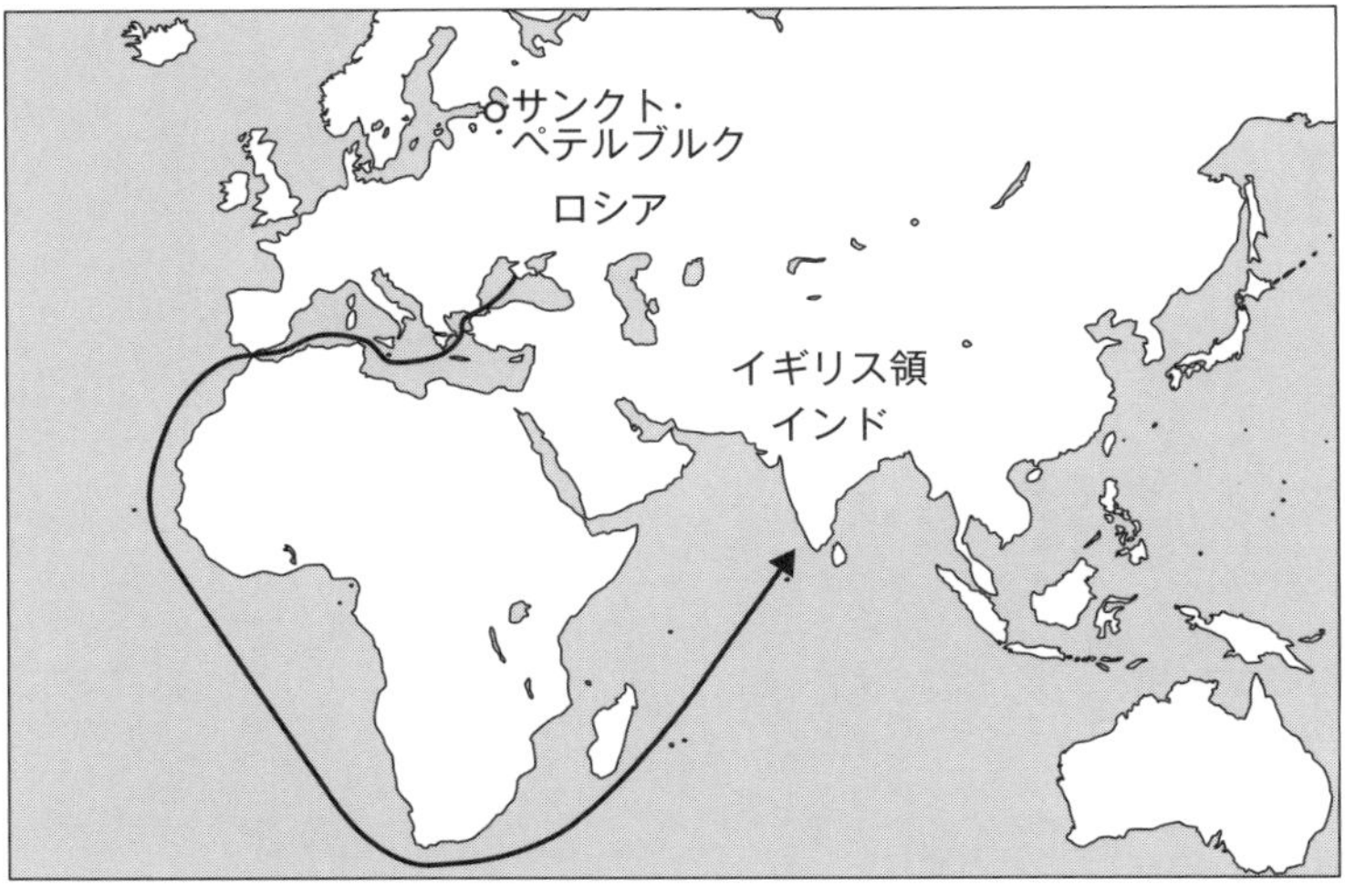

茂木　人口増加に支えられて陸軍大国となったロシアの弱点は海軍でした。ロシア海軍はバルト海沿岸のサンクト・ペテルブルクの港を本拠としていましたが、ここは冬に凍結します。そこで黒海に不凍港を求め、黒海艦隊を編制したのが女帝エカチェリーナ２世でした。その母港がクリミア半島のセヴァストポリ軍港です。ところが黒海の出口がボスフォラス海峡１ヶ所しかなく、ここを塞いでいるのがオスマン帝国と、その背後にいるイギリスだったのです。

クリミア戦争：オデッサ港を砲撃するイギリスの蒸気艦隊（1854）

しかしクリミア戦争で英仏連合艦隊に大敗したことにより、ロシアの拡張は抑え込まれました。セヴァストポリ軍港の陥落を聞いたニコライ１世は怒り狂い、事実上、憤死しました。イギリス海軍は最新鋭の蒸気艦隊を投入し、旧式のロシア黒海艦隊を壊滅させました。精神的に追い詰められたニコライ１世は厳冬のサンクト・ペテルブルクで閲兵式を強行し、肺炎をこじらせて急死するんですね。皇帝は治療を拒否し、「消極的自殺」だったとも噂されました。

■明治維新と同時期に進んだアレクサンドル改革

宇山　その後、皇太子のアレクサンドル2世が帝位を引き継ぎ、クリミア戦争を終結させます。ナポレオン3世と結んだパリ条約では「黒海の中立化」が定められ、ロシア黒海艦隊は禁止されます。このアレクサンドル2世は開明的な平和主義者で、自由主義的な考えを持っていましたね。

茂木　農奴解放令にはじまる一連のアレクサンドル改革は、ロシアを西欧型の近代国家へと変貌させる試みでした。クリミア戦争勃発と同じ1853年のペリー来航を機に、日本が幕末維新の大改革に踏み切ったのと軌を一にしています。

明治日本が生糸などの殖産興業で輸出を振興し、税収から軍事費を捻出しようとしたのに対し、ロシアはもっと安易な方法を取りました。直接外資を導入して、資源開発やインフラ整備を急いだのです。いまの言葉でいえば、新自由主義に舵を切ったのです。

後進国ロシアの経済成長のポテンシャルは、西側の金融資本にとって垂涎《すいぜん》のまとでした。ロシアの宿敵であるイギリス・フランスの金融界は、ロスチャイルド銀行を筆頭に莫大な対ロシア投資を開始します。バクー油田、ドンバスの炭田などが開発されたのが、まさにこの時代です。その一方で、少数の富裕層と多数の貧困層という格差を拡大し、このことが皇帝暗殺事件を引き起こし、ロシア革命の遠因ともなります。

いずれにせよ、産業発展は軍事力強化に直接繋がります。アレクサンドル２世時代のロシアは、クリミアの敗戦から完全に立ち直ったのです。

この頃、ドイツを統一したビスマルクが、統一を妨害するフランスのナポレオン３世を捕虜にしました（普仏戦争）。これをみて喜んだロシアはナポレオン３世と結んだパリ条約を破棄し、黒海艦隊の再建に取り組みます。

宇山　こうして束の間の平和は崩れ、再びロシアはオスマン帝国領へ侵攻しました。これが１８７７年のロシア・トルコ戦争（露土戦争）です。イギリスのディズレーリ首相のロシアへの反発は大きく、全面戦争も辞さない構えでした。

イギリスとロシアの対立の板挟みになったのがドイツのビルマルクでした。ドイツは１８７１年、帝国として誕生したばかりで富国強兵に専念したく、イギリスとロシアの戦争にドイツが巻き込まれることを恐れました。

茂木　また普仏戦争でフランスから奪ったアルザス・ロレーヌ地方をめぐり、フランスからの反撃に備えなければならないドイツは、イギリスがフランスと同盟することを最も警戒していました。こうした事態を避けるべく、ビスマルクは露土戦争の調停役を買って出たのです。自らを「公正なる仲介者」と称し、ベルリン会議（１８７８）を主催します。

宇山　ロシアは最強の軍事力を誇るイギリスとの「第二次クリミア戦争」には実際には弱腰にならざるを得ませんでした。近代化の途上とはいえ、イギリスと比べれば、その後進性はまだ明らかでした。それを見抜いていたビスマルクはロシアを説得し、譲歩させたのです。

1878年、ベルリン条約で妥協が成立、戦争は回避されます。イギリスの激しい怒りの前に、さすがのロシアも地中海進出を諦めざるを得ませんでした。地中海進出を再び封じ込められたロシアは、今度はフランスからの投資でシベリア鉄道の建設を進め、東アジア・太平洋へと進出する新しい方針を展開することになります。これが日露戦争の遠因になるんですね。

茂木　ロシア国内でも緊張が高まっていました。アレクサンドル2世は農奴解放令で農奴制を廃止したものの、貴族に配慮して農民への土地の分配は有償、しかも49年ローンで支払えという過酷なものとなりました。農民は失望し、ナロードニキ（人民主義者）と呼ばれたテロリストが暴力革命を煽ります。

アレクサンドル改革の最後の仕上げは、議会の開設でした。従来の任命制の国家評議会（貴族会議）に市民代表を参加させることを認めたのです。これが実現していれば、ロシアは平和的に立憲君主政に移行していたでしょう。

しかしこの日、皇帝が乗った馬車にテロリストの爆弾が投じられました。馬車から降りた皇帝に2発目の爆弾が投じられ、重傷を負ったアレクサンドル2世は1時間後に息を引き取りました。サンクト・ペテルブルクの暗殺事件現場には、「血の上の救世主教会」が建てられています。

晩年のアレクサンドル2世

■保守反動の専制政治に向かったアレクサンドル３世

宇山　次のアレクサンドル３世は、父のリベラルな態度が気に入らずたびたび衝突し、クリミア戦争で無念の死を遂げた祖父ニコライ１世の復讐を遂げようと、執念を燃やしていました。アレクサンドル３世は穏和で慎ましい性格でしたが、その内面に保守反動の強い野心を秘めていました。こうした考えから、アレクサンドル３世は皇太子時代に自ら志願して、ロシア・トルコ戦争に従軍し、オスマン帝国に攻め入り、イスタンブールまで進撃して、１８７８年、同国を降伏させています。

辛酸を舐めさせられたロシアでしたが、アレクサンドル３世は軍事力の増強こそが急務であり、そのためには、祖父のニコライ１世が行った専制政治を復活させるべきと考えました。そして、１８８１年、皇帝に即位すると、父のアレクサンドル２世のリベラル路線を否定し、保守反動の政治を行い、拡張主義のもと、中央アジアへの南下政策を進めます。

茂木　アレクサンドル３世は、国内では父が縮小した秘密警察を復活し、革命家・テロリストに対する容赦ない弾圧をはじめていますね。この頃、皇帝暗殺用の爆弾を作って絞首刑になったウリヤノフという大学生がいるんですが、その弟がロシア革命の指導者レーニンです。

皮肉なことに、尾行・盗聴・拷問・暗殺といった帝政ロシアの秘密警察オフラーナの手法は、レーニンの革命後は共産党を守る政治警察チェーカーに受け継がれます。その後身が「泣く子も黙る」ＫＧＢで、プーチンはＫＧＢ職員として出世しました。

宇山　プーチン大統領は、アレクサンドル３世に自らの姿を投影しているのかもしれません。ロシアは２０１４年、クリミア半島を併合しました。クリミアは旧ソ連の一部でしたが、ソ連崩壊後、独立したウクライナに編入されていました。ウクライナでロシア系住民の独立気運が高まったのを機に、プーチン大統領は軍を送り込んで住民投票を実施し、クリミアをロシアに編入しました。

そして、このクリミアの地に、アレクサンドル３世の像を建て、「ロシアには友人はいない」という言葉を刻んだのです。プーチン大統領の野心が透けて見えます。クリミアはニコライ１世の時代からロシア帝国の世界戦略の本拠地でした。ロシアの覇権にとって、クリミアは欠かすことのできない存在です。

茂木　歴史的に、ロシアは民主主義を根付かせることができず、皇帝による専制支配が続きました。民主化すれば少数民族の独立運動が起こり、外国が介入して帝国は解体に向かうという恐怖心。そのＤＮＡをソ連も、プーチンのロシアも受け継いでいるわけです。プーチンは過去の栄光を求めて、ウクライナをはじめ、かつて帝国が形成した版図を取り戻すことは歴史的な使命であると考えると同時に、自らの権利であるとも考えています。

■ビスマルクの均衡外交とその限界

図表18-2 ビスマルク外交

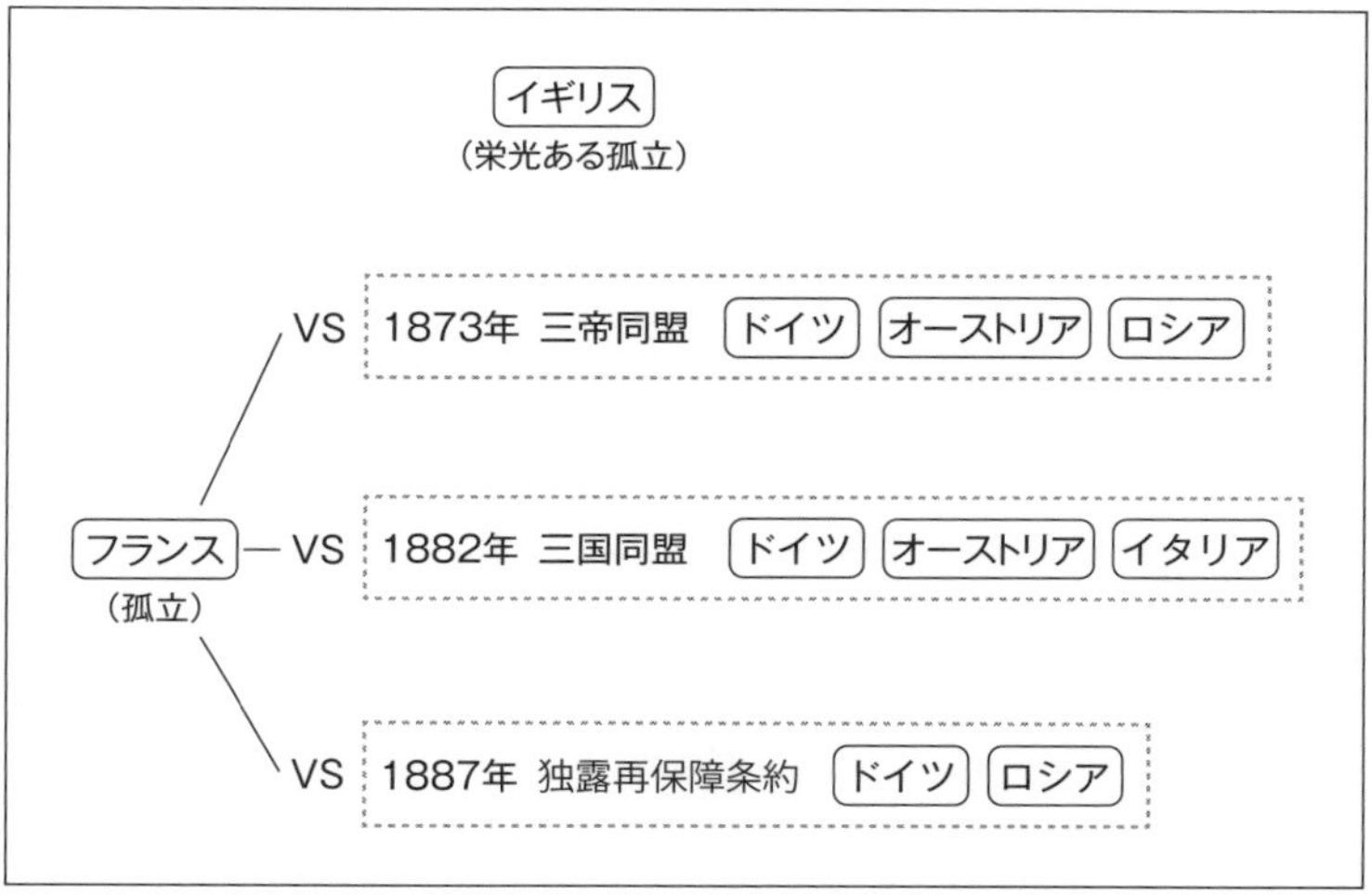

宇山　ここで、先に触れたビスマルクの外交について、もう少し話しておきたいと思います。その巧妙さに、今日の我々も大いに学ぶべきことがあります。

　ビスマルクのプロイセンは１８７１年、普仏戦争でフランスを破り、ドイツ帝国を成立させます。そのため、ドイツの外交の大前提はフランスの報復を阻止するため、フランスを孤立させることにありました。

　１８７３年、ドイツ、オーストリア、ロシアで三帝同盟を結成します。１８８２年、ドイツ、オーストリア、イタリアで三国同盟を結成、この時点でドイツの安全は三帝同盟、三国同盟により二重に保障されています（図表18-2参照）。このようなドイツを基軸とする当時の外交状態をビスマルク体制と言います。

　１８６６年、ドイツはオーストリアと普墺戦争を起こしましたが、オーストリアを追い詰めることはなく、むしろ負けたオーストリアに恩情を示すことにより、その後の友好関係を築いていきます。

そして、ビスマルクが特に重要視したのがロシアとの同盟です。もし、ドイツがロシアと敵対することになれば、フランスとの挟み撃ちの不利な形勢にはまります。ドイツはフランスと対峙するためにも、背後のロシアと同盟を築く必要がありました。１８８７年、オーストリアとロシアがバルカン半島で対立したときも、ドイツはロシアを優先し、独露再保障条約を結びます。しかし、ビスマルクの外交はロシアとオーストリアの板挟みにあい、既に限界でした。

茂木　ビスマルクは、不平等条約の改正を求めて欧米を歴訪した明治政府の代表団を歓迎しました。新興国ドイツは、幕末維新期の日本に対し恫喝したことがなく、日本人もドイツに対しては好意的に見ていました。大久保利通や伊藤博文に対し、ビスマルクはアドバイスします。

「大国は都合がいいときは国際法に従い、都合が悪いとこれを平然と無視する。日本が独立をまっとうしたかったら、まず軍備を整えなさい」

ビスマルク時代のドイツは、まさに明治日本のモデルとなったのです。

宇山　宰相ビスマルクが仕えたドイツ皇帝ヴィルヘルム1世が崩御すると子のヴィルヘルム2世が即位します。ヴィルヘルム2世はビスマルクの外交を退け、「世界政策」という対外膨張政策を押し進め、ビスマルクを辞任に追い込みます。ヴィルヘルム2世は、ビスマルクのいうロシア重視の外交では、身動きが取れないと考えていたのです。

ヴィルヘルム2世は世界政策の一環として3B政策を掲げ、ベルリン、ビザンティウム（イスタンブール）、バグダードへと進出し、バルカン半島とオスマン帝国領の支配を目指します。この政策は、同地域を狙うイギリスとロシアを刺激します。

ヴィルヘルム2世は明確に、ロシアとの同盟を否定し、オーストリアへ寄りました。オーストリアはドイツに倣い、強国化し、ゲルマン人優位を主張するパン・ゲルマン主義を掲げ、バルカン半島へ進出、ロシアとの対立を招きます。ロシアはドイツとオーストリアに激しい反感を抱き、フランスに接近、１８９４年、露仏同盟を結び、ビスマルク体制は崩壊します。

茂木　イエロー・ペリル――「黄禍論《こうか》」を煽ったのがこのヴィルヘルム2世ですね。もともと、モンゴル支配以来の「アジア人恐怖」を持っているロシア（第2章7節参照）に対し、「黄色人種の日本が危険だから、ロシアが白人文明を防衛せよ！」と煽ったのです。これに乗せられたロシアのニコライ2世が、三国干渉や韓国への内政干渉で日本を圧迫し続け、ついには日露戦争に至りました。極東で戦争がはじまれば、バルカン半島のロシア軍は手薄になり、ドイツの３Ｂがやりやすくなる、というヴィルヘルム2世の深慮遠謀です。これに引っかかったニコライ2世が愚かでした。

宇山　結局、ロシアがドイツと離れ、フランスと露仏同盟を結び、大きく外交情勢が変化します。ヨーロッパはドイツ・オーストリア陣営、ロシア・フランス陣営の二つに分かれ、残る大国イギリスが最終的に後者の陣営に付きます。この2大陣営の対立により、第一次世界大戦、そしてロシア革命へと突入していくのです。

19

「大分岐」──「豊かな中国」が「貧しいヨーロッパ」に負けたのはなぜか

宇山卓栄

■中国の圧倒的優位が失われた1世紀半

宇山 19世紀、中国はアヘン戦争などにより、列強が進出し、半植民地化されていきます。列強により、不平等条約を強要され、太平天国の乱などの内乱も起こります。諸々の国内改革は反動勢力の抵抗などで、失敗し、清王朝は末期症状に陥りました。

しかし、中国は世界史のほとんどの時期において、超大国であり続けました。図表19－1は歴史上の世界GDPシェアの統計データです。中世の時代のGDP統計を国勢調査もない時代にどうやって出すのかと疑問に思われるかもしれません。あくまでOECDやアンガス・マディソンが算出した推計の類いですが、実態をよく示していると思われます。

図表19－1によると、1820年、中国のGDPシェアがトップで、ヨーロッパ各国を合わせても中国に及ばない状態です。マディソンのデータから、中国、つまり当時の清王朝が世界経済において、いかに巨大な存在であったかがわかります。

図表19-1 世界のGDPシェア

（単位：100万ドル）

年	0	1000	1500	1600	1700	1820	1870	1913	1950	1973	1988
イギリス			2815	6007	10709	36232	100179	224618	347850	675941	1108568
西欧合計	11115	10165	44345	65955	83395	163722	370223	906374	1401551	4133780	6960616
アメリカ			800	600	527	12548	98374	517383	1455916	3536622	7394598
ラテンアメリカ	2240	4560	7288	3757	6371	14120	27897	121681	423556	1397700	2941610
日本	1200	3188	7700	9620	15390	20739	25393	71653	160966	1242932	2581576
中国	26820	26550	61800	96000	82800	228600	189740	241344	239903	740048	3873352
インド	33750	33750	60500	74250	90750	111417	134882	204241	222222	494832	1702712
他のアジア	16470	18630	31301	36725	40567	50486	72173	146999	362578	1398587	4376931
アフリカ	7013	13723	18400	22000	24400	31010	40172	72948	194569	529185	1039408

出典：『Angus Maddison, OECD The World economy: A millennial perspective (OECD)』

茂木　２０１０年に中国はＧＤＰで日本を抜いて世界第２位になったとして話題になりました。でも数百年単位の歴史的視点から見れば、中国は基本的に先進工業国であり、発展途上国に転落していた過去１世紀半がむしろ異常だった、とも言えます。

宇山　古代や中世に関しても、中国はＧＤＰシェアでヨーロッパを大きく引き離しています。しかし、１８２０年を境に、中国は急激な衰退に向かっています。ヨーロッパが覇権を握り、世界を支配していく時代に入ったことを示しています。

この転換点を、アメリカの経済史家ケネス・ポメランツは「大分岐（The great divergence）」と呼びました。ポメランツは産業構造の観点からも、資本蓄積の観点からも、「ヨーロッパは１８００年以前に決定的に優位にあったわけではない」として、ヨーロッパだけが近代化の条件を達成していたのではないと主張しています。

ポメランツによると、17~18世紀の清王朝の時代において、中国の大都市には資本が蓄積されていました。金融業の規制も緩く、預金・貸付業務を行う「典当」や「銭荘」、為替・両替業務を行う「票号」という銀行が発達しました。農村でも豪農や豪商らが多くいて、地方の特産物を扱い、大きな利益を上げていました。山西商人や新安商人などは、全国的な流通ネットワークを持ち、中国の商業発展を担いました。ポメランツは、中国はヨーロッパ社会に匹敵する潤沢な富が社会資本として充分に蓄積されており、新しい産業基盤を構築することができるような潜在的能力があったと分析しています。

■アダム・スミスが酷評。「産業資本が欠如した停滞社会」

宇山　イタリアの経済史家ジョヴァンニ・アリギも著書『北京のアダム・スミス』で、18世紀の中国には、同時期のヨーロッパより発達した市場経済があったと述べています。少々、極論のように思えますが、アダム・スミスが唱えた自由主義経済のマーケットが、18世紀の中国で既に達成されていたとさえ、アリギは主張しています。

茂木　アリギのおもしろいのは、農業社会からゆっくりと手工業社会へと転換した中国型の発展がスタンダードであって、欧州型の発展は異常だったという指摘ですね。

何が異常だったかというと、アメリカ大陸の発見と征服により、欧州諸国はアフリカからアメリカへの奴隷貿易に手を染め、奴隷制に基づくプランテーション農業で莫大な利益を得たという点です。工業から奴隷制農業に転換したというのは歴史の逆行ではないか。これが、『北京のアダム・スミス』です。

宇山　アダム・スミス本人は18世紀に、中国を酷評しています。中国は「産業資本が欠如した停滞社会で、自由貿易を拒否する閉塞社会である」と批判しているのです。18世紀には、中国の事情が宣教師によって詳しくヨーロッパに伝わっていました。スミスだけでなく、モンテスキューも中国を専制国家と見なし、「皇帝が恐怖によって人々を束縛し、統治している」と批判しています。19世紀には、マルクスが中国を「自給生産を主とする封建国家である」とし、イギリス産業資本の餌食になるであろうことを予見しました。

「中国＝後進」というイメージが当時のヨーロッパ人をはじめ、今日の我々にもあります。しかし、こうしたイメージは経済史家のアンガス・マディソンが示した統計によって、またポメランツやアリギのような経済史家の分析によって、必ずしも正しくはないということがわかります。

なぜ、産業革命は中国で起こらなかったのか

茂木　それではなぜ、「豊かな中国」が「貧しいヨーロッパ」に18世紀以降、負けていくのでしょうか。ポメランツの言う「大分岐」はどのように生じたのか。ヨーロッパで起きた産業

革命が、それまで経済的に優位にあった中国で起きなかったのはなぜか。ここがポイントですね。

宇山　イギリスが綿製品の急激な需要の高まりに応えて、機械化や蒸気機関の実用化のイノベーションを起こしたのに対し、中国では昔から綿織の仕事は、女や子供のアルバイトとされ、素朴でささやかな生産システムが伝統的に出来上がっていました。

中国は巨大な人口を有しているために、労働力は極めて豊富で、ヨーロッパと比べれば人件費はタダ同然で、労働コストを削減しなければならないという考え方がそもそも無かったのです。そのため、莫大な投資金や時間のかかる機械化へのインセンティブが働きませんでした。

茂木　常に過剰人口を抱えていたから、イノベーションが必要なかった。

宇山　その通りです。中国の市場では、イギリスが機械で大量生産した綿製品よりも、中国人が手で織った綿製品の方が安かったのです。イギリス議会に派遣されたミッチェル調査団がこのことを1852年の報告書で述べています。イギリスは1840年のアヘン戦争で勝利し、清王朝の関税自主権を奪い、巨大な中国市場に自国の綿製品を輸出し、一儲けしようという魂胆を持っていましたが、割高なイギリスの綿製品は中国では売れず、当てが外れたのです。

マルクスはイギリスの綿製品輸出の不調を「イギリス資本に対する中国人の民族的抵抗」と捉えましたが、これは美談に偏った捉え方で、実態は中国人が手で織ったシャツの方が安かったからということに過ぎません。

このような事情は巨大人口を擁するインドにも、そのまま当てはまります。日本の場合、19世紀の労働コストは中国よりも高く、明治維新後は一気に各産業で機械化が進みます。

茂木　アヘン戦争で海禁政策が破綻したあと、中国の過剰人口は海外へ流出しました。この低賃金で働く中国人労働者のことを「苦力（クーリー）」といいます。英領マレー、シンガポール、オランダ領東インド（インドネシア）、米領フィリピン、ハワイ王国、アメリカ本土のカリフォルニア州に大量の中国人労働者が流れ込んだのです。東南アジアの植民地に黒人奴隷制度が導入される必要がなかったのは、そのためです。

クーリーの多くは渡航仲介業者（実態はマフィア）に大金を支払って貨物船などに乗せてもらい、カネを払えない者は海外で働いた給与から天引きされる形で支払いました。借金返済が終わったあとは自分の収入になるので、財を築いた者もいます。中国の国籍を維持する者を「華僑」（僑は「よそ者」）、現地の国籍を取って「中国系○○人」になると「華人」と呼びます。

フィリピンの長者番付1位にもなったシー財閥（ＳＭインベストメンツ）の創業者ヘンリー・シーは12歳でフィリピンに渡り、30代で靴の販売店を立ち上げ、巨大財閥に成長させています。孫文の兄もハワイ王国に渡って成功し、弟を呼び寄せました。孫文の革命は、このような華僑・華人のネットワークの資金協力を得て成功したものです。

宇山　中国では、茶、砂糖、タバコ、桑（蚕の飼料）などの商品作物の生産が盛んで、大きな利益を上げていました。肥沃な農耕地帯では、大規模な穀物栽培も盛んでした。中国の農業の生産性、利益性は高く、土地の痩せたイギリスなどのヨーロッパとは違い、敢えて工業化を図らなければならない必然性がありませんでした。中国人は農業社会に固執していたというよりはむしろ、彼らにとって、農業経営で収益を確保することが合理的で自然な選択であったのです。中国社会はヨーロッパよりも豊かで、その意味では「資本の蓄積」があったかもしれませんが、それが近代化（産業化・機械化）に振り向けられることはなかったのです。この点については、ポメランツもアリギも認めています。

また、清王朝において、資本余剰はヨーロッパのように一般の市民には行き渡りませんでした。何千人もの農奴を付き従えているような一部の荘園地主にのみ富が集中していました。彼ら保守地主たちは封建社会の枠組みに固執し、変化を受け入れませんでした。清王朝における金融・商業の発展は、それがたとえあったとしても極めて限定的であり、中国経済を牽引するような強い力を持っていたとまでは言えないでしょう。

茂木　明代の山西商人、新安商人、清代の華僑、浙江財閥など、豪商や財閥はいくらでもいるのに、国内産業に投資しようとしない。それは中国が官僚独裁体制であり、権力者のご機嫌を損ねると、いつ財産を没収されるかわからないからです。「国家権力」そのものが投資リスクになっている。この体制の下では権力者との特別なコネクションを持つこと、常に賄賂を贈ることが必要になってきます。

清の乾隆帝の時代、帝の輿の担ぎ手だった和珅《わしん》という男がいました。なぜか乾隆帝に寵愛されてどんどん出世し、最後は軍機大臣（事実上の宰相）にまで登るのです。この和珅が御用商人たちに公共事業などの「口利き」をする見返りに莫大な賄賂を要求し、蓄財に励んだ結果、その資産は国家予算の15年分を超えたと言われます。ところがパトロンの乾隆帝が没すると、次の嘉慶帝によって弾劾され、全財産を没収されて自死を強要されました。このように、政治が常に経済に優先する体制では、資本主義は根付きません。

これは今の中国もまったく同じです。ネット通販で中国最大手の「アリババ」の創業者として有名なのがジャック・マーですが、２０２０年、マーは共産党の金融政策を批判するスピーチをした直後に消息不明になりました。習近平の機嫌を損ねて一時、拘束されたようです。その後「党への忠誠」を誓って赦されますが、経営の一線からは身を引いたようです。

宇山　中国における「資本の蓄積」は飽くまで商業資本に過ぎませんでした。その意味で中国は「産業資本が欠如した停滞社会」であったとするアダム・スミスの論評は間違ってはいません。ヨーロッパが近代化によって、成長を加速させる一方で、中国は前近代的な生産システムに取り残され、両者の格差が開いていきます。

■乾隆帝はイギリス使節を嘲笑した

宇山　経済学者のヨーゼフ・シュンペーターは、経済成長には「資本の蓄積」、「技術革新（イノベーション）」、「人口増大」の三つの要件が必要であると言っています。産業革命を最初にはじめたイギリスには、この三つの要件が全て揃っており、急激な経済成長を遂げることができました。中国は「資本の蓄積」、「人口増大」の二つの要件が揃っていましたが、「技術革

乾隆帝

新（イノベーション）」の要件を完全に欠いており、イギリスなどヨーロッパ諸国の後塵を拝することになります。

中国は労働力も豊富、物資も資金も豊富、あまりにも豊かであり過ぎたのです。18世紀に君臨した乾隆帝は、イギリスから交易を求めてやってきた使節に「お前たちの国には貧弱なモノしかない。我々が欲するモノは何一つない」と言って、追い返しました（第3章14節参照）。

このイギリスの使節団が持ってきたモノとはゼンマイ式時計、オルゴール、小型銃、機械人形、機関車模型など、機械化を国策としているイギリス独自の技術力を示すモノでした。乾隆帝はこれらのモノを見て、「浅はかな工作人の思い付き」と笑ったようです。

茂木　同じ18世紀末、西洋人の「おもちゃ」に夢中になった日本人がいました。長崎で蘭学を学び、『解体新書』の杉田玄白とも交友があった平賀源内は、静電気発生装置（エレキテル）、アルコール温度計、不燃剤としての石綿（アスベスト）を製作し、鉱山開発や河川の修築工事も指導しました。

半世紀後の１８５３年、江戸湾に来航したペリー艦隊に乗船した江戸幕府の高官たちは、見るもの、聞くものに興味津々でした。蒸気船や最新のライフル砲の構造について尋ね、地球儀でニューヨークの位置を指さし、アメリカ人を驚かせました。彼らは基本的な情報を、長崎経由の蘭学書ですでに得ていたのです。幕府とは別に薩摩藩も蘭学書の情報から蒸気機関を自力で作成し、ペリー来航の2年後に日本初の蒸気船「雲行丸」が江戸湾で試運転を行っています。この子供のような好奇心。これこそが、日本を中国から「大分岐」させたのです。

宇山　イギリスの科学史家ジョセフ・ニーダムは大著『中国の科学と文明』の中で、中国人が発明した火薬を、中国人自身が銃や大砲として実用化できなかったのは、技術革新という新規なものに対する潜在的な不信感があったからだと述べています。因習や伝統に固執する中国人にとって、新規なものは奇異なもの、伝統基盤を破壊する忌避すべきものと映ったのです。乾隆帝は献上されたイギリス製品の価値を理解できなかったのではなく、理解したくなかったのでしょう。

中国の豊かさが、皮肉なことに自らの身を滅ぼす原因になります。中国にバカにされて、追い返されたイギリスがイノベーションを敢行し、世界の支配者となるのに比べ、中国はその豊かさの上にアグラをかき、敗者への道をたどることになります。

金融業の解禁と殖産興業ができなかったイスラム世界

宇山　中国と同じく、イスラム諸国もまた、近代化できず、19世紀、ヨーロッパ列強により、支配されます。近代化を果たすためには、政治制度の変革が必要です。それが独裁的であ

バグダードの「知恵の館」

れ、民主的であれ、国家が産業を優先的に保護し、合理的なインフラ整備の投資を主導しなければなりません。しかし、イスラムは政教一致が原則であり、政治が宗教的な旧習に囚われていました。絶対的な神の存在が全てに優先し、社会そのものを統治します。また、イスラムは科学や学問を統制し、自由な学術研究を許さなかったため、近代科学を吸収する機会を逸していました。

茂木 ところがイスラム世界でも、高度な天文学や医学が研究されていた時代があったんですね。9世紀、アッバース朝の都バグダードに開設された「知恵の館」という総合大学では、古代ギリシアの哲学書、医学書、天文学書が次々にアラビア語訳され、当時の世界で最高水準の学問が享受されたのです。これらの書物は十字軍の時代に西欧諸国へ逆輸入され、12世紀ルネサンスと呼ばれています。「病気は悪魔憑《つ》き」と信じて患者を鞭で打っていた西欧人にとって、外科手術の方法まで書かれたイスラムの医学書、たとえばイブン・シーナーの『医学典範』は、想像を絶する内容でした。

ところが西欧でルネサンスが始まったのとは逆に、イスラム世界の自然科学は衰えていきます。第一の要因は、自然科学の合理主義が、『コーラン』の絶対性、イスラム法学者の権威を脅かしたことです。「知恵の館」の開設を認めた7代皇帝《カリフ》マームーンは極めて開明的な人物でしたが、彼の後継者たちは必ずしもそうではなかったのです。

第二の要因は、モンゴル軍の侵攻でした。1258年、フビライの弟フラグが率いるモンゴル軍がバグダードを攻略、このとき「知恵の館」はおびただしい書物とともに灰燼に帰し、その後、再建されることはなかったのです。

異教徒モンゴルとの戦いを通じて、イスラム教はより不寛容で、排他的なものへと変化していきました。イスラム復古主義とか、原理主義とか呼ばれる思想は、この時代に生まれました。古代の異教徒が残したギリシア・ローマの学問に興味がなくなるのも当然と言えるでしょう。例外は軍事です。モンゴル騎兵に対抗するため、火砲の配備は急務でした。こうして、モンゴル帝国後の西アジアには火薬帝国と呼ばれる諸国家が並び立ったのです(第3章15節参照)。

宇山　イスラム教では、不労所得たる利子徴収が禁止されています。このため、イスラムでは、銀行を中心とした金融資本が発生せず、近代産業の起業のための資金を調達することができませんでした。ヨーロッパで、17世紀に、カルヴァンが全ての職業は尊いと主張し、それに精励することで得られる利得は神からの恩恵であるとしました(「営利蓄財の肯定」)。従来、忌避された利子取得を主とする銀行業なども、事実上、認められるようになり、カルヴァン以降、各銀行は公的企業として認知され、近代的な金融資本へと発展していきます。

こうしたヨーロッパの動きと比べれば、イスラムが経済的に大きく後れを取ったことは明白で、19世紀、ヨーロッパ列強の支配に晒されても、宗教律令の束縛のせいで、金融業の解禁と殖産興業に踏み切ることができませんでした。

茂木　「利子の禁止」は『コーラン』の規定ですが、元をたどると『旧約聖書』です。

「外国人から利息をとってもよいが、あなたの同胞からは利息を取ってはならない」（『旧約聖書』申命記）

「同胞」とは、「同じ宗教の人たち」という意味。でも異教徒から利子を取るのはOKとなります。イスラム世界に住む代表的な「異教徒」は、ユダヤ教徒です。だからユダヤ人の銀行は、イスラム教徒やキリスト教徒から堂々と利子を取っていいわけです。

これに対し、イスラム教徒の銀行はイスラム教徒から利子を取ってはなりません。でも銀行は存在します。彼らはどうやって利益を得ているのか？　たとえばA社がB社から納品されて代金を支払う場合、X銀行がこれを代行してB社に代金を支払います。次にA社がX銀行に手数料込みで代金を支払います。これはあくまで手数料で、利子ではないのでOKとなります。あるいはX銀行が複数の出資者から資金を集めて何かの事業に投資し、収益の一部を出資者に還元して差額を得るという、投資会社みたいなこともOKとなります。

利子（金融）はユダヤ人の得意分野ですが、西洋文明の拡大とともに世界に広まりました。供給過剰なマネーは産業に投資されず、マネーゲームを生み出しました。いまでは一握りの国際金融機関が、途上国の国家予算をも上回るマネーを動かし、外貨や株価を自在に操り、バブル崩壊を演出できるようになりました。アジア通貨危機はそのいい例です。このようなマネーの凶暴化を見ると、「利子の禁止」は一つの知恵なのかもしれません。

20

日本はなぜ近代化に成功し、朝鮮は失敗したのか？

茂木　誠

■江戸期日本の繁栄を見て感嘆した朝鮮通信使

茂木　豊臣秀吉が始めた朝鮮出兵はほとんど何も得るものはなく、秀吉の死によって終わりました。家康は撤兵を命じ、朝鮮との国交再開を模索します。朝鮮側は警戒していましたが、大坂の陣で家康が豊臣家を滅ぼしたのをみて、徳川家は信用に値すると考えたのです。これ以後、朝鮮王家（李氏）は徳川将軍を「日本国王」、あるいは「日本国大君」と呼んで対等の外交関係を結び、幕末に至るまで隣国同士の友好関係が続きました。

幕府は直接使者を朝鮮に派遣することはなく、対馬の大名である宗氏に朝鮮との外交折衝を任せました。朝鮮側は日本人による国内偵察を警戒して宗氏の使者を釜山《ぷさん》港にとどめ、ここで対日外交を行いました。一方、朝鮮王は公式の使節団を江戸まで12回も派遣しています。これが朝鮮通信使です。表向きは「将軍の代替わり」を祝すという名目ですが、日本偵察の目的もありました。

朝鮮通信使

宇山　朝鮮通信使は対馬藩・長州藩を経て瀬戸内海に入り、途中から山陽道を東へ進み、大坂・京都・名古屋を通って江戸に入ります。片道5ヶ月、正使・副使・書記官・護衛まで含めて300人～400人。これに日本側の護衛千数百人が付き従うという大所帯です。

茂木　奇抜な衣装を身にまとって練り歩く異国の外交団の来訪に対し、日本人の反応はおおむね好意的で、各地で日本の知識人が訪ねてきては、詩文の交換など文化交流も行いました。

一方、朝鮮通信使は江戸時代の日本社会をどうみていたか？　これに関しては、彼らが残した詳細な記録があります。「東洋文庫」に入っているので、日本語で読むこともできます。1763年、第11次通信使の書記官として来日した金仁謙（キム・インギョム）が残した『日東壮遊歌』の記述を見てみましょう。当時の公用語である漢文ではなく、ハングルで描かれたエッセイで、筆者の本音が現れていると思われます。

- 大坂の賑わいは、漢陽（ソウル）の中心街の1万倍である。宿泊所の建物は、わが国の宮殿より壮大である。
- 北京を見た者がいうには、中国の壮麗さも、この大坂には及ばない。

・江戸は、建築の豪華さ、人々の賑わいと華やかさ、整然たる城郭、橋や船にいたるまで、大坂や京都の三倍の規模である。

宇山　金仁謙ら通信使は当時の日本の繁栄を見て、感嘆していますね。朝鮮では、経済が低迷し、商業もなく、物々交換の原始的な閉塞社会でした。19世紀に至るまで、ソウルの目抜き通りには茅葺き屋根の平屋家屋が並んでいました。下水もないため汚物がたまってすさまじい臭気だったと、訪問外国人、たとえばイギリス人イザベラ・バードが書いています。

江戸を練り歩く朝鮮通信使

茂木　江戸時代の日本は貨幣経済どころか、帳簿上で金銭をやり取りする信用取引も行われていました。明治以降の財閥の祖となる三池などの大商人が出現し、大名にまで金銭を貸して利子を取っていました。「士農工商」などというのは建前で、実際には商業資本が台頭し、資本主義社会へ移行していました。下水道も整備され、また人糞は肥料として郊外へ運ばれたため町は清潔でした。

■日本人に対してのすさまじい差別意識

茂木　日本の経済発展を見た朝鮮の使者は、日本から技術を学びたい、日本のシステムを導入したいと思ったでしょうか？　『日東壮遊歌』の記述を続けましょう。

・海の向こうから渡ってきた、穢れた愚かな血を持つ獣のような人間が、周の平王のときにこの日本の地に入り、二千年もの間、一つの姓を伝え（万世一系の皇室のこと）、人民も次第に増えこのように富み栄えているとは、知らぬは天ばかり、嘆くべし恨むべし。

・惜しむべきは、この豊かな楽園を倭人が所有し、帝だ、皇だと称し、子々孫々に伝えられていることである。この犬にも等しい輩を、みなことごとく掃討し、四百里六十州を朝鮮の国土とし、朝鮮王の徳をもって礼節の国にしたい。

宇山　なるほど、「穢れた愚かな血」「獣のような人間」「犬にも等しい輩」、かなり酷い言われようですね（笑）。原文はもっとひどい表現のようですが、これが日本人に向けられた表現なのですね。

茂木　それは秀吉の朝鮮出兵の恨みからだ、という人がいますが、秀吉の朝鮮出兵は1世紀半も前に終わっており、江戸幕府も日本の庶民も、彼らを毎日歓待しているのです。これはいったいどういうことか？　現実としての日本の発展を認め、素直に驚嘆している人間が、日本人に対してはすさまじい差別意識を向けてくる。これが朝鮮民族というものを理解する上で、今日でも非常に重要なポイントなのです。

私はこれを「朱子学」で説明できると考えています。朱子学は宋学ともいい、宋代中国の儒学者・朱熹が理論化した新しい儒学です。それまでの儒学は基本的に実践的な政治学、道徳論でしたが、朱子学は壮大な宇宙哲学からはじまります。ブッ飛んでいるのです。

- 宇宙の始まりから天地万物を支配する原理（理）が存在する。これに従って物質（気）が動き、天地が分かれ、生命が生まれ、人間が生まれた（理気二元論）。
- 鳥や獣（禽獣《きんじゅう》）はみな物質（気）的な存在である肉体の生存欲求（情）——食欲や性欲だけに支配されている。しかし人間だけは原理（理）を理解する理性を持ち、穢れた肉体を制御できる。だから人間が禽獣を支配するのが宇宙の原理である。
- 「理」を極めるのが学問であり、極めた人を聖人という。古代中国の孔子や孟子はこの聖人であり、彼らが漢文で残した聖典を読めば、宇宙の原理が理解できる。
- 女は「情」に支配されるが、男は「理」に従って行動する。だから男が女を支配するのが宇宙の原理である（男尊女卑）。
- 聖人を目指して学問を積むのが知識人（士大夫）である。肉体を維持するため日々の生活に埋没し、学問をしないのが農工商の庶民（小人）である。だから士大夫が農工商を支配するのが宇宙の原理である。
- 聖人の教えに従う文明人が中華である。その周囲には、漢字漢文を理解せず、奇妙な言葉を発し、禽獣に等しい生活を送っている未開人（夷狄《いてき》）が住んでいる。だから中華が夷狄を支配するのが宇宙の原理である。

宇山　ありとあらゆるものに格差を設け、支配・被支配の「差別システム」を作り上げたのが朱子学です。宋代中国で生まれ、朝鮮やベトナムにも影響を与えたのです。

朱熹の理気二元論、「理」とは真理や普遍性を指し、「気」は現実の存在を構成する要素を指します。朱熹はヨーロッパのイデア論の系譜に見られるような形而上学的な普遍と現実の二元論を中国史上はじめて、展開した思想家です。朱熹は「理」は人間に内在する倫理道徳によっても貫かれていると説きます。

また、朱熹は南宋時代における北方異民族の華北支配の状況のなか、漢民族の文化を優位なものと見なし、周辺民族を夷とする「華夷の別」、中華思想を説きました。朱熹は司馬光の『資治通鑑《しじつがん》』を称賛し、これをもとに『資治通鑑綱目』を著し、大義名分論を展開して、中華思想が儒学の世界観の中に統合され、朱子学という民族主義的な新しい儒学体系が生まれます。

茂木　宋王朝は歴代中国史上、最弱の王朝でした。前の唐王朝が軍人の跋扈《ばっこ》で崩壊した反省から軍人を侮蔑し、極端に戦争を忌避し、科挙で選ばれた文人官僚が支配する官僚国家でした。このため北方の遊牧騎馬民族から舐められ、契丹人、女真人、モンゴル人が侵攻を繰り返し、最終的にはモンゴルのフビライ・ハンに攻め滅ぼされた王朝なのです。

現実世界では異民族にボコボコにされている屈辱。漢民族のプライドはズタズタになります。そのとき朱熹が現れて、軍事や領土などという物質界には意味がないのだ。われらは中華であり、文明において世界を凌駕《りょうが》していることには変わりないのだ、と自画自賛することで、漢民族の心の傷を癒したのです。

■李氏朝鮮の権力の源泉は「中国と繋がっていること」

茂木　モンゴルの衰退後、独立を回復した明王朝は朱子学を官学とし、科挙の入試科目としました。だから歴代中国史上最も傲慢だったのがこの明王朝で、周辺各国に朝貢と臣下の礼を強要しました（これにほいほい従ったのが室町幕府の足利義満）。

朝鮮・ベトナムもモンゴル軍による占領を経験しました。特に朝鮮（当時は高麗王朝）はモンゴル高原からも比較的近く、毎年のようにモンゴル軍が侵攻し、穀物・家畜・人間を略奪していきました。高麗王はフビライの前で平伏し、人質として王子を差し出しました。高麗王子はモンゴルの宮廷で育てられ、モンゴル語を覚え、弁髪《べんぱつ》に毛皮の服という遊牧民のファッションに身を包み、成人すると次期高麗王（忠烈王）として祖国に送り込まれました。その姿を見て高麗人は泣いたのです。

宇山　この忠烈王はフビライの娘を娶《めと》り、義父となったフビライに日本遠征を進言した朝鮮王ですね。いわゆる「元寇」は、モンゴル・高麗連合軍による日本侵略でしたが、鎌倉武士の抵抗によって失敗します。

茂木　中国大陸ではモンゴル打倒を掲げて明王朝が独立します。当然、モンゴル側についた高麗政府は、明に対する討伐軍の派遣を決定し、李成桂将軍に指揮を委ねました。ところが李成桂は、国境を流れる鴨緑江の中洲で軍を返し（威化島の回軍）、首都・開城を占領して高麗王を処刑し、新たな王朝を開きました。

李成桂は「反モンゴル」で共闘する明の洪武帝に朝貢し、高麗滅亡を報告します。喜んだ明の皇帝は、李成桂に新たな国号（国ではないが）のような呼称を授けました。これが「朝鮮」です。古代にも朝鮮という別の国があったので、李成桂の朝鮮、「李氏朝鮮」となったわけです。

明朝のバックアップで建国した朝鮮は、はじめから明の官学である朱子学を採用し、科挙の科目としました。「反モンゴル」のイデオロギーである朱子学は、過酷なモンゴル支配を受けてきた朝鮮の知識人（両班《ヤンバン》）の骨の髄まで染み通り、その影響は現代の半島の人たちにも及んでいます。漢字漢文を学んで漢民族のようにふるまえば「中華」になれる――彼らはそう信じ、実践したのです。

宇山　朝鮮の文人官僚たちは朱子学の素養を持つことが文化的洗練の証しであり、野蛮な未開人と訣別する道であると信じ、自らの思想を中国化していきました。彼らの中には中国に留学した者も多くいました。

文人官僚たちの権力の源泉は「中国と繋がっていること」でした。中国の内部事情に精通し、時に要人に頼み事を聞いてもらうこともできる、中国に顔が利くということが最大の武器だったのです。中国にとっては、彼らは使い勝手のよい「リモートコントローラー（遠隔操作要員)」のような存在で、公私にわたり惜しみない援助を与えました。つまり、中国は、朝鮮官僚に思想だけでなく、利権も与えたのです。朝鮮官僚たちにとって、後者の方が一層ありがたいものであったのは言うまでもありません。いつの時代でも、大国はこうした要員を支援し、自国に有利なように遠隔操作します。現在の日本でも、遠隔操作されているのではないかと思える人たちが各界にたくさんいます。

茂木　朱子学的世界観では、中華世界の外側は「禽獣にも等しい夷狄の世界」です。だから徹底的に蔑み、嘲笑する対象なのです。これでもうおわかりでしょう。朝鮮通信使の記録に出てくる日本人に対する底知れぬ差別意識は、「朱子学という妄想」に基づくものなのです。

もともと朝鮮人と日本人とは、遺伝子的には非常に近い関係でした。古代朝鮮語は、単語レベルで古代日本語とよく似ており、ある程度はコミュニケーション可能だったと考えられます。白村江の戦いの敗北日本人（倭人）が半島から撤収し、逆に満洲方面の北方民族が半島への侵入を繰り返した結果、両国は別の道を歩み始めました。そして何より決定的だったのは、モンゴル帝国の支配を受けたかどうかだったのです。

鎌倉武士の奮戦で、日本は独立を維持することができました。あのとき敗北していれば、モンゴル軍は西日本で略奪を繰り返し、京都・奈良の神社仏閣も、京都御所も焼き払われ、日本の皇子がモンゴルに拉致され、次期天皇に擁立されていたでしょう。ゾッとします。モンゴルを撃退したという経験は、皇統に対する絶対的な信頼と万世一系論を補強しました。北畠親房が『神皇正統記《じんのうしょうとうき》』を「大日本は神国なり」で書き始めたように、「神国思想」が広まったのです（茂木誠『日本思想史マトリックス』PHP研究所参照）。

自信満々となった日本人に、朱子学は必要ありません。そもそも万世一系の日本文明と、易姓革命を繰り返した中華文明とは異質なのです。朱子学は、ただ書物の形で室町時代の日本にも流入し、最初は禅僧の間で研究されました。天下を統一した徳川家康は、国家秩序を維持するための理論として朱子学に注目し、朱子学者の林羅山を抜擢しました。江戸・神田には幕府の大学として昌平坂学問所が設置され、朱子学の研究と講義が行われました。朱子学の影響を受けた幕府高官としては、新井白石や松平定信などがいます。

しかし科挙制度のない日本では、朱子学のファンタジーを真剣に学ぶ者は少なかったのです。それより、信用取引などの金融システム、洪水防止や沼地の干拓などの治水工事、道路網や上下水道などのインフラ整備といった実学にエネルギーを注いだのです。長崎にオランダ人がもたらした西欧の科学技術も、たちまち翻訳されて実用化されていきました。

宇山　日本人は本質的に実学志向ですからね。朱子学のような空理空論を真に受けず、学問の一つの形態として客観的に距離を置いて見ていたのでしょう。しかし、朝鮮のヤンバン社会では朱子学こそが全てであり、自らの正当性、道徳的優位を主張するためのツールとして重要視されました。

茂木　朝鮮における権力闘争を党争と言いますが、これも武力ではなく言論で行われました。また、漢文を自在にこなすヤンバンから見れば、朝鮮語しか話せない庶民も侮蔑の対象でした。さらに肉体を蔑視する朱子学では、ヤンバンは一切の肉体労働をしてはならず、農民などの肉体労働者は禽獣に等しい存在です。商業も卑しい職業とされたので、これでは産業が発達するわけがありません。

■朱子学が生き続けている韓国・北朝鮮

茂木　1636年、満洲では清朝の皇帝ホンタイジが即位し、朝鮮にも即位式への参列を求めました。満洲人はモンゴル人同様、弁髪をした「夷狄」であり、朱子学では侮蔑の対象です。即位式では各国の使者が三跪九叩頭の礼《さんききゅうこうとう》——3回ひざまずき、9回額を地面に叩きつける儀礼を行いました。ところが朝鮮の使者は傲然と立ち尽くしたまま言い放ちます。

「朝鮮国は、夷狄には頭は下げぬ！」

翌年、10万の清軍を率いて国境を越えたホンタイジは、5日で漢陽（ソウル）を攻略し、山城に立てこもった朝鮮王・仁祖を捕らえ、三跪九叩頭の礼を強要しました。これ以後、日清戦争で清が敗れるまでの260年間、朝鮮王は清の皇帝の臣下とされたのです（第3章13節参照）。

宇山　仁祖は「三跪九叩頭の礼」でホンタイジに拝謁し、自ら清の臣下となり、服従を誓いました。そして三田渡《さんでんと》の盟約が結ばれます。その主な内容は以下の通りです。

- 王の長子と次男、および大臣の子女を人質として送ること
- 清が明を征服する時には、遅滞なく援軍を派遣すること
- 城郭の増築や修理については、清国に事前に承諾を得ること

・清に対して黄金100両・白銀1000両、朝鮮人美女、牛、馬、豚など各々3000などの20余種を毎年上納すること
(『朝鮮王朝実録、仁祖実録』より)


この他、50万の朝鮮人捕虜が満洲に連行され、強制労働させられました。まさに、清は朝鮮を「生かさず殺さず」飼い慣らし、搾取し続けます。朝鮮は長らく、中国の属国でしたが、この三田渡の盟約のような恥辱を与えられたことはそれまで、ありませんでした。

こうして、朝鮮人はどれだけ懸命に働いても、全て奪われるという搾取構造の中に貶められますが、それが当然、彼らの精神を長年にわたり、蝕んでいったことは想像に難くありません。


茂木　このとき朝鮮の宗主国《そうしゅ》・明は農民反乱で崩壊しつつあり、朝鮮を助けるゆとりがありません。それどころか、明の混乱に乗じて万里の長城を突破した清軍が北京に入城し、中華皇帝になってしまったのです。清は、漢民族に対し服属の証しとして、弁髪を強要しました。前頭部から側頭部を剃り、後頭部の髪だけ長く伸ばして三つ編みにするのです。

北京から戻った使者の報告を聞いたヤンバンたちは衝撃を受けます。

「大明が、中華が滅びた……」

「いや、そうではない。明は滅んだが、中華文明はわが朝鮮に残ったではないか」

「そうだ。わが国は国土こそ狭いが、堂々たる世界最後の文明国なのだ！」

このような考え方を「小中華思想」といいます。

宇山　本来、明が滅亡したことにより、朝鮮の中華思想追従も破綻したと考えるのが普通ですが、朝鮮の儒学者たちは自分たちの都合の良いように、中華思想に固執しようとしました。朝鮮は中華文明に最も近い存在であり、明亡き後は、朝鮮のみが唯一の残された「華」であるという理屈を掲げ、夷狄の清は中華文明の後継者とは認められないとする、自分勝手な解釈をしました。

このような主張を展開した儒学者の代表が宋時烈《ソン・シヨル》でした。宋時烈は明の恩義を忘れてはならないとする「対明義理論」により、対清北伐の強硬論を唱えました。清に徹底的に追い詰められたにもかかわらず、未だ、虚勢を張る朝鮮儒学者の愚かさは国を亡ぼすものでしかありません。朝鮮は清に大量の物品を毎年、貢納させられました。その鬱憤晴らしに、自ら中華の後継者と称し、慰めを求めたのでしょう。

茂木　「小中華朝鮮」から見れば清国人も「夷狄」です。清国は怒らせると怖いから表面的には服属していましたが、本心では「弁髪頭の夷狄め！」と蔑んでいたのです。

19世紀、アヘン戦争で敗れた清国と、ペリー来航に衝撃を受けた日本はそれぞれ近代化へと舵を切りました。朝鮮にもフランスやアメリカの軍艦が来航しましたが、朝鮮のヤンバンはこれを侮蔑し、何も学びませんでした。こうして朝鮮は完全に取り残され、日清両国の争奪の場となり、ついにはあれほど蔑んでいた日本に併合されることになったのです。

日本の支配を嫌いアメリカへ逃れた李承晩《イ・スンマン》は、日本の敗戦時に、米軍と共に帰国して韓国を建国しました。一方、ソ連に逃れていた金日成《キム・イルソン》はソ連の対日参戦とともに帰国し、北朝鮮を建国しました。共にヤンバンの家系です。南北朝鮮の高官が、いまも口を極めて相手方を罵倒するのを見ると、「ああ、党争をやっているなぁ……」と感慨深いものがあります。

韓国にとってはアメリカが中華であり、北朝鮮にとってはソ連・中国が中華でした。だから中国が市場経済に転じ、ソ連が崩壊したとき、北朝鮮指導部は衝撃を受けました。

「社会主義が滅びる……」

「いやそうではない。ソ連は滅んだが、社会主義はここ朝鮮に残った」

「わが朝鮮は、世界最後の純正な社会主義国なのだ――」

朱子学はいまも生きているのです。

第5章

《現代》アメリカの世紀と共産党の野望

21

「三枚舌外交」がユダヤ人とパレスチナ人の争いの元になったのは本当か

宇山卓栄

■バルフォア宣言で記された「national home」

宇山　かつて、古代ヘブライ王国があったユダヤ人の故地パレスチナを支配していたのは、16世紀以来、オスマン帝国でした。しかし、19世紀、オスマン帝国が弱体化すると、ユダヤ人の故地帰還が現実味を増し、ヨーロッパ在住のユダヤ人たちが「シオニズム運動」を起こします。「シオン」はイェルサレムを指す古い呼称です。

茂木　シオン＝イェルサレムを中心とするパレスチナ地方は、オスマン帝国時代には平穏でした。ここに残ったユダヤ教徒も少数いて、アラブ系のイスラム教徒と共存してきました。ここをユダヤ国家にしろ、というのがシオニズム運動ですね。

宇山　19世紀末、シオニズム運動が起こった時、ユダヤ人にはすでに民族的なアイデンティティはなくなっていました。厳密にはユダヤ教徒という共通性のある人々というだけで、あるいは中世以来のヨーロッパにおける被迫害者という共通項があるだけでした。

茂木　2世紀にローマ帝国によって古代ユダヤ国家が滅ぼされて以来、2000年間も世界を流浪したユダヤ人は、当然さまざまな民族と混血しました。たとえばドイツのユダヤ人はドイツ語の方言であるイディッシュ語を話し、『旧約聖書』の言葉である古代ヘブライ語は日常会話では使わなくなっていました。でも、『旧約聖書』に由来する祭りや儀式を継承することで、ユダヤ教の信仰と選民思想は受け継がれたんですね。ところがビスマルクのドイツ統一に象徴されるような、ナショナリズム（民族主義）の運動が高まると、「民族としてのユダヤ人」意識が芽生えてくるんですね。

宇山　19世紀の民族主義の高まりの中、特に、ロシアにおける1881年以来のユダヤ人迫害（ポグロム）や、フランスのドレフュス事件にみられる反ユダヤ主義が巻き起こる中で、ユダヤ人の中に、ユダヤ国家を建設しようという思想が芽生えてきたのです。

ハンガリー生まれのユダヤ人ヘルツルは、ジャーナリストとしてパリに滞在中、ドレフュス事件に遭遇します。彼は、フランス人が「ユダヤ人を殺せ」と怒号するのを見て、ショックを受け、ユダヤ人の国家建設の必要を痛感し、シオニズムを提唱します。1897年、スイスのバーゼルで第1回のシオニスト会議が開催されました。

初期のシオニズムでは、彼らが国家を建設する場所は必ずしもパレスチナを想定してはおらず、マダガスカルやウガンダなどアフリカの未開の地なども想定されていました。シオニストらは他民族の生存権、生活圏を脅かす権利などないと考えていたようです。しかし、シオニズムの原理主義化が強まり、「約束の地カナン」へ帰還することが必要とされていきます。

茂木　保守的なユダヤ教の考え方（宗教的シオニズム）では、ユダヤ人の離散は全能の神が与えた試練であり、この試練を耐え忍べば、神は救世主（メシア）を遣わし、ユダヤ国家を再建してくれる、というものでした。

　ところがヘルツルの思想（世俗的シオニズム）では、「神だのみ」をやめました。政治的な力、はっきり言えばヨーロッパ列強の軍事力を利用してオスマン帝国から「約束の地」パレスチナを奪い取り、ユダヤ国家を実現しよう、というキナくさいものに変化していったのです。この運動を資金面で支えたのが、ロンドンとニューヨークのユダヤ系金融資本でした。

宇山　１９１４年、第一次世界大戦がはじまると、イギリスはドイツやその同盟国オスマン帝国と戦い、苦戦していました。戦争の資金繰りに苦しんでいたイギリスはユダヤ人財閥ロスチャイルドに、資金援助を申し出ます。援助と引き換えに、パレスチナの地に、ユダヤ人の国を建国することをイギリスに約束させました。

ウォルター・ロスチャイルド
ナポレオン時代に活躍したネイサンの曾孫。貴族院議員をつとめた。金融より動物学研究に熱中した。

茂木　イギリス最大の政商ロスチャイルド家は、第一次世界大戦で膨大な戦費を必要とするイギリスの国債を引き受けており、シオニズム運動のスポンサーでもありました。イギリス政府（ロイド・ジョージ内閣）の外相バルフォアが１９１７年、４代当主ウォルター・ロスチャイルドに宛てた書簡が「バルフォア宣言」です。高校教科書に太字で載っていますが、宛先人が「ロスチャイルド卿」だということは、教科書には絶対書かれないのが不思議です。

宇山　「バルフォア宣言」では、パレスチナにおけるユダヤ人の「national homeナショナルホーム」の建設が言及されています。

イギリスの言い分としては、「nation」や「state」とは言っておらず、「居住地」の建設を約束したに過ぎないとされます。ユダヤ人国家建設を約束したものではないというのです。しかも、パレスチナ先住民における権利を確保することが明記されています。ただ、この言い分はムリがあるでしょう。「national home」の「national」には「国民の」や「国家の」という意味があり、単なる「居住地」を超えた主権性を帯びたものと捉えることができるからです。実際に、シオニストらにはユダヤ人国家建設と捉えられたのです。

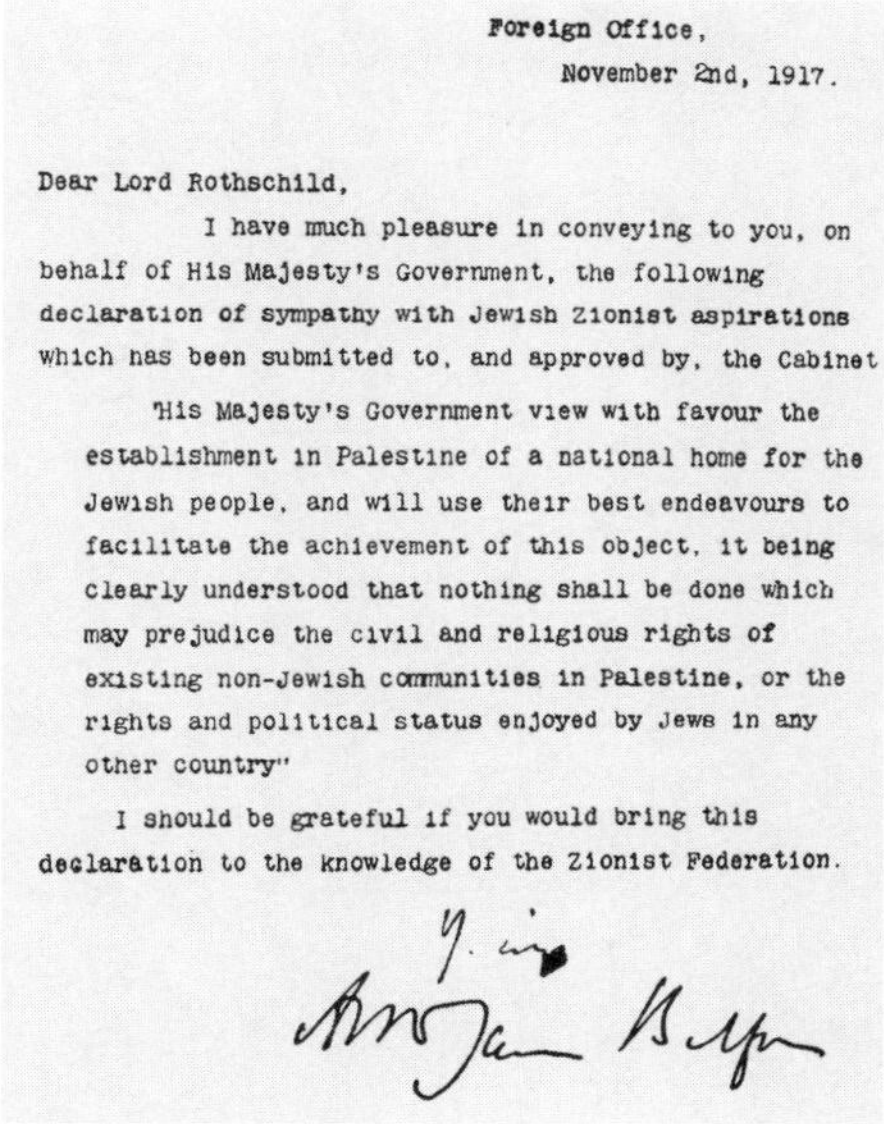

Foreign Office,
November 2nd, 1917.

Dear Lord Rothschild,

I have much pleasure in conveying to you, on behalf of His Majesty's Government, the following declaration of sympathy with Jewish Zionist aspirations which has been submitted to, and approved by, the Cabinet

"His Majesty's Government view with favour the establishment in Palestine of a national home for the Jewish people, and will use their best endeavours to facilitate the achievement of this object, it being clearly understood that nothing shall be done which may prejudice the civil and religious rights of existing non-Jewish communities in Palestine, or the rights and political status enjoyed by Jews in any other country"

I should be grateful if you would bring this declaration to the knowledge of the Zionist Federation.

バルフォア宣言(1917)
His Majesty's Government view with favour the establishment in Palestine of a national home for the Jewish people　イギリス国王陛下の政府は、パレスチナ Palestine におけるユダヤ人 Jewish people のための national home 建設を、好ましく思っております。

■アラブ人とユダヤ人の共存が可能とされた

宇山　バルフォア宣言に先立つ1915年、イギリスはドイツと同盟するオスマン帝国に対抗するため、オスマン帝国の支配下にあるアラブ人に接近します。イギリスはアラブ人に戦争協力と引き換えにアラブ人国家建設を約束したフサイン・マクマホン協定を締結します。メッカの太守であり、アラブの代表であったフサイン・イブン・アリーとイギリスの駐エジプト高等弁務官ヘンリー・マクマホンとの間でやりとりされた書簡の中で、約束されました。

茂木　フサインはハーシム家の当主。ハーシム家は預言者ムハンマドを出したアラブの名門ですが、この時代はトルコ人のオスマン帝国に屈し、メッカの地方長官に甘んじていました。

宇山　その一方で、イギリスは翌1916年、大戦後にオスマン帝国の領土をフランスとともに分割支配することを約束したサイクス・ピコ協定を締結します。「サイクス」はこの協定の交渉にかかわったイギリス外交官、「ピコ」はフランス外交官の名前です。

1915年のフサイン・マクマホン協定、1916年のサイクス・ピコ協定、1917年のバルフォア宣言の三つのイギリスの外交は「三枚舌外交」と呼ばれます。パレスチナに関して言えば、フサイン・マクマホン協定で約束されたアラブ国家の範囲に、同地が含まれるかどうかが問題になります。一般的な概説書には、パレスチナが含まれると解説されるのですが、必ずしもそうとは言えません。フサイン・イブン・アリーに約束した領土の範囲には、パレスチナは含まれていないという解釈も成り立つのです。シリアの地中海沿岸部、レバノンなどはフサイン・マクマホン協定でハッキリと含まれていないことが記されており、その続きで、南のパレスチナ地域も含まれていないともいえるのです。

パレスチナは開発の遅れた無法地帯であり、辺境の僻地で、人々は貧しく、識字率も低いままでした。最大の都市イェルサレムでさえ、人口は2万人程度に過ぎませんでした。大半の土地は不在地主の所有で、貧しい小作人によって耕され、地元の有力なアラブ人家庭出身の少数のエリートが、貧しい大衆を牛耳っており、中流階級と呼べるような人々はほとんどいなかったのです。

ファイサル王子(右)とシオニストのハイム・ワイツマン

シオニストの移民がはじまる直前の１８８０年、パレスチナ全体の人口はわずか60万人足らずでした。１８８０年代になりようやく、オスマン帝国はパレスチナの道路や鉄道といったインフラを整備しはじめます。19世紀のシオニストはパレスチナを「土地なき民のための民なき土地」と宣伝していました。フサイン・イブン・アリーの息子ファイサルはシオニズム運動の指導者ハイム・ワイツマンと会談し、パレスチナ地域におけるアラブ人とユダヤ人の共存が可能との見解を表明し、パレスチナ地域の領有権について、関心を示していません。
茂木　ハーシム家はイギリスに「おんぶにだっこ」の状態でオスマン帝国から独立しようとしていました。アラブ独立軍を実際に指揮していたのは、イギリス陸軍の情報将校トマス・ロレンス（アラビアのロレンス）でした。要するに傀儡政権であり、日本が擁立した満洲国の溥儀《ふぎ》と同じなのです。だから「シオニズム支援」というイギリスの意向には、逆らえなかったと思います。

ファイサル王子（中央手前）とロレンス（右）

イギリス政府は矛盾していなかったのか

宇山　第一次世界大戦後、サイクス・ピコ協定に基づいて、現在のシリアとレバノンをフランスの勢力範囲に、イラク、ヨルダン、パレスチナをイギリスの勢力範囲とします。さらに、イギリスはフサイン・イブン・アリーに、ヒジャーズ王国の建国を支援します。ヒジャーズ王国はメッカを中心にアラビア半島西部紅海沿岸に建国され、フサインを国王としたアラブ人の国家となります。その後、アラブ人同士の内紛が起こり、わずか7年でイブン・サウード（サウジアラビアの建国者）に征服されてしまいます
茂木　フサインの王子たちはイギリスに保護されました。兄アブドラ王子は「トランスヨル

図表21-1　サイクス＝ピコ協定のトルコ領

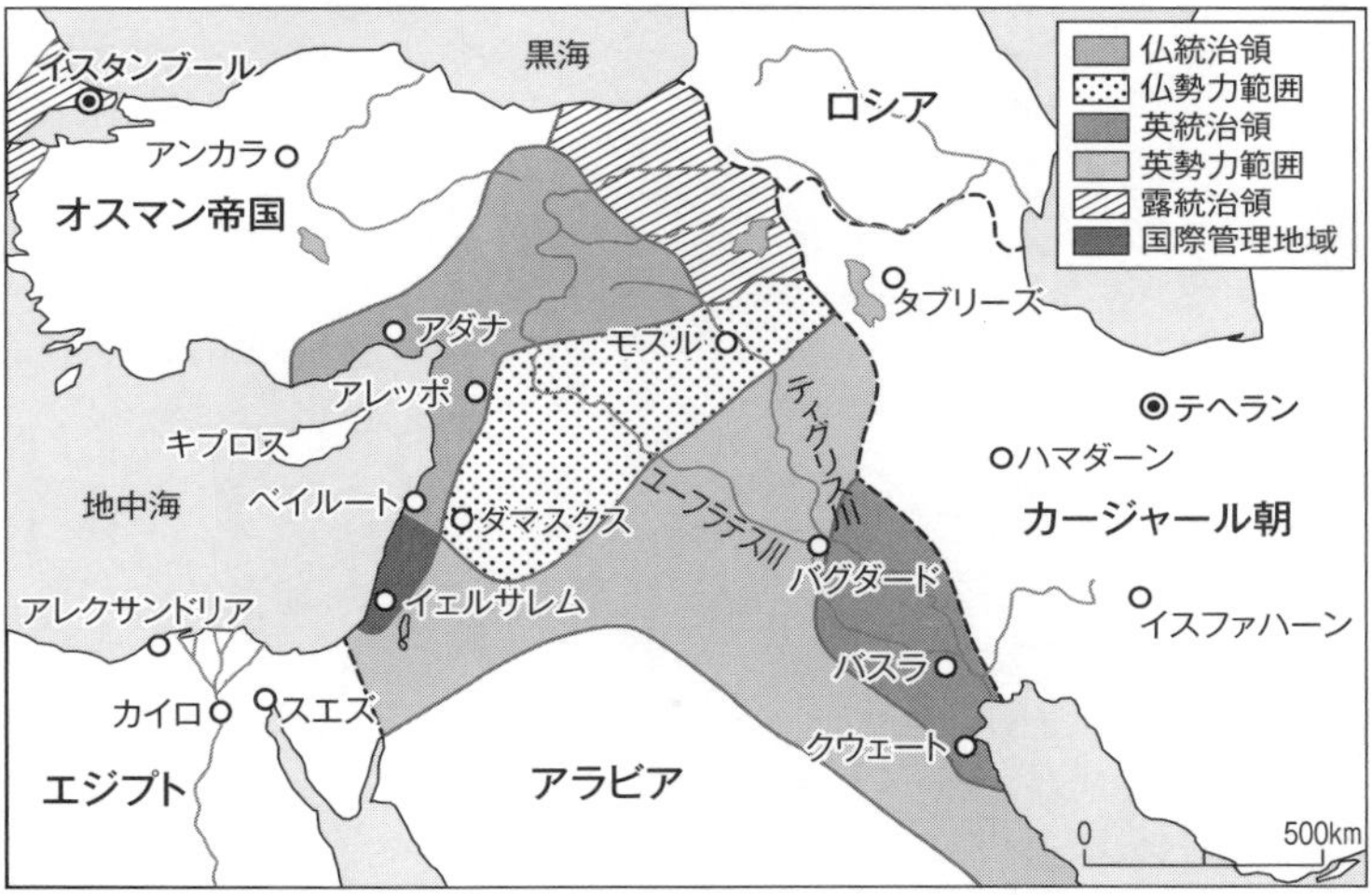

ダン王」、弟ファイサル王子は「イラク王」に擁立されました。イラク王国はのちに革命で崩壊しましたが、ヨルダン王政はいまも続いています。正式国名の「ヨルダン・ハシミテ王国」は「ハーシム家の」という意味で、中東における親英米派の筆頭ですね。

宇山　イギリスの「三枚舌外交」の矛盾ということがよく指摘されますが、実際には、それほど、矛盾したものではありませんでした。一部シリアの領土範囲に不明瞭なところがあり、ファイサルがダマスカスを占領し、フランス軍によって排除されるなどの争いがあったものの、アラブ人とイギリスとフランスのそれぞれの支配領域について、実際には、ほとんど重複していませんでした。パレスチナはイギリスの委任統治下となり、フサインやファイサルもそれを受け入れていました。

そのため、イギリスの言い分として、ヒジャーズ王国建国を支援するなど、アラブ人との約束を守り、パレスチナにおいては、先住民における権利を守りながら、ユダヤ人の入植を認めていったのであり、「三枚舌外交」として批難されるべきものではない、ということになります。実際に、パレスチナは第一次世界大戦後、イギリスの委任統治領下で、ユダヤ人移民に対して抑制的に運営されていました。

イギリスの「三枚舌外交」はパレスチナ紛争の遠因ではあるものの、直接の原因ではないと言えます。イギリスの責任を殊更に強調し、イギリスを黙らせようとするシオニストのプロパガンダについても考慮せねばなりません。自分たちは「三枚舌外交」の犠牲者であるというポジションが盛んに喧伝されたのです。

茂木　アラブ地域を英仏が分割したサイクス・ピコ協定では、パレスチナを「国際管理」と定めていますから、バルフォア宣言とは矛盾しません。一方でアラブ独立を認めたフサイン・マクマホン協定ではパレスチナの扱いを明記せず、わざと玉虫色にしていますね。イギリスは「二枚舌」か、「一・五枚舌」というのが妥当なところでしょう。

■シオニストはカネとプロパガンダを利用した

宇山　パレスチナ紛争の直接の原因は1947年11月、アメリカや国連が認めたパレスチナ分割案（ユダヤ人国家創設）にあります。しかし、このことについては、どういうわけか、教科書や一般の概説書などでは、その内情と実態に、きちんと言及されません。

ユダヤ人シオニストはパレスチナ分割案を国連で認めさせるために、アメリカをはじめ各国の関係者にカネをばら撒いたとされます。もし、パレスチナの地にユダヤ人国家を建設すれば、現地のパレスチナ人とユダヤ人との間で激烈な戦争になることは明らかであったにもかかわらず、分割案をゴリ押しできたのはカネの力であるとされるのです。

茂木　アメリカの関与について、はっきりさせましょう。シオニズムの最大のスポンサーはニューヨーク、ウォール街の国際金融資本です。彼らの大半はユダヤ系で、祖先がロシアやドイツで迫害され、アメリカに逃げてきた人たちです。金融で財を成した彼らの夢は、ユダヤ人の敵を粉砕し、ユダヤ人のための安住の地を作ることです。日露戦争のとき、売れなくて困っていた日本の戦時国債をまとめ買いしてくれたジェイコブ・シフもその一人で、ロスチャイルド家のパートナーでした。彼は日本を、「ロシアを撃つ神の鞭」とまで称賛しています。

アメリカ二大政党のうち、中西部の開拓民が支持するのが共和党、新たに入ってくる移民を歓迎し、彼らに投票させるのが民主党です。当然、ユダヤ人の多くは民主党支持で、ユダヤ人が多いニューヨークはいまも民主党の牙城です。

アメリカのユダヤ政策は、政権政党によって、真逆になります。ハーディング共和党政権は、ユダヤ移民を全面禁止する１９２４年移民法を成立させました。日本人移民も禁じたので日本では「排日移民法」として有名ですが、メインターゲットはユダヤ人でした。不毛のパレスチナへ行くより、文明化されたアメリカで暮らすほうが楽に決まってます。だからユダヤ移民の大半がアメリカへ流入していたのですが、移民法でこれを止めてしまった。そのあと世界恐慌が起こり、労働力過剰となったため、民主党政権もこれを踏襲しました。

ドイツではヒトラー政権が公然とユダヤ人迫害を始めた。だから欧州のユダヤ人はパレスチナへ逃げるしか方法がなくなったのです。一度に大量のユダヤ人が流れ込んだパレスチナは大混乱に陥ったのです。

宇山　シオニストはナチスのホロコーストを喧伝し、迫害を受けたユダヤ人が「避難地」を確保することは当然の権利と主張しました。分割案に賛成しなければ、ホロコーストを認めないナチス主義者、歴史修正主義者などのレッテル貼りもされました。

茂木　イギリスはパレスチナから逃げ出し、発足直後の国連に問題を丸投げしました。ニューヨークの一等地に立つ国連本部ビルの用地を提供したのは、ロックフェラー家でしたね。

宇山　当時のトルーマン大統領は「今まで見たことがないような国連でうごめく工作だけでなく、ホワイトハウスでも工作活動が行われた」と述べています。

茂木　１９４８年はアメリカ大統領選挙で、再選を目指す民主党トルーマン大統領の苦戦が予想されていました。ニューヨークの金融資本ファインバーグ家はトルーマンの選挙資金を用立て、シオニストの代表ワイズ師はトルーマンに面会して分割案への支持を直接訴え、２万数千通のユダヤ人からの嘆願書がホワイトハウスを埋め尽くしました。熱心なクリスチャンだったトルーマンは、『旧約聖書』の愛読者でもありました。

宇山　パレスチナ分割案は非常識極まりない案であり、また戦争を誘発する案でもあり、欧米を除き、多くの国が反対しており、本来、否決されるはずのものでした。しかし、ユダヤ人シオニストは激烈なロビー活動とカネのバラマキにより、特にラテンアメリカ諸国の関係者を賛成側にひっくり返しました。国際連合総会のパレスチナ分割案採決では、前日まで反対を表明していた12の国が賛成に回り、投票は賛成33票、反対13票、棄権10票で、賛成多数で可決されました。当時、国連本部はニューヨーク郊外のレークサクセスに置かれていたため、「レークサクセスの奇蹟」と呼ばれます。イスラエル建国後、ユダヤ人とパレスチナ人との紛争が本格化し、それが今日まで続きます。

茂木　アメリカのユダヤ人は人口の2％に過ぎませんが、ウォール街を握っているユダヤ資本が巨大な政治力を持つに至りました。この「ユダヤ・ロビー」の存在が、アメリカを必要以上に中東問題に介入させ、イスラエルびいきを続けさせた。これがパレスチナ問題の本質です。

イスラエルの強硬姿勢は、アメリカ民主党という強力な後ろ盾があるから可能なのです。4回の中東戦争のうち3回は、アメリカ民主党政権のサポートを受けたイスラエルが勝利しています。第2回のスエズ戦争だけは、アメリカ共和党のアイゼンハワー政権でイスラエル不支持に回ったため、失敗しました。

トランプは娘婿のクシュナー氏がユダヤ系ですが、２０２０年に共和党政権としてイスラエルとアラブ諸国との和平を仲介しました（アブラハム合意）。２０２３年に始まるガザ紛争が、民主党バイデン政権下で始まったことは、偶然ではありません。

22 アメリカ民主党の偽善と腐敗の遺伝子「フランクリン・ルーズヴェルト」

宇山卓栄

日本人に対する異常な人種差別意識

宇山　歴史の教科書では、フランクリン・ルーズヴェルトは英雄扱いされています。世界恐慌を克服し、第二次世界大戦を勝利に導いた英雄とされています。とんでもない話です。ルーズヴェルトの前の大統領ハーバート・フーバーは彼を「狂人」と表現しました。茂木先生も対談本を一緒に出されている渡辺惣樹先生が訳を担当されているフーバー著『裏切られた自由』の中でも、このことが詳しく述べられています。

茂木　日本の教科書のルーズヴェルト礼賛は、その根底にはＧＨＱ史観が根底にあると思います。「軍国主義を倒し、日本に民主主義をもたらした」とＧＨＱは自画自賛したわけですが、対日政策を決定したＧＨＱ、特に民政局は、ルーズヴェルト政権下で台頭したニューディーラーの巣窟でした。

宇山　ルーズヴェルトは１９３３年から１９４５年の12年間、政権を率いていましたが、フーバーの言うように、ほとんど常軌を逸した政策運営がなされていました。近年では、ルーズヴェルトは共産主義の共謀者であったことが「ヴェノナ文書」の公開ではっきりしました。「ヴェノナ文書」は当時のソ連暗号の解読の記録であり、アメリカ国家安全保障局（ＮＳＡ）が１９９５年に公開した公式文書です。「ヴェノナ文書」によると、ルーズヴェルト政権の中枢部に、２００人以上のスパイやその協力者たちがおり、彼らはソ連・コミンテルンと通謀し、日本敵視政策を主導し、アメリカの反日世論を煽っていました（第５章23節参照）。

ルーズヴェルトは３選を果たすと「日本の脅威」を執拗に喧伝し、危機を煽ります。前例のない３選の大統領権力は絶大であり、半ば独裁権を固め、太平洋戦争へと突入していきます。日本を滅ぼすというルーズヴェルトの個人的な野心はようやく実現しはじめます。

ルーズヴェルトは日本人に対する強い人種差別的思想を持っていたことを、イギリスのキャンベル駐アメリカ公使はイギリス本国に以下のように報告しています。「ルーズヴェルトはインド人やアジア人種を白人と交配させることにより、彼らの文明は進歩すると考えている。だが、日本人は白人と交配しても彼らの文明は進歩しないと」。ルーズヴェルトはスミソニアン博物館の研究者の説を引用して、日本人の頭蓋骨は白人のものより約２０００年、発達が遅れている（全く根拠はない）と説明したとのことです。

茂木　19世紀の「黄禍論」が、疑似科学の優生学（人種には先天的な優劣があるという説）と結びついて広まっていたんですね。ヒトラーもルーズヴェルトも、この点では一緒でした。

宇山　ルーズヴェルトは１９４１年のアメリカの対日開戦後に、アメリカ国内とアメリカの影響下にあったブラジルやメキシコ、ペルーなどの中南米諸国において、日系人の強制収容所を建設しました。多くの日系人の財産を一方的に奪った上、強制収容所に連行し、過酷な労働に従事させました。強制収容所は人里離れた地域や砂漠地帯にあり、周囲を有刺鉄線のフェンスで囲まれ、警備兵が監視していました。収容所は不潔であったため、食中毒が頻繁に発生しました。食料は農場で耕作し、自給自足せねばなりませんでした。

ルーズヴェルトは「大統領令9066号」に署名し、日系人を令状なしに捜査・連行することを可能にしました。表向きは、アメリカは日本と戦っていたため、「敵性外国人」として、日本と関係のある日系人がスパイ行為及び破壊行為をする可能性があるとする理由でしたが、ルーズヴェルトは日本人に異常な差別意識を持ち、隔離しようとしていたのは明白でした。ルーズヴェルトはこういう考え方を根底に持ちながら、あの第二次世界大戦・太平洋戦争を遂行したのです。

■ニューディール政策が世界恐慌を克服したという嘘

茂木　先に話題になったフーバー著『裏切られた自由』が日本でもよく読まれ、「狂人」ルーズヴェルトの実態が知られるようになってきています。「戦争を望んだのは日本ではなく、ルーズヴェルトだった」とフーバーは述べています。ルーズヴェルトが戦争を望んだ理由は第一に、ソ連の要望を満たし、共産主義を実現するため、第二に、ニューディール政策の失敗を

図表22-1　ニューディール政策の6つの要素

①生産統制
農業調整法（AAA）、全国産業復興法（NIRA）
②金融緩和
金本位制停止による貨幣供給増大
③財政出動
テネシー川流域開発公社（TVA）　のダム建設
④労働者保護
ワグナー法（労働組合法）
⑤高関税政策
ブロック政策（ドル・ブロック）による輸入遮断
⑥銀行規制
グラス·スティーガル法（銀行の証券業務兼営禁止）

隠すためだったということを、フーバーは説いています。『裏切られた自由』はフーバーの死後50年も公開されず、２０１１年にようやくフーバー研究所から出版されました。

宇山　日本の歴史教科書では、ニューディール政策が世界恐慌を克服したと書かれていますが、大嘘です。１９３３年、世界恐慌に対応するため、打ち出されたニューディール政策には、図表22-1のように、大きく六つの要素があります。

まず、ニューディール政策は緊急のデフレ対策として、生産統制により、過剰供給に陥っていた生産量を減らし、品薄状態にして、モノの価格上昇を図ろうとしました。工業品の統制を全国産業復興法（ＮＩＲＡ）で、農産品の統制を農業調整法（ＡＡＡ）で、それぞれ規定しました。生産休業者には、補助金が与えられました。

茂木　ニューディール政策の評価をめぐって、今日でも議論が真っ二つに割れるのがこの図の②

金融と③財政の問題ですね。ニューディール政策の骨子は、
②大胆な金融緩和で、資金を市場に供給し、景気を浮揚させること
③積極的な財政出動で公共事業を起こし、需要を喚起する
と一般的に評価されています。

宇山　財政政策として、効果があったと評価する論者はケインズの弟子ピーター・テミンとエコノミストのリチャード・クー氏です。一方、大恐慌の原因を流動性の供給不足にあったとするマネタリストのミルトン・フリードマンは金融緩和の効果を認めています。ＦＲＢ元議長のバーナンキも同じ見解です。

しかし、これらの効果について、否定する見解があります。財政政策について、一般的に、ケインズの有効需要理論がニューディール政策に全面的に採用され、公共事業が大規模に行われたと考えられていますが、必ずしもそうではないのです。１９３２年のフーバー政権で、政府支出はＧＮＰ比８・０％で、ルーズヴェルト政権の１９３６年にＧＮＰ比10・２％となっています。政府支出はＧＮＰ比で、僅か２％強しか増えていません。赤字国債は１９３２年のＧＮＰ比33・６％から、１９３６年のＧＮＰ比40・９％の増加幅に留まっています。

ケインズが１９３４年、ルーズヴェルトに会った時に、赤字国債増発を躊躇《ちゅうちょ》しないよう提言したのに対し、ルーズヴェルトは了解しませんでした。ルーズヴェルトはケインズとの会合について、以下のように語っています。「彼は統計の数字の話ばかりしていて、経済学者というよりも数学者のように思えた」。ニューディール政策における、公共事業はダム建設などに

限定されており、実際には、財政出動の規模は抑制されたものであったのです。

経済学者で、リーマン・ショック直後のオバマ政権の経済諮問委員会の委員長クリスティーナ・ローマーは、ニューディール政策の財政出動の規模が不充分であり、経済回復に効果がなかったと批判しました。

茂木　ケインズの『一般理論』刊行は１９３６年ですから、ニューディールのあとなんですね。つまりルーズヴェルトのアタマには明確な経済理論があったわけではなく、手探りでやっていた。そのモデルの一つは、スターリンの５カ年計画だと思います。

共産党が生産を１００％管理することで景気循環を起こさせず、一人の失業者も出さない。「５カ年計画大成功」というソ連の宣伝は各国の経済政策に影響し、ヒトラーの４カ年計画や、日本では高橋是清の「高橋財政」、「満洲産業開発５カ年計画」にも影響を与えています。

ソ連を国家承認したアメリカ大統領が、ルーズヴェルトでした。ヤルタ会談でソ連の対日参戦を許したのもルーズヴェルトでした。彼の一貫した容共政策の根底には、「ソ連への憧れ」があったと私は見ています。

■ニューディール政策は共産主義化への手段

宇山　ルーズヴェルト政権は金本位制を停止し、通貨と金（ゴールド）のリンクを切り、通貨発行の自由裁量権を得て、金融緩和に踏み込みます（ちなみにケインズは金本位制停止を従来

図表22-2 恐慌期のアメリカのマネー・サプライ推移

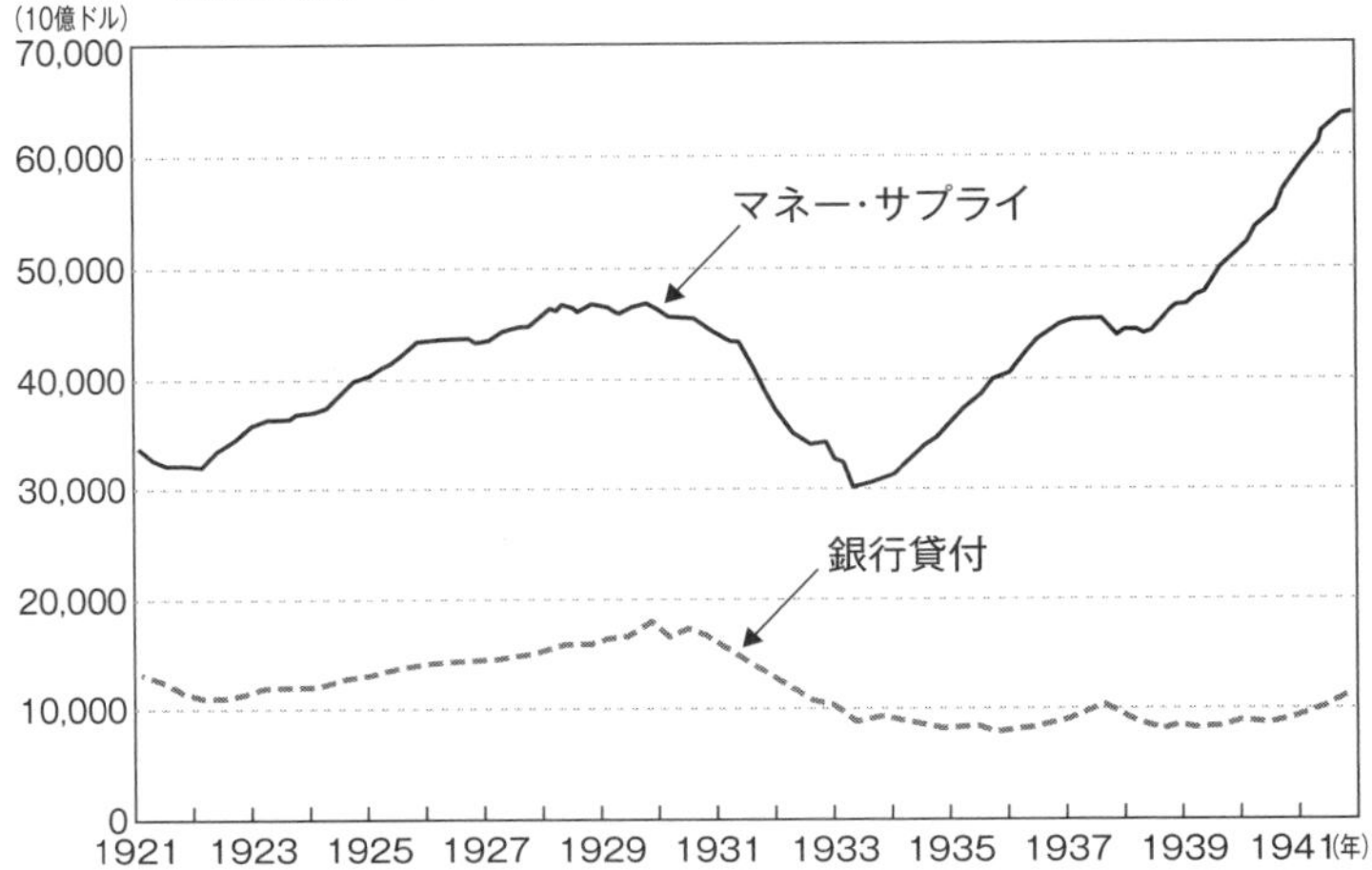

出典：Robert J. Gordon『The American Business Cycle: Continuity and Change』(University of Chicago Press)

から主張)。しかし、その貨幣供給量は図表22－2のように、1929年の恐慌発生時に戻す程度のものでしかなかったのです。この間、ドル円の為替相場において、ドル高が進むほど、ドルの供給ベースは緩慢でした。

しかも、民間貸出しは全く回復しておらず、市場への資金供給は進んでいませんでした。リチャード・クー氏は1933年からのマネー・サプライ増加は財政出動のファイナンス分でしかないことを主張しています。つまり、クー氏によると、ニューディール政策において、金融緩和の効果はほぼ認められないということになります。

また、ニューディール政策は結局、財政政策としても金融政策としても、ほとんど効果はなく、1933年に景気が底打ちするのは、経済が自律的な景気回復局面に入ったからであり、政策の効果ではない、とする考え方があります。１９３２年、つまりニューディール政策がはじまる1年前から、既に失業率や物価が底打ちし、上昇に向かっているという事実は、そのような考え方を裏付けるものです。

茂木　アメリカの景気を根本的に回復軌道に乗せたのは、第二次世界大戦の軍需であったことだけは間違いありません。25％だった失業率は、ニューディールでは15％までしか下がっていません。これをゼロにしたのが１９３９年からはじまる第二次世界大戦の勃発でした。彼と財界は参戦を熱望しましたが、国民世論の大半は「戦争に関わるな」、でした。

宇山　結局、ニューディール政策とは何だったのか。第一に、計画経済と社会主義政策を実行し、それが成功したと嘯《うそぶ》き、アメリカ共産主義化への入り口にしようとしたこと。第二に、金本位制を停止し、資本主義の国際経済秩序への挑戦と破壊を試みたこと。こうしたことが実態であったと思います。「大きな政府」、社会主義的な政策など、このルーズヴェルト政権の負のレガシーや遺伝子を、現在のアメリカ民主党は受け継いでいると思います。

■慣例を破って4選、選挙では大ホラ

宇山　アメリカ独立戦争の指導者ジョージ・ワシントンは、大統領になるのを嫌がっていました。周囲が無理強いしたので、仕方なく初代大統領に就任します。ワシントンは2期目も仕方なく引き受けましたが、３期目を要請された時には、断固として拒否しました。そのため、大統領職は2期までという慣例がつくられました。この慣例を破ったのがルーズヴェルトで

す。

茂木　欧州での戦争が始まっていた1940年の大統領選挙で、ルーズヴェルトは慣例を破って3選を狙い出馬したため、民主党議員からも批判されます。しかしルーズヴェルトは、「何度でもいいます。あなたがたの息子たちを戦場に送るようなことはしません」などと大ホラを吹いて、選挙戦を有利に戦います。共和党の対立候補ウィルキーは、「ルーズヴェルトは戦争をしたがっている、国民を騙している」と批判しました。実際、ウィルキーの言った通りになりました。

41年、ルーズヴェルトはレンドリース法（武器貸与法）を成立させ、欧州大戦ではイギリス、日中戦争では中国への武器輸出をはじめました。なお2022年からのウクライナ戦争に際してバイデン民主党政権が、ウクライナ支援の新たなレンドリース法を成立させています。

41年12月、日本海軍が真珠湾を攻撃したことは、戦争をしたくてたまらないルーズヴェルトに絶好の口実を与えてしまいました。彼は満を持して議会で演説します。

「今日、12月7日（米国時間）、将来、恥辱として記憶に刻まれるであろう日、アメリカ合衆国は、大日本帝国海空軍から突然かつ準備周到な攻撃を受けました。……私は議会に要求します。アメリカ合衆国と大日本帝国が交戦状態に入った旨の布告を宣言することを」

宇山　大戦末期の1944年、ルーズヴェルトは第二次世界大戦中の危機対処を理由に、4選します。もはや彼の前に立ちはだかる者など誰もいませんでした。ルーズヴェルトは1945年に病死しますが、彼のような人間は病死しなければ、5選6選ということもあり得たでしょう。１９５１年、アメリカ合衆国憲法修正第22条によって、正式に大統領は２期までと定められます。

茂木　ルーズヴェルトは深刻な健康問題を抱えていました。30代で発症したウイルス性の脊髄炎（ポリオ）で車椅子生活を送っており、晩年には高血圧による動脈硬化が悪化していました。戦後処理について話し合うヤルタ会談で、ルーズヴェルトは空港から会場まで担架で運ばれ、口を開けて座っているだけで死人のようだった、という証言があります。

この会談を仕切ったのはスターリンで、ドイツの分割占領、東欧諸国をソ連の勢力圏とすること、対日参戦の見返りに南樺太と千島を得ることを約束させました。人種差別主義者で容共主義者、最後は廃人と化していたルーズヴェルトこそが、東西冷戦のタネを巻いたのです。

ヤルタ会談のルーズヴェルト（中央）

23

日米関係の世界史——アメリカの残虐性の根源とは？

茂木　誠

アメリカの「太平洋ハイウェイ構想」

茂木　世界史を学ぶ上で気をつけなければならないのは、現代のイメージでその国を考えてはいけない、ということです。アメリカは、はじめから超大国だったわけではありません。

１７７６年にイギリスから独立した当時のアメリカ合衆国は、大西洋岸（東海岸）だけの小国で、人口は４００万人弱でした。フランスは３１００万人、統一前のドイツ諸国合計は２３００万人。同時期（安永年間）の日本は２６００万人でドイツとほぼ同じ規模、アメリカの約６倍という大国でした。

アメリカは「西部開拓」という名の先住民掃討作戦を進め、19世紀半ばにはメキシコからカリフォルニアなどの西海岸を奪いました。自然増に欧州からの移民も加わって人口が激増し、当時の人口は２３００万人。同時期（天保年間）の日本２６００万人にようやく追いつきます。

江戸時代後期に日本の人口が増えていないのは新田開発の限界と、浅間山の噴火などによる寒冷化がもたらした飢饉の結果、乳児死亡率の増加と出産制限が原因でしょう。
この直後にアメリカはペリー艦隊を日本へ派遣し、開国させます。

宇山　マシュー・ペリーは、メキシコとの戦争で戦果を上げ、東インド艦隊の提督へと昇進しました。米海軍に本格的に蒸気船を配備したことから「アメリカ蒸気海軍の父」とか「蒸気船の父」とも呼ばれています。

茂木　石油が実用化される前、ランプや機械油には大量の鯨油が使われていました。アメリカ人は油を取るために、大量の鯨を殺していたのです。

日本開国計画は、第一に北太平洋で操業する米国の捕鯨船の寄港地を日本に確保すること、第二にサンフランシスコと上海とを結ぶ中継地を建設することでした。ニューヨークの弁護士でロビイストのアーロン・パーマーが「太平洋ハイウェイ構想」を政府に提出しました。清国はアヘン戦争に敗れて開国したばかりであり、中国市場への窓口として日本を開国させようとしたのです。

パーマーは国務長官宛て報告書で、対日交渉のための江戸湾封鎖という選択肢を示しつつ、日本人についてはこう書いています（渡辺惣樹『日本開国』）。

「日本は中国に隷属することなく、同一民族による独立を2500年間も維持している」
「日本人は名誉を重んじる騎士道精神を持ち、アジア諸国民にみられるこびへつらい根性がない」
「エネルギッシュで、西欧の芸術や新たな技術に対する関心が非常に高い」

アメリカ海軍はまだカリフォルニアに基地を持たず、ペリー艦隊は東海岸を出航しています。大西洋を東へ進み、アフリカとインドを経てマラッカ海峡から英領香港に寄港し、南シナ海、琉球を経て江戸湾に来航しました。このことは、あまり知られていません。

オランダからの情報でアヘン戦争での清国の敗北と、ペリー艦隊の出航の情報をすでに得ていた幕府は、戦わずに国を開くことを決断しました（第3章15節参照）。

宇山　イギリスが中国にアヘンを売りつけて侵略していましたが、それと比べれば、アメリカという国は日本にとってはまだマシに見えたのかもしれませんね。

茂木　はるかにマシです。もちろんペリーも江戸湾深く、品川まで艦隊を侵入させてデモンストレーションを行いました。しかし、人口100万人の半分が武士階級という軍事都市・江戸に、たった数百人の陸戦隊を上陸させる勇気はありません。こうして阿吽《あうん》の呼吸で日米和親条約が結ばれ、日米関係がはじまったのです。

■隣国になった日米が衝突し始める

茂木　当時の蒸気船は寄港地で石炭を積み込みながら航行しました。太平洋はあまりにも広く、「太平洋ハイウェイ」上にはもっと寄港地が必要です。それはスペイン領のフィリピンとグアム島、ハワイ王国であり、また大西洋と太平洋とを結ぶパナマ運河を建設すべきだ、と主張したのが「アメリカ地政学の父」と呼ばれるアルフレッド・マハン、海軍大学校の教官です。

マハンがアメリカの仮想敵国としたのは、ランドパワー国家のロシアでした。大西洋地域におけるアメリカのパートナーはイギリスですが、太平洋地域におけるアメリカのパートナーになりうるのはシーパワー国家・日本である、とマハンは書いています。マハンに師事したセオドア・ルーズヴェルトが海軍大臣として彼の計画を具現化し、スペインと戦争します。

宇山　米西戦争ですね。この戦争でアメリカはフィリピンとグアムを獲得しました。アメリカ初の海外植民地の獲得でした。太平洋・アジア地域への進出のはじまりとなり、このあとハワイ王国も併合しています。

茂木　米西戦争の4年前、日本は日清戦争に勝利して台湾を獲得しました。この結果、フィリピンを領有するアメリカと、台湾を領有する日本とは、バシー海峡を境に隣国となったわけです。「隣国同士は衝突する」、というのが地政学の原理です。

日本海軍の秋山真之は、アメリカ留学中、マハンに直接戦術を学び、日本海海戦における丁字戦法を立案し、ロシア艦隊を壊滅させました。日露戦争でもし日本が敗北すれば、ロシアが千島列島や北海道を占領し、あるいは日本の港湾を租借して、ロシア艦隊が北太平洋へ進出する危険がありました。

「太平洋ハイウェイ」を守りたいアメリカが日本に好意的だったのは、ロシアを見据えたものだったのです。だから大統領セオドア・ルーズヴェルトは日本海軍を称賛し、ポーツマス会議で日露を仲裁しました。

ところが、ロシアが手放した南満洲鉄道の利権をめぐって、日米間にすきま風が吹き始めます。共同経営を求めるアメリカの鉄道王ハリマンの提案を桂首相がいったん認めたあとで、ポーツマスから帰国した小村寿太郎外相が強硬に反対し、反故にしたからです。日露戦争後、重工業へ転換して満洲への投資を進めようとする日本と、ペリー以来、中国市場に触手を伸ばしてきたアメリカとの利害が衝突しはじめたのです。

宇山　だからセオドア・ルーズヴェルトはこうも言っていますね。

「日本人は誇り高く、感受性も強い。戦争を恐れない性格で、日露戦争の勝利の栄光に酔っている。彼らは太平洋のパワーゲームに参加しようとしている。日本の危険性はわれわれが感じている以上に高いのかもしれない。だからこそ私はずっと海軍増強を訴えてきたのだ」

■露骨な人種差別主義者・アメリカ大統領ウィルソン

宇山　一方、アジアの日本が、白人帝国主義国家のロシアに勝利したことは、欧米諸国に植民地分割されていたアジア諸国、英領インド、仏領ベトナム、米領フィリピンなどの人々に独立への希望を与えました。

茂木　アメリカ国内では、最低限の市民権さえ認められていなかった黒人たちに一筋の光明を与えました。アメリカの黒人解放運動の指導者デュボイス博士は、日露戦争での日本の勝利を称賛しています。こうした動きは、アメリカの白人政権に底知れぬ恐怖を与えました。地政学的には日本の勝利を望みつつ、白人政権を維持するという国内政治の観点からは、日本の台頭は脅威となる。アメリカはこういうジレンマに立たされたのです。

１９３０年代に駐米日本大使の斡旋でデュボイスが日本を視察します。東京の帝国ホテルに宿泊したとき、チェックアウトをしようとしたデュボイスの前に白人女性が割り込もうとしました。こういう場合、アメリカでは白人優先が常識だったからです。ところが日本のホテルマンはそのままデュボイスのチェックアウトを優先し、丁寧にお辞儀をしたあとで、白人女性のほうに振り向いて対応した、と彼は感慨を込めて自伝に書いています。

１９１９年、パリ講和会議が開かれました。敗戦国ドイツの処理と、国際連盟の設立が論議されました。日本代表は国際連盟委員会で、連盟規約に「人種平等を明記せよ」と提案し、賛成多数で可決されようとします。

デュボイス

宇山　しかし、議長を務めるアメリカ大統領ウィルソンは、「このような重要事項には全会一致が必要だ」と言い出し、これを否決しました。アメリカは黒人や先住民の市民権を認めない立場だったからです。ウィルソンは「国際連盟を提唱した平和主義者」などと讃えられますが、露骨な人種差別主義者で、プリンストン大学の学長だった時に、黒人学生を大学から一斉追放しています。

２０２０年5月に米ミネソタ州で、アフリカ系黒人が白人の警察官に殺害された事件で、黒人差別に反対するＢＬＭ運動が起こりました。この運動の影響で、プリンストン大学の研究機関として有名な「ウッドロウ・ウィルソン国際学術センター」の所名から元大統領の名前を外す、と大学は発表しました。大学は「ウィルソンの人種差別は、当時の基準に照らしても重大だった」と説明しています。

茂木　第一次世界大戦後のアメリカ国内では復員兵の雇用問題から大規模な人種暴動（「赤い夏」）が発生しました。主に白人によるリンチにより、数百人の黒人が犠牲になっています。

もう一つの人種対立は、カリフォルニアで起こりました。はじめ、カリフォルニアの金鉱開発や鉄道建設の労働者として渡米したのは中国人のクーリーでした（第4章19節参照）。低賃金で働く彼らが白人労働者の職を奪うようになると、アメリカ議会は中国人の移民を禁止しました。そのかわりに今度は日本人移民がカリフォルニアへ流れ込んだのです。白人の職を奪う小さな日本人――恐怖と嫌悪が入り混じった感情が渦巻き、日本人排斥運動が始まります。日系アメリカ人の子供は「ジャップ」だという理由だけで、公立学校から閉め出されたのです。

そもそもアメリカにとって東アジアにおける最大の関心事は、中国市場の確保でした。日清戦争に敗北した清国が列強の勢力圏として分割されたとき、これに出遅れたアメリカは、国務長官ジョン・ヘイの名前で「門戸開放宣言」を発します。「門戸開放 Open Door」とは中国の市場を独占するな、市場開放しろ、という意味で、列強はこれを黙殺しましたが、中国側からこれを見れば、「アメリカはなんと善意の国なんだろう」と見えるわけです。

■アメリカが中国市場から日本を排除する

宇山　清朝打倒を掲げて生まれた孫文の中華民国は弱体で、清朝の軍人だった袁世凱《えんせいがい》が率いる北京の軍閥政府が権力を保持していました。第一次世界大戦で日本は連合国側に立ってドイツを破り、ドイツが持っていた中国山東省の権益を要求しました（二十一カ条要求）。北京の袁世凱政権は、日本からの借款供与を見返りに、これらの要求を受け入れました。

茂木　パリ講和会議で列強が日本の要求を黙認すると、これに反対する大規模な反日デモ（五・四運動）が北京で発生しました。アメリカはこれを好機として、日本を中国から閉め出そうとします。

１９２１年、アメリカ大統領ハーディングは、中国問題をメインテーマとするワシントン会議を開催しました。この会議でアメリカは、イギリスとのアングロ・サクソン同盟を強化し、対日包囲網に加わらせることに成功します。

宇山　そうですね。ワシントン会議では日英同盟の廃棄と日本に不利なワシントン海軍軍縮条約が締結され、日本に二十一カ条要求を撤回させることに成功しました。日本国内では政府の対米英従属外交に対し、海軍から激しい反発が生まれます。

茂木　また米英は、孫文の後継者である蔣介石の南京国民政府を承認し、これをバックアップしました。そして蔣介石のスポンサーは、上海の浙江財閥です。

上海を支配する浙江財閥の総師チャーリー宋は、渡米してプロテスタント（メソジスト派）の宣教師となり、ウォール街とのコネクションを生かしてビジネスで成功した人物です。帰国すると国民党政権に政治資金で接近し、次女（宋慶齢）を孫文と、三女（宋美齢）を蔣介石と結婚させました。こうしてウォール街・浙江財閥・国民党政権は「三位一体」となったのです。

宇山　日本との戦争が本格化すると、宋美齢はたびたび渡米し、得意の英語で「日本軍の残虐行為」を宣伝し、「残虐な日本から、かわいそうな中国を救え！」と訴えました。

茂木　浙江財閥は、アメリカの反日世論の形成にも大きく貢献したのです。「南京大虐殺プロパガンダ」もこの文脈で考えるとよくわかります。日米戦争の種はこうしてまかれました。

この段階で日本が、腐敗した北京軍閥政府を見捨てて蔣介石の南京国民政府に寝返っていれば、日米戦争は避けられたかもしれません。ところが世界恐慌という非常事態が発生し、日米ともに「国民にメシを食わせる」ことを最優先にせざるを得なくなりました。両国は市場の確保に奔走し、最大の失業対策として戦争を望んだのです。

「日米開戦は世界史の必然」と考えたのが、日本陸軍の俊才・石原莞爾《いしはらかんじ》でした。西欧文明の覇者・アメリカと、東洋文明の覇者・日本とは、20世紀の後半に太平洋を舞台にした世界最終戦争に突入する。この戦争は、総力戦、航空戦になるから、日本はそれまでに地下資源を確保し、アメリカに匹敵する工業力と軍事力を持たねばならない。そのためにどうしても必要なのが満洲である——（『世界最終戦論』）。

南満洲鉄道を防衛する関東軍の参謀として満洲に赴任した石原は、だから満洲事変を引き起こしたのです。ところが満洲事変の成功に気をよくした石原の後継者たちは、際限なき中国との戦争にのめり込んでいきます。

皇太子時代にロンドンを訪問し、イギリス国王ジョージ5世を父親のように慕っていた昭和天皇は、本質的に自由主義者で親英米派でした。ところが経済の低迷が長期化する中で、弱肉強食のアメリカ型資本主義経済に対する憎悪が広がっていきます。二・二六事件（1936）で親欧米派の政治家が一掃されたあと、親ドイツ派、統制経済派に支えられた近衛文麿内閣が発足します。この近衛内閣のもとで日本は中国との全面戦争に突入し、アメリカの経済制裁を喰らうことになります。

■フランクリンの異様な中国びいきと反動としての日本嫌い

宇山　日本にとって不幸だったのは、この世界恐慌期に4期連続でアメリカ大統領に当選したのが民主党のフランクリン・ルーズヴェルトだったことです。遠戚のセオドア・ルーズヴェルトが知日派であったのに対し、フランクリンはまったくダメでした。前節で取り上げたように、ジョージ・ワシントン以来、大統領職は2期までという慣例を破ったフランクリン・ルーズヴェルトは、すさまじい人種差別主義者でした。

茂木　ルーズヴェルトの父方は、日露戦争を仲介した共和党のセオドア・ルーズヴェルトの一族ですが、問題は母方です。フランクリンの母サラ・デラノは、アメリカの中国貿易会社、デラノ商会の令嬢でした。フランクリンの祖父にあたるウォーレン・デラノは24歳で中国の広東《カントン》へ渡り、アヘン戦争の前後にアヘンの密輸で巨大な利益を手にしました。その利益を米国内で鉄道に投資し、運送業で財をなしていたルーズヴェルト家に娘のサラを嫁がせたのです。

サラは息子のフランクリンに大きな影響を与え、ルーズヴェルト家の、というよりデラノ家の跡取り息子のように教育しました。フランクリンのあの異様な中国びいきと、その反動としての日本嫌いは、彼の「遺伝子」に刻み込まれたものだったのです。のちに駐米イギリス公使キャンベルとの会話で、フランクリンはこう語っています。

「日本人が敗北した後は、他の人種との結婚をあらゆる手段を用いて奨励すべきである」

彼は、「劣等民族」である日本人を「人種改良」するため、混血させようと考えていたのです。ユダヤ人を「劣等民族」と規定してその絶滅を考えていたヒトラーとフランクリン・ルーズヴェルトとは、驚くほどよく似ています。

宇山　ルーズヴェルトは「日本の脅威」を執拗に喧伝し、危機を煽り、太平洋戦争へと突入していきます。ルーズヴェルトは日本人に対する強い人種差別的思想を持っていたことを、今、述べられたように、イギリスのキャンベル駐米公使などが証言しています。

茂木　日米関係の破綻が、もし地政学的、経済的な利害関係だけに基づくものであったら、いくらでも調整が可能だったでしょう。現に帝国主義列強は、さまざまな協定、協約を結んで植民地における利害調整をしてきました。しかしアメリカの指導者が病的な反日感情に凝り固まっていたとしたら、妥協の余地があったでしょうか？　日本が譲れば、解決できたでしょうか？

宇山　その感情がルーズヴェルト大統領を筆頭に、アメリカ政府の中枢に共有されたものだったのは間違いなく、ということはデラノ家のファミリー・ヒストリーとは別の分析が必要になりますね。

茂木　私はそれを、19世紀アメリカの国是だった「明白な天命《マニフェスト・デスティニー》」にあると考えています。この言葉は、メキシコを侵略したときにアメリカのメディアで盛んに使われました。

「イギリスで国教会から迫害されたピューリタン（清教徒）の一団が、メイフラワー号でこの大陸に上陸したのは偶然ではなく、神のお導きであった。神はこの大陸に『正しいキリスト教国』を打ち立てることを望まれたのだ。我々の父祖たちが、キリストを信じぬ『インディアン』を打ち殺し、西部開拓を進めてきたのは、われわれの権利ではなく、神への義務である。メキシコ戦争も単なる領土争いではなく、『間違ったキリスト教』であるカトリック教国メキシコを排除し、カリフォルニアまで『神の国』を広げるための聖戦なのだ」

　他の帝国主義諸国が私利私欲、経済的利益を優先してアジア・アフリカを侵略したのに対し、アメリカだけは「正義の戦い」をしていたのです。この現代版十字軍には相手との妥協というものがなく、「無条件降伏」か「殲滅《せんめつ》」しかありません。

　大日本帝国は、このことを理解できなかったのですね。真珠湾を奇襲攻撃して戦意をくじけば、アメリカは簡単に屈し、取引に応じると思っていた。しかし結果は逆でした。真珠湾攻撃は日本を悪魔化し、全アメリカ人が「悪魔祓い」のため立ち上がったのです。かつて日露戦争に熱狂した黒人たちでさえ、「ジャップとの戦い」に喜んで参加しました。ルーズヴェルト政権は日系人というだけで逮捕し、強制収容所にぶち込むというナチスばりの人権抑圧を行いました。

宇山　ルーズヴェルトは「大統領令９０６６号」に署名し、日系人を令状なしに捜査・連行することを可能にします。日系人の強制収容所を建設し、多くの日系人の財産を奪った上、連行し、過酷な労働に従事させました。

コロラド州のアマチにある日系人の強制収容所（1942年8月開設）

米空軍は「ジャップ殲滅」のため、日本本土爆撃計画を立案、実行しました。その挙げ句の果てが東京大空襲と広島・長崎であり、日本隷属化計画だったのです。その後遺症は、今日なお続いています。

24 冷戦、NATOがロシアを追い込んだ――ウクライナ戦争の本質

宇山卓栄

ウクライナ問題と台湾問題は関連しない

宇山　日本はウクライナ戦争が始まって以降、ウクライナを支援しています。私は、ロシアとウクライナの戦争を直ちに停戦調停し、台湾を狙う中国の脅威に、世界各国で共同対応することが、我が国の国益に適った最優先課題だと考えています。

ウクライナを支援することは大事ですが、結果的に戦争を煽ることになれば、問題です。日本は独自外交の視点を持ちながら、各国の利害を調整することのできるポテンシャルが充分にあると思うのですが、それができていません。

よく、ウクライナを支援し、ロシアに対抗させることが、台湾を狙う中国への牽制になるという議論を聞きますが、ウクライナ問題と台湾問題はまったく異なり、必ずしも牽制にはなりません。このような発言をすると、「ロシア擁護派」というレッテルを貼られるのですが、私はロシアにもウクライナにも、肩入れするつもりはありません。最も重要なことは日本の長期

的な国益を考えることです。
この問題を、「ウクライナがかわいそう」という情緒的な理由だけで見るのではなく、なぜこのようなことになっているのかという歴史的文脈から見ていくことにより、問題の本質を摑むことができます。
茂木 プーチン大統領は「ロシアに戦いを仕掛けているのはNATO諸国であり、これはウクライナとの戦争ではない」と主張しています。その上で、NATOの目的は「独立した主権国家としてのロシアを消滅させることだ」とし、ウクライナ侵攻はNATOからロシアを守る「自衛戦争」と位置付けていますね。また「ウクライナのNATO加盟を防ぐために侵攻した」と述べています。ウクライナがNATOに加盟すれば、ロシアは直接、NATO勢力と接することになります。
宇山 ロシアは侵攻以前にも、ウクライナがNATOに加盟しないよう、繰り返し求めていましたが、2022年1月、アメリカがNATO不拡大に対する要求を拒否しました。バイデン大統領は「NATO加盟国が侵攻されない限り、軍事介入しない」と述べていますが、アメリカはじめNATO諸国はウクライナに対し、軍事支援をしています。
茂木 日本軍が中国本土に侵攻したとき、ルーズヴェルトは中立を装いつつも、武器貸与法を制定して中国側に無制限の軍事援助を続けました。いわゆる援蔣ルートですね。さらには日本に対して強力な経済制裁を発動しました。これは、バイデンがウクライナを援助する一方で、ロシアを経済制裁しているのと同じことです。日本は経済制裁に耐えきれず、「窮鼠猫を噛む」で真珠湾攻撃に踏み切りました。しかし石油と天然ガスを大量に持っているロシアには、西側の経済制裁が効いていません。

■NATOという名の軍事同盟

宇山　NATO（北大西洋条約機構）は、30カ国が加盟する世界最大にして、歴史上最強の軍事同盟です。NATOは冷戦期の1949年、ソ連東側諸国に対する西側諸国の集団的軍事機構として結成され、本部はベルギーのブリュッセルに置かれました。

同年1月、ソ連東側諸国は経済相互援助会議（COMECON）を結成し、西ベルリンではソ連軍の圧力が高まるなど、共産主義圏の脅威が高まっていました。NATOの加盟国は外部からの攻撃に対して、相互に防衛することを約束し、集団防衛のシステムを構成しています。つまり、加盟国の内、1カ国でも攻撃を受ければ、NATOの全加盟国が共同参戦する義務を負います。

1955年、アメリカ・イギリス・フランスは西ドイツとパリ協定を締結し、西ドイツの再軍備を認め、NATOに加盟させます。ソ連はこれに反発し、NATOに対抗するため、東側諸国とワルシャワ条約機構（WTO）を結成します。この機構はNATOと同じく、集団的軍事機構です。

茂木　「集団防衛」とか「集団的自衛権」とかいいますが、要するに軍事同盟のことですね。

国連憲章は、「安保理事会の決議にもとづく国連軍の派遣で平和を守る」というのが建前ですが、安保理では5大国（米・英・仏・中・ソ）が「拒否権」を行使すると何も決定できなくなるので、実際には役に立ちません。ウクライナ戦争でも、ウクライナの訴えでロシアに対する制裁を協議しましたが、ロシアの拒否権発動でオシマイになりました。

そこで国連憲章第51条には、「安保理が動けない場合は、各国は個別的、集団的自衛権の発動で自国を守れ」という意味のことが書いてあります。集団的自衛権＝軍事同盟の活用を、国連憲章が認めているのです。日米安保条約も北大西洋条約機構（ＮＡＴＯ）も、国際法上は合法なのです。

宇山　ＮＡＴＯはあくまで加盟国だけを守るという前提に立っており、今日、ロシアがウクライナにのみ攻撃をする限り、ＮＡＴＯは参戦しないという建前を貫いています。

２０２２年11月、ミサイルがポーランド東部に着弾し、死者二人を出しました。もし、ミサイルが、ウクライナ側が主張するように、ロシアが発射したミサイルならば、加盟国ポーランドがロシアにより攻撃されたと見なされ、ＮＡＴＯ加盟国が集団的自衛権を発動する要因になります。しかし、ＮＡＴＯは、ミサイルがウクライナによって発射されたとの見方を示しています。ウクライナ軍がＮＡＴＯの全面軍事介入と支援を望み、意図的にミサイルを打ち込んだとされています。

冷戦の終了により、１９９１年、ワルシャワ条約機構が解体され、ソ連も崩壊します。ＮＡＴＯはソ連や東側諸国に対する防衛を目的とする軍事同盟として機能してきましたが、ソ連崩壊後、民族紛争や周辺紛争、人権抑圧、テロなどに対する共同防衛を図る組織に性格を変化させていきます。

■プーチンを排除したいジョージ・ソロス

宇山　ポーランド、ハンガリー、チェコなどの東欧諸国はソ連の崩壊と前後して、民主化・自由化を推進し、新しい政治体制を形成していました。かつて、ワルシャワ条約機構の加盟国としてソ連軍が駐留し、事実上ソ連の属国であった東欧諸国にとって、自らの新体制を確立するためには、ロシア（旧ソ連）の影響力を完全に排除することが必要不可欠であり、NATOの加盟により、体制の保障を急がねばならず、積極的に西側諸国に働き掛けていました。

しかし、アメリカは冷戦の終結を米ソで協議していく中、ソ連に配慮し、NATO東方不拡大論を展開し、交渉の前提にしていました。1990年初め、アメリカのベーカー国務長官は「NATOの範囲を東方に1インチも拡大しない」とソ連のゴルバチョフ書記長に約束しました。

NATO不拡大方針が米ソの歩み寄りの前提となっていたにもかかわらず、実際には、東欧諸国の加盟要請があり、また、「東欧を見捨てるのか」という世論が高まり、不拡大方針は揺らいでいきます。ドイツを中心に、NATOの東方拡大はロシアを刺激することになり、新たな紛争の火種になるという慎重論もありましたが、拡大路線に押し切られていきます。

ＮＡＴＯはロシアを仮想敵国としないという条件を、ロシアのエリツィン大統領に確約し、１９９９年、ポーランド、ハンガリー、チェコがＮＡＴＯに加盟します。これにより、ウクライナがＮＡＴＯ勢力と直接に接することになり、同時に、ウクライナがロシアとＮＡＴＯ勢力の緩衝地域となります。この時のことを、プーチン大統領は「結局、ＮＡＴＯがロシアを追い込んだ」と批判しています。

茂木　アメリカ、シカゴ大の国際政治学者ミアシャイマーも、同じ批判をしていますね。そもそもＮＡＴＯの東方拡大が、プーチンを追い詰めたのだと。

旧ソ連圏へのＮＡＴＯ拡大政策は２０００年代に入って明確になりました。これはプーチン政権の成立と軌を一にしていると思います。前のエリツィン政権は、ソ連時代の負の遺産である国営企業の分割民営化を進め、ロシアは国際金融資本や多国籍企業、ロシアの新興財閥（オリガルヒ）の草刈場となっていました。アメリカ流の新自由主義が導入され、ソ連時代にはなかった貧富の格差が拡大しました。

この方針を転換したのがプーチンです。外資締め出し、新興財閥の締め上げ、資源の再国有化を進め、ロシア国民の喝采をあびたのです。プーチンは共産主義者ではありません。経済ナショナリスト、反グローバリストといっていいでしょう。

エリツィン時代の利権を奪われたウォール街は、プーチン排除に動きます。その中心となったのが、巨大ヘッジファンドを立ち上げたジョージ・ソロスでした。

宇山　ソロスはハンガリーでユダヤ人の家庭に生まれ、ソ連軍のハンガリー占領を嫌ってイギリス、ついでアメリカに渡ったソロスは、ウォール街でトレーダーとしての経験を積んだあと、ジム・ロジャーズとともに「クォンタム・ファンド」を立ち上げました。

茂木　これはいわゆるハゲタカ・ファンドというやつで、新興国の通貨や株価に買いを入れて値段を釣り上げ、人工的にバブル崩壊を起こし、最安値で買い占める、という悪行を繰り返しました。タイ、インドネシア、韓国が餌食になり（アジア通貨危機）、ロシアやメキシコも巻き込まれました。

　莫大な資金を手にしたソロスは、カネの力で世界を変えられることを学びました。彼の理想は「オープン・ソサエティ（開かれた社会）」で、国家権力の統制から経済を解放しようというものです。これはロンドン留学時代の師である哲学者カール・ポパーの『開かれた社会とその敵』が元ネタになっています。彼は世界の独裁政権を倒すために民主活動家を支援する「オープン・ソサエティ財団」を立ち上げました。

ジョージ・ソロス

　「強権で外国資本を排除しているプーチンこそオープン・ソサエティの敵である」、と本気で考えたソロスは、手始めに旧ソ連圏の共和国で彼の言う「民主化」を進めました。２００３年ジョージア（グルジア）のバラ革命、２００４年ウクライナのオレンジ革命では親ロシア政権を親欧米政権に交代させました。これら「カラー革命」をソロスが演出し、新政権がロシアと縁を切ってNATO加盟を求めるよう仕向けたわけです。

NATOの東方拡大の首謀者はNATOそのものではなく、ソロス財団だと思います。しかしこういうことをやればやるほど、孤立したロシアは民族主義で武装し、プーチンへの支持が高まっていった。逆効果です。

宇山　かつて、旧ソ連の「封じ込め」の立案者であるジョージ・ケナン元モスクワ駐在大使は、東欧諸国がNATOに加盟したことに警鐘を鳴らし、「NATO拡大はアメリカの政策の失敗」と批判した上で、「こうした決断は、ロシアの世論の民族主義的、反西側的、軍国主義的傾向を煽り、ロシアの民主主義の発展に悪影響を及ぼし、東西関係に冷戦期の環境を復活させ、ロシアの外交政策を我々にとって決定的に好ましくない方向へ押しやることが予想される」と述べています。

■ロシア包囲網となっている新NATO

宇山　2004年には旧ソ連領のバルト三国（エストニア・ラトビア・リトアニア）、東欧のブルガリア・ルーマニア・スロバキア・スロベニアがNATOに加盟し、なし崩し的に東方へ拡大していきます。NATOはかつてのソ連に対抗する軍事同盟という性格を復活させ、ロシア包囲網として再編されていきます。
1999年、NATOが加盟国域外へ、はじめて攻撃を行ったことも、ロシアにとっては大きな脅威として記憶されています。セルビアがコソヴォのアルバニア系住民に対する虐殺行為を行うと、ＮＡＴＯは調停案をセルビアに提示しますが、拒絶されます。

アメリカ軍をはじめとするＮＡＴＯ軍は人道的な理由を強調し、コソヴォ空爆に踏み切ります。空爆は国連安保理の承認なく行われました。集団的自衛権という枠組みを超えて、ＮＡＴＯが軍事攻撃したことは、ロシアのような仮想敵国にも、いつでも攻撃が及ぶということを意味します。

ちなみに、コソヴォ紛争後、アルバニア系住民のセルビア人に対する残虐行為も明らかになり、ＮＡＴＯが掲げていた人道的な理由の正当性が問われることになりました。

茂木　冷戦中、ＮＡＴＯは一度も戦争をしていなかったんですね。ソ連との核戦争を恐れたからです。皮肉なことにソ連崩壊後、弱体化したロシアの同盟国セルビアに対してＮＡＴＯが初の空爆を行ったのです。セルビア人は憤り、「ＮＡＴＯ＝ＮＡＺＩ（ナチ）」だと抗議しました。結局、セルビアのミロシェヴィッチ政権は崩壊し、ミロシェヴィッチ元大統領は戦犯裁判にかけられ、獄死しています。

宇山　ウクライナ戦争初期の２０２２年5月、冷戦時代以来、ロシアとの関係に配慮し、軍事的な中立政策を保ってきたフィンランドとスウェーデンがＮＡＴＯ加盟を申請しました。フィンランドは２０２３年、ＮＡＴＯに加盟しました。ロシアのウクライナ侵攻により、最早、従来の中立政策では、安全を維持することはできないという考えで、ＮＡＴＯの庇護を求めているのです。フィンランドのＮＡＴＯ加盟により、ＮＡＴＯはバルト三国とともに、バルト海

図表24-1 NATO加盟国一覧

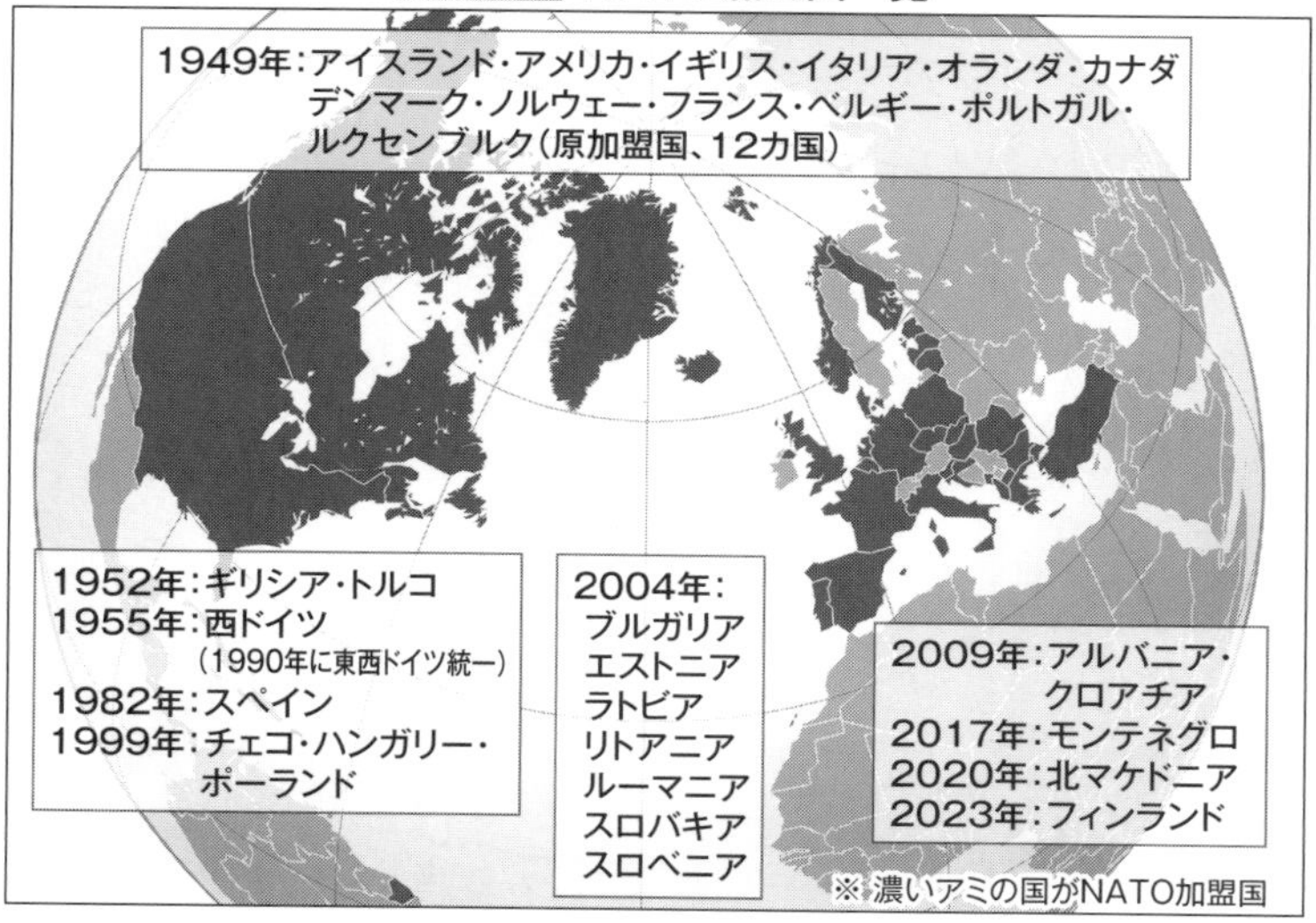

からロシア北方を包囲する形になっています。

ロシアはこの動きにも神経を尖らせており、フィンランドの加盟が対立をエスカレートさせる火種となり、フィンランドに直接、危害が及ぶ可能性も指摘されています。

１９９９年以降、ＮＡＴＯに加盟した東欧諸国はロシアに対する前線地域となります。これらの諸国はロシアに対する備えとして、ウクライナをＮＡＴＯに引き込もうとしました。そのスタンスは今も変わらず、２０２２年９月、ゼレンスキー大統領がＮＡＴＯに加盟申請する方針を表明すると、バルト三国・ポーランド・チェコ・スロバキア・ルーマニア・北マケドニア・モンテネグロの９カ国の首脳がウクライナのＮＡＴＯ加盟申請を支持する共同声明を発表しました。

これに対し、ストルテンベルグＮＡＴＯ事

務総長は「ウクライナの自衛支援に、加盟国が集中すべき」と述べ、ウクライナの加盟を支持しない方針を打ち出し、火消しに追われた格好となりました。9カ国の首脳が強硬にウクライナの加盟を主張する中、仮に、加盟の方向へ舵を切ることになれば、ロシアは何をするかわかりません。

■ウクライナ侵攻は冷戦以来続く歴史の必然

宇山　ウクライナは1991年に独立して以降、NATOや欧州連合（EU）への接近を模索しました。しかし、一方で、ウクライナの経済やエネルギーにおけるロシア依存は強く、容易に、ロシアとの関係を断ち切ることはできず、親ロシア路線と親欧米路線の間で揺れ動いていました。

しかし、2014年のマイダン革命で親ロシア派のヤヌコヴィッチ大統領が失脚したことで、プーチンが軍事介入しました。ロシアはロシア系の多いクリミアに侵攻し、住民投票で一旦独立させてからこれを併合しました。さらに、ウクライナ東部のドネツク州とルハンスク州では親ロシア派が議会を占領し、一方的に分離独立を宣言しました。

茂木　マイダン革命は本格的な内戦となりました。選挙で選ばれた親ロシア派のヤヌコヴィッチ大統領が逃げ出し、親欧米派政権が誕生しました。これを即座に承認したのがオバマ政権の欧州担当国務次官補ヴィクトリア・ヌーランドで、彼女が首相の人事にまで口を出していた

マイダン革命で破壊された首都キーウの広場(マイダン)

ヴィクトリア・ヌーランド

ことは、ロシア側の盗聴録音が公開されてわかっています。

親欧米派のスポンサーは例のジョージ・ソロスと、ウクライナのユダヤ系新興財閥コロモイスキーです。コロモイスキーはウクライナのメディア王で、彼が所有するテレビ局で大統領を目指す高校教師役を演じたのが、ユダヤ系コメディアンのゼレンスキーでした。国民的スターとなったゼレンスキーは本当の大統領選にチャレンジして当選します。その振付役になったのが、メディア王コロモイスキーでした。

宇山　分離独立を求めるロシア系の東部2州との内戦は、ドイツとフランスが仲介し、2015年2月、ミンスク合意2が調印されます。この合意でドネツク州とルハンスク州に自治権を付与することが取り決められ、ロシアによる2州の間接支配が事実上、承認されました。プーチンはこの2州が反対することによって、ウクライナのNATO加盟を阻止できると考えていました。

しかし、ゼレンスキーが２０１９年、大統領になると、国内世論に配慮して、このミンスク合意を反故にしようとしました。ミンスク合意が反故にされると、ロシアとしては、ウクライナのＮＡＴＯ加盟を法的に防止する手段を失ってしまいます。ロシアはゼレンスキー政権の存在を潰すことが不可避と考え、ウクライナに侵攻したのです。ウクライナ侵攻は冷戦以来続く、ＮＡＴＯとロシア（冷戦時代はソ連）の対立の中で生じた歴史の必然であると言えます。

茂木　プーチンはすでにウクライナ東南部４州を占領し、ロシアへの併合を宣言しました。このまま長期戦に持ち込めば、ウクライナは敗北します。ロシアの拒否権発動で国連は機能せず、ロシアとの核戦争を恐れてアメリカもＮＡＴＯも援軍は送らず、武器だけ送ってお茶を濁しています。戦争が長引けば長引くほど潤うのはアメリカの軍需産業であり、荒廃したウクライナはその代金を支払えません。

ベルリンに本拠を置く非営利団体Transparency International が発表している世界汚職度ランキングで、ウクライナは１１６位、ロシアは１３７位（２０２２年）。これは欧州では最下位、フィリピンやアフリカ諸国と同じレベルです。ウクライナでは徴兵逃れを見逃す代わりに賄賂を要求する公務員が後を絶たず、また国防省ぐるみの支援物資横流しが露見して、国防大臣が更迭されています。

ウクライナを支援するアメリカ民主党政権の腐敗も深刻です。バイデンはオバマ政権の副大統領としてウクライナを訪問した際、息子のハンター・バイデンがウクライナの天然ガス大手ブリスマ社の重役に迎えられ、「給与」と称して莫大な資金提供を受けてきました。同社が汚職容疑でウクライナ検察庁の捜査を受けたとき、バイデンは同社の意向を受けてウクライナ大統領に直接電話をかけ、「捜査をやめないと支援しないぞ」と圧力をかけ、検事総長を解任させています。

宇山　２０２３年5月、内閣官房に置かれたウクライナ経済復興推進準備会議で岸田文雄首相は１・１兆円のウクライナ支援を表明。12月にはＧ７（先進7カ国）首脳＋ゼレンスキー大統領が参加したテレビ会談で、６０００億円超のウクライナ追加支援を約束させられました。

茂木　もちろんバイデン政権の要求でしょう。消費増税１％だと増収は2兆円です。これと同等の金額、日本国民の税金を、ウクライナに注ぎ込むと言うのです。政治に無関心でこのような政権を選んだのは、日本人自身なのです。

25 中国共産党を生み出したもの

茂木　誠

コミンテルン、東アジアにおける活動開始

茂木　ドイツ人の中国学者にカール・ウィットフォーゲルという人がいます。ドイツ共産党員だったためナチス政権下で逮捕され、のち自由を求めてアメリカに亡命した人です。スターリン独裁の実態を知ってからは反共主義に転じ、今度は左翼言論人から袋叩きにされました。彼は中華帝国の本質を、「大規模灌漑事業の必要から生まれた専制官僚国家である」と見抜き、このシステムが今日まで受け継がれている、と考えました（『東洋的専制主義』）。

そもそもマルクスの理論によれば、中世封建制→近代資本主義→共産主義という絶対的な歴史法則に基づき、「最も発展した資本主義国から共産主義へと移行する」はずでした。ところが現実は、「最も発展した資本主義国の欧米と日本」はいつまで経っても共産主義に移行せず、資本主義が未発達のロシアと中国で最初の共産主義革命が起こったのです。これはいったいどういうわけか？

宇山　乾燥地域における灌漑水利の管理体制が官僚制度などの権力構造を発達させ、東洋的な専制主義国家を生み出した、とウィットフォーゲルは主張していますね。

茂木　そうです。中国のような「東洋的専制国家」では、古代より強力な国家権力によって土地と人民が管理されており、国家権力の執行者である官僚が絶大な権力を持ち、私有財産と経済活動の自由は制限されてきました。法の上に権力があるため、権力者の恣意によって財産が没収され、契約という概念さえも希薄だったのです。

実はこのシステムこそ共産主義そのものであり、皇帝が党主席／総書記、官僚が共産党員に入れ替わっただけである、とウィットフォーゲルは考えたのです。

宇山　ロシアの共産主義はどう説明していますか？

茂木　中世のロシアは中国とともにモンゴル帝国の支配下にあったので、モンゴル人が中国の官僚システムをロシアにも応用し、これをロシア人が学習したというのがウィットフォーゲルの仮説です。なお、ロシア帝国の専制システムについてはビザンツ帝国起源という説もあり、議論の余地があるでしょう。

いずれにせよマルクスの予言は外れ、後進国ロシアで共産主義革命が成功し、ソヴィエト連邦が成立しました。帝政ロシアも専制でしたが、それを上回る一党独裁体制をレーニンとスターリンが構築しました。その手段は革命という名のテロによる反対勢力の殲滅であり、全国民を秘密警察による監視下に置いたのです。

宇山　世界革命を目指すレーニンはモスクワにコミンテルン（共産主義インターナショナル）を設置し、各国に共産党を育成しました。中国にも１９２１年7月、共産党が誕生しています。当時、北京大学図書館の司書だった毛沢東ら13人が参加しました。中国共産党は中華民国の上海フランス租界で創設されています。租界とは外国人居留区のことで、中国の警察権力が及ばない場所でした。

茂木　浙江財閥が支配し、急速に経済成長する上海には、農村から大量の出稼ぎ労働者が集まっていました。低賃金に苦しむ労働者の不満が、中国共産党を急成長させる栄養分となったのです。

翌22年1月、モスクワで「極東勤労者大会」が開かれ、中国、日本（朝鮮を含む）、モンゴルなど東アジアの社会主義者が動員されました。コミンテルン議長のジノヴィエフは、「東アジア共産化には日本革命が不可欠だ」として日本共産党の結成を促し、同年７月東京で堺利彦ら８名が公式に日本共産党を結成し、コミンテルン日本支部として認可されました。

しかし日本共産党は治安警察法違反として検挙され、まともな活動もできないまま終わります。検挙を免れた野坂参三はソ連へ密航し、内務人民委員部（のちのＫＧＢ）で工作員としての訓練を受けたあと、中国共産党に合流しています。また、長く府中刑務所の獄中にあった徳田球一は、日本敗戦後にＧＨＱによってようやく釈放され、野坂らと日本共産党を再建しました。なお、野坂と徳田はのちに宮本顕治との党内権力闘争に敗れ、中国へ亡命しています。

■北一輝理論に影響された「赤い将校」

宇山　日本の共産党はその組織活動において弾圧されましたが、思想としてのマルクス主義は戦前の日本社会、特に知識人には深く浸透していきましたね。

茂木　はい。統制経済では景気変動というものが起こらないため世界恐慌もソ連には波及せず、完全雇用を実現していました。経済の５カ年計画でも驚異的な成功をおさめており、ソ連は先進工業国の一角を占めるようになったのです。

もちろんこれは「怠ける自由」もない密告社会、数百万人に達する政治犯の強制労働に支えられたものだったのですが、その実態が明らかになるのは第二次世界大戦後のスターリン批判

（１９５６）からで、当時はソ連のプロパガンダに世界中が幻惑されていたのです。

宇山　１９２９年に発生した世界恐慌で、アメリカをはじめとする資本主義国が、大混乱に陥る中、スターリンらソ連の首脳部は「これこそが資本主義崩壊のはじまりであり、マルクスの予言通り、世界は社会主義へと移行せざるを得ない」と、社会主義の勝利を声高らかに宣言しました。共産主義に追従する人々も一気に増大しました。

茂木　昭和恐慌の続く日本でも資本主義への絶望から、ソ連型統制経済が理想社会としてもてはやされ、東大でも京大でもマルクス主義研究が最先端の学問とみなされました。このような教育を受けた学生たちから、統制経済を志向する「革新官僚」が量産されていきます。

　貧しい農村出身者が都会に出ても職がないという時代、タダメシを食える場所がありました。軍隊です。陸軍軍人の多くは農村出身者であり、都市部との経済格差に憤っていました。彼らは愛国者であると同時に社会主義に傾倒していったのです。

北一輝

　佐渡出身の思想家・北一輝《きたいっき》の国家社会主義思想は、彼らに衝撃を与えました。古来、日本では天皇と人民が一体となった平等社会だったが、資本主義が浸透した結果、地主・資本家階級が生まれ、腐敗した政党政治を通じて日本社会を支配するようになった。彼らを除去し、君民一体の理想社会を再建せよ、という内容です（『日本改造法案大綱』）。日本共産党が「天皇制打倒、社会主義」を掲げたのに対し、北一輝は「天皇社会主義」を掲げたのです。

宇山　北一輝は華族制を廃止し、私有財産・土地の限度を設定してそれを超える財産は国家が没収し、私企業も規模を制限してそれを超えるものは国有化する、と主張しました。私有財産の没収や企業の国有化に違反する者は死刑に処するとも主張しています。北一輝の主張は、天皇が「国家改造」を行うという点以外、共産党の主張そのものです。

茂木　北一輝理論に影響された「赤い将校」たちが陸軍を動かすようになりますが、革命路線をめぐって皇道派と統制派とに分裂します。クーデターで帝国憲法体制打倒を図る皇道派が決起したのが二・二六事件で、体制内改革を図る統制派がこれを制圧しました。

しかし統制派も社会主義者であることには変わりなく、日本は軍事統制経済の戦時体制へと突き進んでいきます。彼らにとって統制経済の先輩であるソ連は敵ではなく、「貧困と格差を生み出す資本主義の元凶である米英こそが敵」だったのです。

大陸に日本軍を引き込む中国共産党の策謀

茂木　京大のマルクス主義経済学者に河上肇《はじめ》という人がいます。山口から上京し、東京の労働者の貧困を見た河上はショックを受けて小説『貧乏物語』を書きました。キリスト教人道主義からマルクス主義へと転向し、日本共産党にも入党しています。

リヒャルト・ゾルゲ

近衛文麿

この河上に師事したのが近衛《このえ》文麿《ふみまろ》で、首相になると隠れマルクス主義者で側近を固めました。内閣書記官長（いまの官房長官）に抜擢された風見《かざみ》章《あきら》は『共産党宣言』を紹介したジャーナリストでしたし、内閣参与で朝日新聞記者の尾崎秀実《ほつみ》はソ連赤軍の工作員リヒャルト・ゾルゲの協力者でした。日本とドイツに東西から挟撃されることを恐れていたスターリンは、ゾルゲ機関を通じて日本政府の動向を探り、日本を対ソ戦ではなく対中戦、対米戦へと誘導したのです。

同様にソ連は、中華民国政府、アメリカ民主党政府の内部にも工作員を送り込んでいました。容共的だった孫文に対し、浙江財閥をスポンサーとする蔣介石は徹底的な反共主義者であり、上海クーデター（1927）で共産党をいったん壊滅させました。

宇山　この上海クーデターで、生き残った共産党員は、毛沢東を指導者として中華ソヴィエト政府を組織し、蔣介石の南京国民政府に追われながら内陸への大移動（長征）を行います。コミンテルンは毛沢東に命

尾崎秀実

じ、内戦停止と抗日を呼びかける蒋介石へのメッセージ（八・一宣言）を出させますが、蒋介石は応じません。すでに満洲事変ははじまっていましたが、蒋介石は満洲へは派兵せず、共産党を殲滅するために戦っていました。

茂木　もし日本軍と蒋介石軍とが全面衝突してくれれば、蒋介石も内戦停止に応じ、中国共産党は生き残るでしょう。これがコミンテルンと中国共産党が望んだことです。

１９３７年7月、北京近郊の盧溝橋で夜間軍事訓練中の日本軍に対し、何者かが銃弾を打ち込みました。また北京には対日協力政府（冀東《きとう》防共自治政府）がありましたが、その軍隊がなぜか日本人居留区を襲撃して日本人と朝鮮人を虐殺するという事件（通州事件）を起こします。状況証拠しかありませんが、いずれも国民政府軍、北京政府軍に潜り込んだ共産党員、もしくは共産党の協力者が引き起こした事件であろうと私は考えています。

宇山　私も同様に考えます。ソ連と連携した中国共産党の策謀があり、次ページの図表25-1にあるような一連の事件によって、日本人を怒らせ、大陸に日本軍を引き込むことが狙いであったと。

盧溝橋事件では、橋付近の中国軍は、事件前日の7月6日、戦闘準備を整えていたという証

図表25-1 日中の動き年表

年月日	出来事
1937年7月7日夜	北京郊外で勃発した盧溝橋事件 →日本政府は不拡大方針を決定
10日	中国人斥候が日本軍将校を銃撃
13日	大紅門事件、日本軍のトラックが爆破され、４名が死亡する
18日	日本軍偵察機への射撃
25日	廊坊事件、北京郊外で軍用電線が中国側により切断、修理に向かった日本軍の補修隊が襲撃
26日	広安門事件、北平（北京）で中国軍による日本軍への襲撃事件
29日	通州事件

拠もあり、特に、共産党出身者の部隊は戦闘準備の指令を受けていたという証言があります。延安の中国共産軍司令部に「成功した」と打電しているという事実があり、中国共産党は事件翌日の７月８日に全国へ対日抗戦の呼び掛けの通電を一斉に発しています。

国民党軍の枢要な地位には、複数の中国共産党員が就いており、１９３６年12月の西安事件以降、共産党軍が国民党軍に編入される形で、共産党員が国民党軍に入り込んでいました。１９５４年、中共幹部が第二十九軍の共産党下級幹部に指示し、日本軍へ発砲させたと証言しており、中国共産党の関わりが強く疑われます。

■残虐な通州事件は誰が行ったか

宇山　一方、通州事件は計２５７名の日本人（朝鮮人を含む）惨殺事件です。教科書でも触れられず、「新しい歴史教科書をつくる会」の教科書だけが触れています。日中両国政府がこの事件を「なかったこと」にしてしまっています。私が10年前に、現地に行った時には、通州城の城壁や城門は一切残っておらず、再開発が進められていました。なぜ、尋常ならざる残酷な方法で殺したのか。日本人を怒らせ、大陸に日本軍を引き込むという狙いがあったと思います。

7月11日、共産党の周恩来は盧山《ろざん》国防会議で、蔣介石に抗日全面戦争を即時はじめるよう、執拗に要請しています。7月13日、毛沢東・朱徳も即時開戦を迫ります。ところが、蔣介石政府は日本側と交渉しようとしており、毛沢東ら共産党幹部は激しく苛立っていた、こういうタイミングで、通州事件などが起こっていることを考えなければならないでしょう。

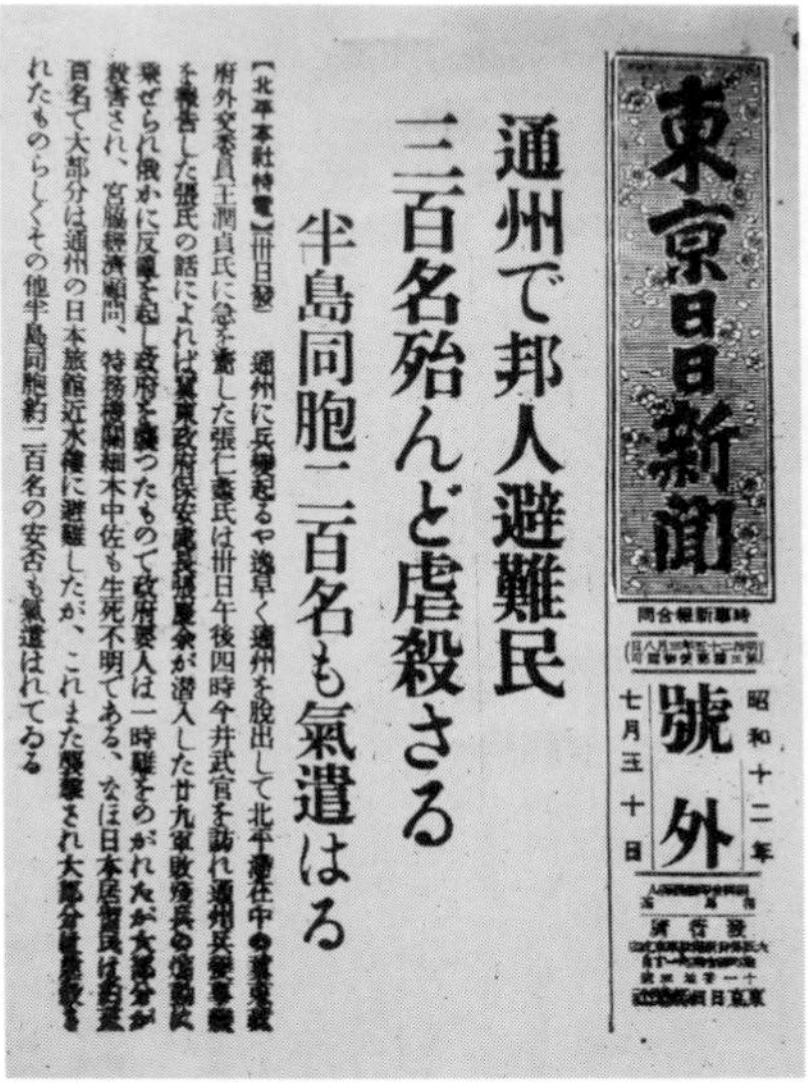
東京日日新聞

昭和十二年七月三十日　號外

通州で邦人避難民
三百名殆んど虐殺さる
半島同胞二百名も氣遣はる

通州事件を伝える新聞号外

通州事件は日本軍機が華北の各所を爆撃した際に、通州の保安隊兵舎を誤爆したことへの報復として起こったと一般的に説明されます。誤爆があったという、そういう一過性のものではなく、政治的構造の奥深くに根ざした、政治的な都合によって、惨殺が行われたと見るべきです。事件当日、通州の城門がすべて閉鎖され、一切の交通通信が遮断され、惨殺が行われました。その計画性は極めて組織的です。一般的に、

対日戦の勝利を祝う毛沢東（左）と蒋介石

惨殺は国民党と密約した保安隊幹部で実行犯の張慶餘《ちょうけいよ》隊長によるものとされますが、国民党というよりも中国共産党の関与をもっと疑うべきです。

茂木　日本では尾崎秀実が朝日新聞などで中国との全面戦争を煽る記事を書き続け、上海でも日中両軍の全面衝突が起こり、追い詰められた蒋介石はついに共産党と連携して日本と戦うことを決断します。こうして中国共産党はクビの皮一枚で生き残ったのです。

南京、武漢、広州……日本軍の破竹の進撃が続き、蒋介石政権が内陸の重慶へ逃れました。しかし広すぎる中国大陸で、日本軍が占領できたのは「点と線」——都市と鉄道だけでした。この点と線こそ蒋介石国民政府の権力基盤であり、日本軍はそこにダメージを与えたのです。一方、中国共産党は農村に勢力を拡大しつつあり、日本軍との全面衝突をたくみに避けて勢力を温存しました。

■日米戦争へ誘導し、ソ連を救ったハリー・ホワイト

茂木　アメリカのフランクリン・ルーズヴェルト政権は蔣介石政権を支えるため仏領インドシナ経由で武器と軍需物資を送ります。交戦国の一方に対する武器援助は、明白な中立違反です。この「援蔣ルート」を断つため日本軍が仏領インドシナへ進駐しました。フランスはすでにドイツに敗北し、対独協力のヴィシー政府と協定を結んで日本軍は駐留したのです。

宇山　日本軍の南部仏印進駐を見たルーズヴェルト政権は対日経済制裁を発動しました。石油の禁輸ですね。

茂木　当時の日本は石油の９割をアメリカに依存しており、備蓄分がなくなれば中国との戦争継続はできなくなります。日本では政権を投げ出した近衛に代わり、陸軍大将の東條英機内閣が発足しました。東條内閣は、対米戦争準備を密かに進めつつ、１９４１年の12月１日をタイムリミットとして最後の対米交渉に臨み、妥協案を示しました。「日本軍は南部仏印から撤収し、アメリカは対日経済制裁と蔣介石支援をやめる」

宇山　これに対するアメリカ側の最終回答が、「ハル・ノート」でした。日米開戦を最後まで避けようとした東郷茂徳外相をして「目もくらむばかりの失望」と言わしめた酷い内容でした。

茂木　コーデル・ハル国務長官が最初に準備した草案は「満洲を除く中国と、北部を除く仏印からの日本軍撤退」を求めるという妥協的な内容でした。ところがルーズヴェルトはこの案をボツにし、ハリー・ホワイト財務次官が書いた副案を採用したのです。ホワイト案では「全中国と全仏印からの日本軍の撤退」を要求し、石油についてはノーコメントという強硬案にな

ハリー・ホワイト

っていました。これで、交渉決裂、対米開戦やむなし——。

すでにドイツ軍がモスクワ近郊まで攻め込んでいました。「日本政府が対米開戦を決断した」という情報は、ゾルゲ機関を通じてモスクワへ伝わります。日米が開戦すれば、日本軍がソ連に攻め込む可能性はなくなります。

宇山　スターリンは日本軍に備えていたシベリアの部隊をモスクワ防衛に回し、ドイツ軍を敗退させました。日米開戦が、スターリンを救ったのです。

茂木　ハル・ノートを書き換えて日米戦争へ誘導し、ソ連を救ったハリー・ホワイト財務次官とは何者だったのか？　大戦後、米ソ冷戦が始まると、ホワイトにはソ連のスパイ容疑がかかりました。下院の非米活動委員会への証人喚問が決まったホワイトは、「心臓発作」で急死しています。

そもそも世界恐慌下で成立した民主党のフランクリン・ルーズヴェルト政権は、労働者の雇用確保のため統制経済によって景気回復を図るニューディール政策を推進した政権でした。その政策の一部はアメリカの最高裁が違憲判決を出したほどの過激なもので、政権内部には多くの社会主義者（ニューディーラー）を抱えていました（第5章22節参照）。彼らの中にソ連の協力者がいても、まったく不思議ではありません。

宇山　つまり日米ともに政権中枢にソ連の協力者を抱えており、双方が日米開戦へと誘導することによって、ソ連と中国共産党を救ったのですね。

■大本営はソ連の対日参戦を知りながら受け入れた

茂木　大戦末期、米軍による本土空襲で絶望的な戦況の中、日本政府が最後の望みをかけたのが「ソ連による仲介」でした。独ソ戦争中、日独伊三国同盟があるにもかかわらずソ連を攻撃せず、日ソ中立条約を守り続けた日本。その恩義にスターリンが報いると考えたのです。

１９４５年2月、スターリンはヤルタ会談でルーズヴェルトと密談し、対日戦争に参戦してアメリカを助ける見返りに千島列島と南樺太を要求し、病身のルーズヴェルトはこれを認めました。この極秘情報を掴んだスウェーデン駐在日本陸軍の情報将校・小野寺信《まこと》は東京の参謀本部に通報しますが、参謀本部作戦課がこれを握りつぶします。

この大本営作戦課を仕切っていたのが瀬島龍三です。この頃、作戦課が立案した戦争終結に関する意見書には、驚くべき内容が書かれています。

- 対米英戦の遂行のため、ソ連とは戦わない。
- 満洲、樺太、千島列島は、ソ連に割譲する。
- 中国の占領地は、延安（毛沢東政権）にすべて明け渡す。

宇山　これはつまり、日本がソ連や中国共産党などの共産主義陣営に妥協してでも、米英とは戦いを続行する、という内容ですね。

茂木　このタイミングで瀬島は大本営作戦課を離れ、関東軍参謀の肩書きで満洲へ渡ります。その直後にソ連軍が満洲へ侵攻すると関東軍は総崩れとなり、停戦交渉にあたったのが瀬島でした。

ソ連崩壊後、公開された機密文書の中に、関東軍が参謀本部へ送った報告書があります。そこには「在留日本人および日本兵は帰国させず、ソ連の庇護下におく」と書いてあります。つまりシベリア抑留者60万人はソ連が一方的に拉致したのではなく、大本営の承認のもと、ソ連側に「引き渡された」ことになります。大本営はソ連の対日参戦を知りながら、むしろ積極的にこれを受け入れたのです（詳細は茂木誠『増補版・「戦争と平和」の世界史』第11章を参照）。

「敗戦革命」という言葉があります。レーニンがロシア革命を成功させたのは、日露戦争と第一次世界大戦で帝政ロシアが敗北したからです。

宇山　同様に、毛沢東が権力を握れたのは、蔣介石政権が日本との戦いで疲弊したからです。また、大日本帝国崩壊の悲劇は、権力の中枢を内部から蝕んでいた隠れ共産主義者を排除できなかったために起こったのです。

敗戦後、彼らはどうなったのでしょうか？

茂木　満洲で捕虜となった日本軍将校は、ソ連軍の捕虜収容所へ送られて思想教育を受けてから帰国、東京のソ連大使館の諜報部員ラストヴォロフの指揮下に入り、ソ連の対日工作の実働部隊となりました。ところが、ラストヴォロフ自身がアメリカに亡命して議会で対日工作の実態を議会証言したため、配下の工作員らは警視庁に出頭しましたが、スパイ防止法がないため無罪放免となりました。その一人で関東軍参謀だった志位正二《まさつぐ》の甥が、のちに日本共産党委員長となる志位和夫です。

日中戦争を煽った近衛内閣の書記官長・風見章は、日本社会党の結党に参加しています。日本社会党はソ連からの財政援助を受けて労働者・学生を動員し、非武装中立、日米安保反対、平和憲法擁護の論陣を張りました。

瀬島龍三は伊藤忠商事の商社マンとなりました。ソ連・中国とのコネクションを生かして共産圏諸国との取引で成績を伸ばした結果、伊藤忠の会長にまで上りつめました。

宇山　いわゆる敗戦利得者たちが政界・官界・学界に入り込み、裏側から日本を操り、日本を貶めていくのですね。戦前の日本を「軍国主義」として完全否定し、「自虐史観」を作り上げながら、アメリカとも協力していったわけですね。

茂木　日本敗戦後、毛沢東はソ連占領下の満洲に移り、日本軍から接収した武器を手に入れて国民政府との内戦を再開します。日本との戦争で疲弊し切っていた蔣介石は敗北し、国民政府ごと台湾へ移転しました。こうして弱小政党だった中国共産党が勝者となり、毛沢東が中華人民共和国の建国を宣言したのです（１９４９）。

１９６４年、北京を訪問した日本社会党の佐々木更三委員長が日中戦争について謝罪したとき、毛沢東はこう答えました。

「何も謝ることはありません。日本軍国主義は中国に大きな利益をもたらしました。おかげで、中国人民は権力を奪取しました。日本の皇軍なしには、私たちが権力を奪取することは不可能だったのです。この点で、私とあなたの間には意見の相違と矛盾がありますね」

おわりに

2024年(令和6年)の年明けにこの原稿を書いています。今年の正月に起こったことは、多くの人の記憶に長く刻まれることでしょう。

久しぶりに実家に帰り、老いた両親の無事を確認し、孫の成長を喜び、新しい年の訪れを厳粛な気持ちでむかえるお正月――。

その元日の夕方に能登半島を震度7の地震が襲いました。震源地に近い輪島市、珠洲《すず》市は地震と火災、津波によって壊滅しました。家族団欒《だんらん》が一瞬で暗転し、多くの方が瓦礫に埋もれ、いまも救出作業が続いています。寒空の中で救援を待つ人たちがたくさんいます。

1月2日には羽田空港で大事故が発生しました。能登へ救援物資を運ぶため離陸を準備していた海上保安庁の輸送機が、着陸体勢に入ったJALの旅客機と接触し、両機ともに火だるまになりました。JALの乗客乗員は奇跡的に全員脱出しましたが、海保機の乗組員数名が殉職されました。

ネット上には「にわか評論家」があふれ、誰が悪い、何が悪い、と議論が続きました。私はうんざりし、海外の動画サイトがこの不幸をどう伝えているかを見てみました。

おどろくべきことに、コメント欄は賞賛であふれていました。

「日本人の冷静さと忍耐力は驚くべきものだ」

「自分の国ならパニック状態で喧嘩になり、多くの怪我人がでている」

「日本人は何度も立ち直ってきた。今回もきっと立ち直るだろう」

いまの日本には確かに解決すべき問題が多々あり、悲劇から学ぶべきことも多いと思います。同時に、諸外国で同じようなことが起こったらどうなるのかを知ることで、日本人というものを客観的に理解することができるでしょう。


歴史も同じです。根拠のない「自虐」や、根拠のない「誇大」から離れて日本人の歴史を客観的に理解するためには、世界の歴史を知らなければなりません。日本史は世界史の一部ですから、日本は同じような経験を諸外国と共有しているのです。

モンゴル帝国による侵略は、日本も朝鮮も中国もロシアもイスラム世界も経験しました。

大航海時代には、大砲で武装した西欧の艦隊がアフリカとアジアの沿岸を襲い、中南米にも襲来しました。種子島へのポルトガル人来航は、その一環だったのです。

19世紀、産業革命で強大化した西欧列強による世界分割もアジア・アフリカ諸国がみな経験し、ペリー来航はその一環でした。

危機の時代においてわれわれの祖先がいかに対応し、死に物狂いで独立を守ってきたか。諸外国との比較の中でそれを知れば、この国を守っていこうという気持ちになり、あなたの明日からの生き方も変わってくるでしょう。

細かい知識や年号にやたら詳しい「世界史おたく」はたくさんいますが、世界全体を俯瞰して文明論を語れる人は稀です。ナビゲーターの宇山卓栄先生はアーティスト（画家）を本業としつつ、大学受験予備校で世界史を教え、また世界の数十カ国を自分の足で歩き、自分の目で見てきた体験をお持ちの方です。他の世界史の先生とはちょっと違うのです。

私は大学で日本史と考古学を学び、訳あって大学受験予備校で世界史を教えるようになったという変人です。二人の「変人」が語りあう世界史は、期待通りにぶっ飛んだ内容になったと思います。

この企画を提案してくださった宇山先生と、ビジネス社の中澤直樹さんに感謝します。

被災地が1日も早く復興し、被害にあわれた方々の心の傷が、早く癒えますように。

２０２４年（令和６年）１月

茂木　誠

［著者略歴］
茂木 誠（もぎ・まこと）
ノンフィクション作家、予備校講師、歴史系YouTuber。

駿台予備学校、N予備校で世界史担当。『世界史で学べ！ 地政学』（祥伝社）、『「戦争と平和」の世界史』（TAC）、『「保守」って何？』（祥伝社）、『教科書に書けないグローバリストの近現代史』（ビジネス社・共著）、『「リベラル」の正体』（WAC出版・共著）、『ジオ・ヒストリア』（笠間書院）、『感染症の文明史』（KADOKAWA）、『ニュースの〝なぜ？〟は地政学に学べ』（SB新書）、『政治思想マトリックス』『日本思想史マトリックス』（以上、PHP研究所）など著書多数。

YouTubeもぎせかチャンネルで発信中。連絡先：mogiseka.com

宇山卓栄（うやま・たくえい）
1975年、大阪生まれ。慶應義塾大学経済学部卒業。代々木ゼミナール世界史科講師を務め、著作家。テレビ、ラジオ、雑誌、ネットなど各メディアで、時事問題を歴史の視点でわかりやすく解説。主な著書に『大アジア史』（講談社）、『世界「民族」全史』『「民族」で読み解く世界史』『「王室」で読み解く世界史』『「宗教」で読み解く世界史』（以上、日本実業出版社）、『世界一おもしろい世界史の授業』（KADOKAWA）、『経済で読み解く世界史』『朝鮮属国史─中国が支配した2000年』（以上、扶桑社）、『世界史で読み解く「天皇ブランド」』（悟空出版）など。

日本人が知らない！世界史の原理

2024年３月11日　第１刷発行
2024年６月12日　第５刷発行
著　者　　茂木 誠　宇山卓栄
発行者　　唐津 隆
発行所　　株式会社ビジネス社
〒162-0805　東京都新宿区矢来町114番地 神楽坂高橋ビル5階
電話　03(5227)1602　FAX　03(5227)1603
https://www.business-sha.co.jp
〈装幀〉大谷昌稔
〈本文組版〉有限会社メディアネット
〈印刷・製本〉大日本印刷株式会社
〈営業担当〉山口健志
〈編集担当〉中澤直樹

ISBN978-4-8284-2608-2